ベストセラーで読み解く

現代アメリカ

Read the United States with Bestseller

渡辺由佳里

Yukari Watanabe

亜紀書房

ベストセラーで読み解く現代アメリカ｜もくじ

I――アメリカの大統領

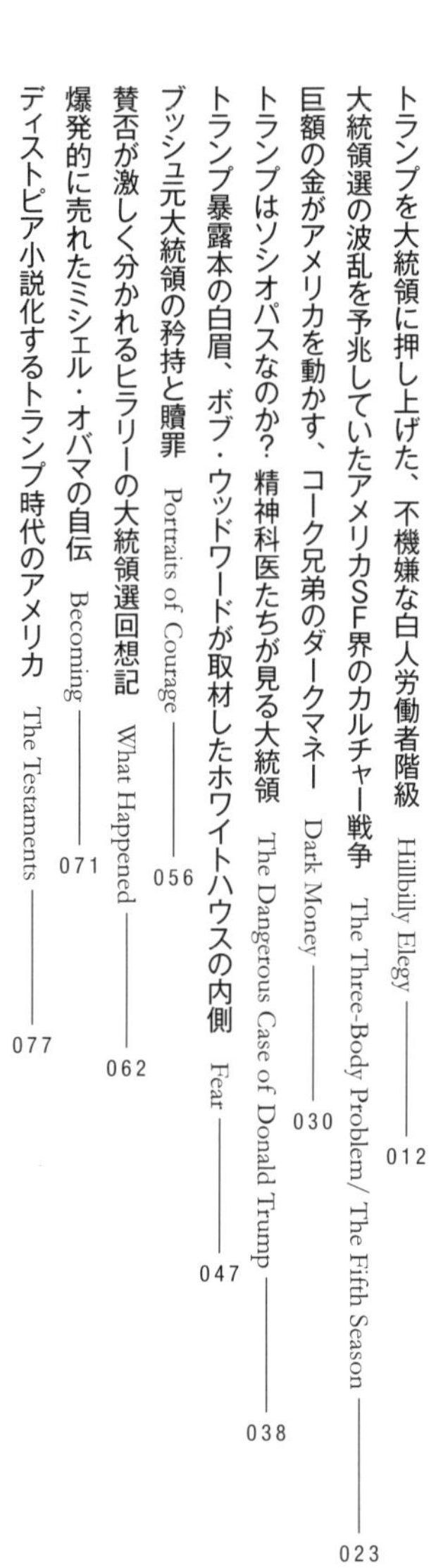

II――アメリカの歴史

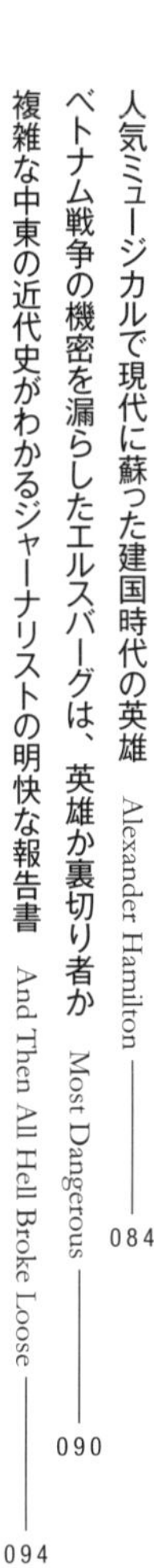

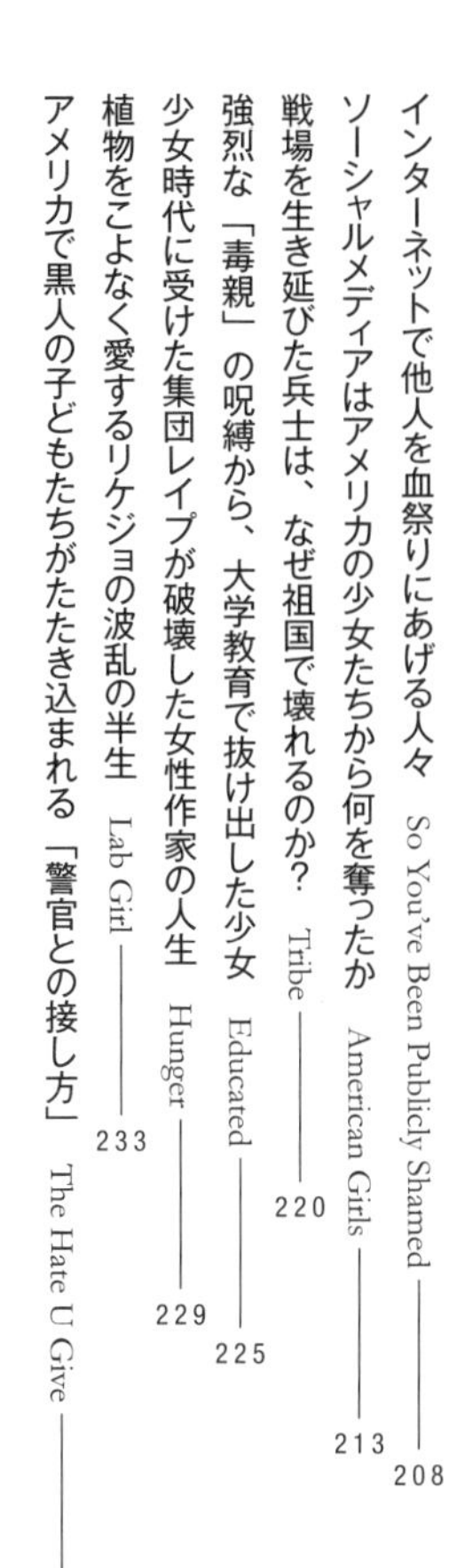

V—居場所がない国

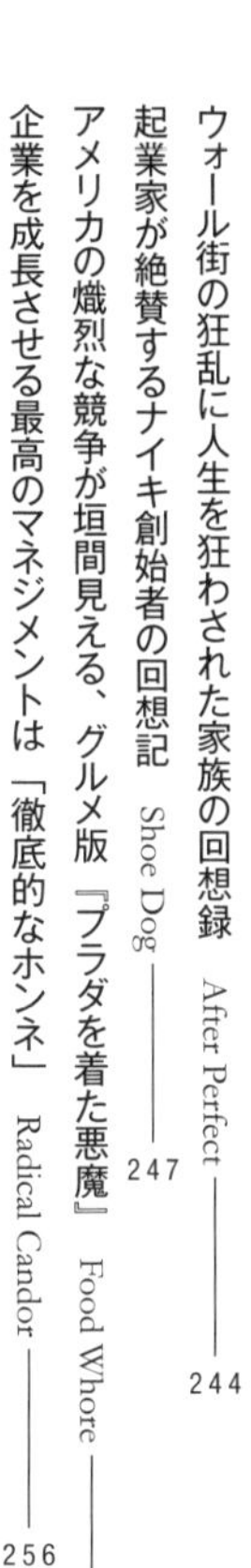

VI—競争社会の光と影

IX 民主主義のための戦い

＊本文中に出てくる書籍については、以下のように記しています。原著は欧文イタリックで表し、日本で翻訳のあるものは、『』に入れ、翻訳のないものは（）に訳したものを入れています。
邦訳のあるもの：*Hillbilly Elegy: A Memoir of a Family and Culture in Crisis*（『ヒルビリー・エレジー――アメリカの繁栄から取り残された白人たち』）
邦訳のないもの：*The Fifth Season*（ザ・フィフス・シーズン）

ベストセラーで読み解く現代アメリカ
──はじめに

これまで何度か「人生の転機」について質問を受けたことがある。60年ほどの人生において転機はいくつもあったが、現在の私に影響を与えた最大の出来事は、私が5歳のときに小学校の教師だった母が『少年少女世界の名作文学』シリーズ（小学館、全50巻）を定期購入し始めたことだった。

私はこれらの本が読みたくて小学校に入学する前から自学で文字を習い、この全集から故郷の田舎町の外に、大きな世界があることを知った。そして、いつかその大きな世界を訪問したいと思った。その中でも私に強いモチベーションを与えたのはフランシス・ホジソン・バーネットの『秘密の花園』だった。私は、いつかイギリスに住み、秘密の花園を持ちたいと夢見た。その夢が英語を学ぶ強い動機に変化し、いくつもの転機を経て、アメリカのボストン郊外でエッセイを書いたり、書籍の翻訳をしたり、英語で出版された本のレビューをしたりする現在の私に至っている。

英語の本のレビューをするようになったきっかけは、私が2008年から始めた「洋書ファンクラブ」という主にアメリカの新刊洋書を紹介するブログだ。幼い頃から海外翻訳文学が好きでよく読んでいたので、1995年にアメリカに移住してからは自然と英語の原書で読むようになっていた。もともと活字中毒なので、じきに、英語の本もアメリカ人の夫や義母より多く読むようになった。児童書からノンフィクションまで幅広いジャンルの本を年に200冊以上読むため、周囲のアメリカ人から「おすすめの本を教えてほしい」と頼まれるようになり、英語の新刊を日本語で紹介するサイトがないことに気づいて自分で始めることにしたのだ。

私のブログは読者が本を探しやすくするように日米のアマゾンにクリックで飛べるようになっているが、広告は一切ない。ゆえに、クリックしていただく数が多くても、私の収入には無関係だ。それでもやっているのは、日本語圏の読者が知らない素晴らしい英語の本をもっと知ってほしいからであり、読書の魅力を伝えることで衰退しつつある本の世界を活気づけたいからだ。また、私の人生は本のおかげで豊かになったので、その世界への「恩返し」のつもりでもある。

この「洋書ファンクラブ」で、私は2009年からはその年の「おすすめ洋書（英語のみ）」を選ぶ「これを読まずして年は越せないで賞」というものを始めた。最初の年は、ブログの読者からの推薦や投票で候補を絞ったが、翌年からはボランティア審査員と一緒に候補を絞って年末に決定する様式になった。このブログと賞をきっかけに日本で翻訳出版される本が出るようになっており、最初の目的の「恩返し」が少しできたかと思っている。

「洋書ファンクラブ」が多くの読者を得るようになり、そのような経緯から2015年に「ニューズウィーク日本版オフィシャルサイト」の編集者である知久敏之氏に声をかけていただいて「ベストセラーからアメリカを読む」という連載コラムを始めることになった。これは単に本の感想や書評ではなく、「なぜこの本が、現在のアメリカでベストセラーになっているのか？」という視点から本とその背景にある社会的な事情を説明するコラムだ。その視点と意義について少しご説明しよう。

私は、夫と共同経営しているマーケティング・ストラテジー会社の仕事で世界中を旅することが多く、初対面の人とパーティやディナーで会話することも多い。英語圏ではどんな相手にも失礼にはならない「small talk（スモールトーク）」というものを会話のきっかけにする。「最近よく雨がふりますね」、「今日は暑いですね」といった天候の話が典型的な例だ。だが、それではすぐに会話が終わってしまう。そんなときに世界中の多くのビジネスマンがよく選ぶのが「最近読んだ本」という話題だ。

どの国でもそうなのだが、特にG7などの「主要国」に入らないヨーロッパや南米の国々のビジネスリーダーたちから「アメリカで話題になっている本」について尋ねられる。現代のアメリカを知るために役立つのが、アメリカ人が読んでいる本を知ることだからだ。また、それについて私たちがどう考えているのかにも、彼らは興味深く耳を傾ける。

アメリカでベストセラーになる本が優れているとは限らない。だが、多くの国民が何に関心を寄せているのかを垣間見ることはできる。だからこそ、本の内容だけでなく、ベストセラーという現象の背後にある社会情勢を考えることが重要なのだ。世界中のいろいろな業界で働く人たちと私が交わすのは、そういう会話だ。話題になるのはノンフィクションだけではない。小説も、時には児童書も話題になる。

本書の大部分は、その視点で書いた「ニューズウィーク日本版オフィシャルサイト」の連載「ベストセラーからアメリカを読む」に掲載したコラムの中から、現代アメリカを理解するために重要なものを選び、加筆修正したものである。それらに、ブログ「洋書ファンクラブ」などのレビューを加えている。コラム執筆時点から現在までに状況が変わったこともあり、その中には予告的なものもある。それも興味深いと思ったので、コラムの末尾にオリジナルの掲載日を載せ、現状が大きく変わっている場合には【追記】を加えるようにした。

また、これらのコラムは、いずれも英語での原書がまだ新刊だったときに書いたものである。後に日本で邦訳版が発売された本もあるが、コラム内でご紹介している翻訳は私のものであり、邦訳版にはあわせていないものが多い。それらの文章が日本で刊行された邦訳版と異なる可能性があることをご了承いただきたい。

本書でご紹介した原書のすべてを読むことは困難かもしれないが、邦訳版が出ているものも多いのでぜひ手にとってみていただきたい。また、なかなか時間がとれない方でも、これらの本についで知っているだけで現代アメリカが理解しやすくなるのではないかと思う。

5歳のときから現在まで、私の人生の転機には必ずと言っていいほど本が関わっていた。親でも教師でもなく、本から学んだことが後の人生に役立った経験は数え切れない。その読書体験をひとつの本としてまとめる機会を与えてくださった亜紀書房の足立恵美さんに心から感謝している。

拙著が、どんなかたちであれ読者のみなさんの人生に少しでもお役に立てればこれほど嬉しいことはない。

渡辺由佳里

2019年10月

I　アメリカの大統領

トランプを大統領に押し上げた、不機嫌な白人労働者階級

Hillbilly Elegy

■2016年衝撃の大統領選

アメリカの大統領選挙では、必ず予期しない大きな出来事がある。しかし、2016年の大統領選ほど「前代未聞」という表現が似合う選挙はこれまでなかった。

経験も実績もない政治の素人が、突然、伝統ある二大政党のひとつに加わって乗っ取り、党のリーダーらをおおっぴらに非難し、長年の慣習である納税申告書の開示を拒み、ポリティファクト（政治に関する発言の信憑性を調査するウェブサイト）からは発言の7割が「偽り」と評価を受け、これまでならたったひとつでも「致命的」とみなされるスキャンダルを数え切れないほど起こしたにもかかわらず、大統領選挙に勝利したのだ。

これまでの大統領選挙と様相が異なることを薄々感じたのは、2015年の後半だった。

アメリカ大統領選挙の予備選では、投票の開幕戦にあたるニューハンプシャー州が重視される。ここで苦戦する候補は「勝つ見込みなし」と判定され、脱落せざるを得なくなる。そこで、早い場合は選挙の2年前から、遅くても1年半前には、ここで集中的に政治イベントを行って支持者

を集める。
私は、このニューハンプシャー州で、予備選中に共和党で有力視されていたマルコ・ルビオ、ジョン・ケーシック、ドナルド・トランプ、民主党のヒラリー・クリントンとバーニー・サンダースのイベントに足を運んだ。候補だけでなく、支持者を知りたかったからだ。メディアの1人ではなく、参加者として列に一緒に並ぶと、みな、仲間として打ち解け、心情を率直に明かしてくれる。そこで知ることは大きい。

高校の食堂を利用したイベントで会ったケーシックは、まるで地方の政治家のように素朴で気さくだった。運営は地元のボランティアなので適当な感じだ。ルビオのイベントはもっと洗練されており、参加者も教会に行くようなきちんとした身なりだった。ケーシックの支持者より経済的な成功者が多いのがわかる。

サンダースのラリー（大規模な政治集会）では若者が圧倒的に多かったが、共和党の候補らと同様に支持者のほとんどが白人だった。ニューハンプシャー州は人口の94％が白人なので当然といえば当然なのだが、ヒラリーのイベントには、黒人、ヒスパニック系、アジア系が多い。ステージ横には車椅子専用の観客席があり、手話通訳がいるのもほかの候補とは異なった。だが、これらの差異は、トランプと比較すると些細なものだった。

トランプのラリーに申し込むと、メールで駐車場の情報が来る。巨大な空き地を利用した駐車場に行くと、係員が車を停める場所をナビゲートしてくれ、そこから無料のシャトルバスが屋内テニスコート施設を利用した会場に連れて行ってくれる。まるでロックコンサート運営のように手際良い。一緒にバスに乗った初老の夫婦は、「さすがトランプだね」と感心していた。美人コンテストのミス・ユニバースやカジノ・ホテルを経営するビジネスマンらしさをここですでに印象付けている。

列に並んで待つ間には「アメリカを再び偉大にしよう（Make America Great Again）」というスローガンが入った赤い帽子やトランプのロゴが入ったTシャツが買えるようになっている。そして、3000人収容できる会場に足を踏み入れると、ローリング・ストーンズの「スタート・ミー・アップ」やエアロスミスの「ドリーム・オン」、クイーンの「伝説のチャンピオン」が大音響で流れている。

トランプのラリーのロックな雰囲気は、国家予算や税金について難しい話を真面目にするライバルとはまったく異なった。トランプは「とてもひどい」などといった小学校で学ぶ程度の単純な語彙だけを使ってオバマ大統領をけなし、ライバル候補を揶揄し、マイノリティや移民を非難して群衆を沸かせた。

このとき気付いたのは、大衆は国家予算や外交政策の詳細などには興味がない、ということだった。プロの政治家をすでに胡散臭く思っているので、たとえ実直に説明していても「煙に巻こうとしているだけ」と感じてしまうのだろう。

それにひきかえ、「オバマ大統領や議会は災害」「メキシコが送り込むのは、ドラッグと犯罪とレイプ魔」「アメリカは日本が関税なしで何百万もの車を売りつけてくるのを許しているくせに、貿易協定を結べずにいる」「イスラム教徒のアメリカ入国を禁じる」というトランプの言葉は、ふだん彼らが感じていることそのものだ。言いたくても言えなかった彼らにとっての「真実」を代弁してくれるトランプに、観衆が引き込まれていくのが見える。

さらに実感したのは、群集心理を察知する、トランプの天賦の才だ。

トランプは、もとは「不動産王」として知られていたが、全米2004年に始まった「アプレンティス」というテレビ番組で全米のスターになった。参加者が「見習い（アプレンティス）」としてトランプの会社での採用を競うもので、課題に取り組んだ参加者が、番組の最後に重役室に呼ばれ、そのうち1人がトランプから「お前はクビだ」と言い渡される。この独裁的な経営手法は専門家からは批判されたが、ビジネスの素人には非常にわかりやすくて面白い。視聴者は、テレビで観るトランプの「決断力とカリスマ性」に惹かれた。

ニューヨーク生まれの富豪で、貧困や労働者階級と接点がないトランプが、大統領選で庶民の心を摑んだのを不思議に思う人もいる。だが、彼は、プロの市場調査より自分の直感を信じるマーケティングの天才だ。長年にわたるテレビ出演や美人コンテスト運営で大衆心理のデータを蓄積し、選挙前から活発にやってきたツイッターや予備選のラリーの反応から、「繁栄に取り残された白人労働者の不満と怒り」そして、「政治家への不信感」の大きさを嗅ぎつけたのだ。

トランプを冗談候補としてあざ笑っていた政治のプロたちは、彼が予備選に勝ちそうになってようやく慌てた。都市部のインテリとしか付き合いがない彼らには、地方の白人労働者の怒りや不信感が見えていなかったからだ。そんな彼らが読み始めたのが、*Hillbilly Elegy: A Memoir of a Family and Culture in Crisis*（『ヒルビリー・エレジー――アメリカの繁栄から取り残された白人たち』）という回想記だ。

■白人労働者たちはトランプのどこに惹かれたか

無名の作家が書いたこのメモワール（回想記）は、静かにアメリカの大ベストセラーになった。著者のJ・D・ヴァンス（J. D. Vance）は、由緒あるイェール大学ロースクール（法曹養成の専門大学院）を修了し、サンフランシスコのテクノロジー専門ベンチャー企業のプリンシパルとして働いている。よく見かけるタイプのエリートの半生記が、なぜこれだけ注目されるのかというと、ヴァンスの生い立ちが普通ではないからだ。

ヴァンスの故郷ミドルタウンは、AKスチールという鉄鋼メーカーの本拠地として知られる、オハイオ州南部の地方都市である。かつて有力鉄鋼メーカーだったアームコ社の苦境を、川崎製鉄が資本提携という形で救ったのがAKスチールだが、グローバル時代のアメリカでは、ほかの製造業と同様に急速に衰退していった。失業、貧困、離婚、家庭内暴力、ドラッグが蔓延するヴァンスの故郷の高校は、州で最低の教育レベルで、しかも2割は卒業できない。大学に進学するのは少数で、トップの成績でも、ほかの州の大学に行くという発想などはない。大きな夢の限界はオハイオ州立大学だ。

ヴァンスは、そのミドルタウンの中でも貧しく厳しい家庭環境で育った。両親は物心ついたときから離婚しており、看護師の母親は、新しい恋人を作っては別れ、そのたびにうつやドラッグ依存症を繰り返す。そして、ドラッグの抜き打ち尿検査で困ると、当然の権利のように、息子に尿を要求する。それで拒否されたら、泣き落としや罪悪感に訴えかける。母親代わりの祖母がヴァンスの唯一のよりどころだったが、10代で妊娠してケンタッキーから駆け落ちしてきた彼女も、貧困、家庭内暴力、アルコール依存症といった環境しか知らない。小説ではないかと思うほど波乱に満ちた家族のストーリーだ。

こんな環境で高校をドロップアウトしかけていたヴァンスが、イェール大学のロースクールに行き、全米のトップ1%の裕福な層にたどり着いたのだ。この奇跡的な人生にも興味があるが、ベストセラーになった理由はそこではない。

ヴァンスが「Hillbilly（ヒルビリー）」と呼ぶ故郷の人々は、トランプのもっとも強い支持基盤と重なるからだ。多くの知識人が誤解してきた「アメリカの労働者階級の白人」を、これほど鮮やかに説明する本は他にはないと言われる。


タイトルになっている「ヒルビリー」とは田舎者の蔑称だが、ここでは特に、アイルランドのアルスター地方から、おもにアパラチア山脈周辺のケンタッキー州やウエスト・ヴァージニア州に住み着いた「スコッツ＝アイリッシュ（アメリカ独自の表現）」のことである。

ヴァンスは彼らのことをこう説明する。

「そうした人にとって、貧困は、代々伝わる伝統といえる。先祖は南部の奴隷経済時代に日雇い労働者として働き、その後はシェアクロッパー（物納小作人）、続いて炭鉱労働者になった。近年では、機械工や工場労働者として生計を立てている。アメリカ社会では彼らは『ヒルビリー（田舎者）』、『レッドネック（首すじが赤く日焼けした白人労働者）』、『ホワイト・トラッシュ（白いごみ）』と呼ばれている。だが私にとって、彼らは隣人であり、友だちであり、家族である」

つまり、彼らは「アメリカの繁栄から取り残された白人」なのだ。

「アメリカ人の中で、労働者階級の白人ほど悲観的なグループはない」とヴァンスは言う。黒人、ヒスパニック、大卒の白人、すべてのグループにおいて、過半数が「自分の子どもは自分より経済的に成功する」と次世代に期待している。ところが、労働者階級の白人では44％でしかない。「親の世代より経済的に成功していない」と答えたのが42％だから、将来への悲観も理解できる。

悲観的なヒルビリーらは、高等教育を得たエリートたちに敵意と懐疑心を持っている。ヴァンスの父親は、息子がイェール大学ロースクールへの合格を知らせると、「（願書で）黒人かリベラルのふりをしたのか？」と尋ねた。彼らにとっては、リベラルの民主党が「ディバーシティ（多様性）」という言葉で守り、優遇しているのは、黒人や移民だけなのだ。知識人は、自分たちを「白いゴミ」としてばかにする鼻持ちならぬ気取り屋であり、自分たちが受けている福祉を守ってくれていても、それを受け入れるつもりも、支持するつもりもない。

彼らは「職さえあれば、ほかの状況も向上する。仕事がないのが悪い」と言い訳する。

そんなヒルビリーたちに、声とプライドを与えたのがトランプなのだ。

トランプの集会に行くと、アジア系の私が恐怖感を覚えるほど白人ばかりだ。だが、列に並んでいると、意外なことに気づく。

みな、楽しそうなのだ。

トランプのTシャツ、帽子、バッジやスカーフを身に着けて、おしゃべりしながら待つ支援者の列は、ロックコンサートやスポーツ観戦の列とよく似ている。

彼らは、「トランプのおかげで、初めて政治に興味をいだいた」という人たちだ。「政治家は票がほしいときだけ甘い言葉で騙す」、「政治家はマイノリティや外国人ばかりを『ポリティカル・コレクトネス』で優遇する。損をしているのは自分たちだけ」という不信感や不満を抱いてきたのだが、政治そのものには関心を抱いたことはなかった。目を輝かせ、ウキウキとした口調でトランプを語るタイプには、「投票するのは今回が初めて」と言う人がとても多かった。

なぜ彼らがこれほど情熱的になるかというと、トランプが自分たちにわかる言葉でアメリカの問題を説明してくれたからだ。「悪いのは君たちではない。イスラム教徒、移民、黒人、不正なシステムを作ったプロの政治家やメディアが悪い」というメッセージも、ふだん自分たちが家族や仲間うちで語っていたことと一致している。

「トランプの支持者は暴力的」というイメージがあるが、それは外部の人間に向けての攻撃性であり、お互い同士は、とてもフレンドリーだ。トランプの「言いたいことを隠さずに語る」ラリーに参加した人は、大音響のロックコンサートを周囲の観客とシェアするときのような昂揚感を覚える。ここで同じ趣味を持つ仲間もできる。しかも、このロックコンサートは無料なのだ。

この場で得た印象は、スポーツ観戦とも似ていた。特に「チーム贔屓」の心境が。レッドソックスのファンは、自分のチームをとことん愛し、ニューヨーク・ヤンキースとそのファンに強い敵意を抱く。この感情に理屈はない。いったん忠誠心を抱いたファンは、ヒーローのミスに寛容だ。だから、彼らはトランプの度重なるスキャンダルを「人間は完璧ではないから」と許したのだ。

こういったトランプの支持者から直接話を聞いてきたので、ヴァンスの本を読んでいて、「同じ人々だ」と思った。私が会ったのは、東海岸北部であり、ヴァンスが生まれ育った中西部とは異なる。だが、古い産業が廃れ、失業率が高くなり、ヘロイン中毒が蔓延しているアメリカの田舎町では、同じようなトランプ現象が起こっていた。

ヴァンスは家族や隣人として彼らを愛している。だが、「職さえあれば、ほかの状況も向上する。仕事がないのが悪い」という彼らの言い訳を否定する。社会や政府の責任にするムーブメントにも批判的だ。

というのも、ヴァンスは自分がアルバイトしているときに、職を与えられても努力しない白人労働者の現実を目撃したからだ。遅刻と欠勤を繰り返し、解雇されたら、怒鳴り込む同僚もいた。教育においても医療においても、政府の援助を受けずに自立できないのに、それを与える者たちに牙をむく隣人たちも見てきた。そして、ドラッグを買う金を得るためなら、家族や隣人から盗み、平気で利用する人たちも。

本書に出てくる困難に直面したときのヒルビリーの典型的な対応は、怒る、大声で怒鳴る、他人のせいにする、困難から逃避する、というものだ。

ヴァンスはこう言う。「統計資料によれば、私のような境遇に育った子どもは、運がよければ公的扶助を受けずにすむが、運が悪ければヘロインの過剰摂取で命を落とす。昨年、私の故郷の小さな町で何人もが亡くなったように」と。

彼がアイビーリーグ大学のロースクールに行って弁護士になれたのは、彼がずば抜けた天才だったからではない。幸運にも、愛情を持って援助してくれた人たちがいたからだ。また、海兵隊に入隊したのも、人生を変えるきっかけになった。ヴァンスは、海兵隊で初めて、ハードワークと最後までやり抜くことを学び、それを達成することで自尊心を培った。

「将来に希望を抱くことができない」。それは人の生きるエネルギーを殺す。周囲の大人が、「努力しても無駄」と思い込んでいる場所で育った子どもが、希望を抱けるはずはないし、努力の仕方を学ぶこともできない。

ヴァンスのように幸運でなかった者は、「努力はしないが、ばかにはされたくない」という歪んだプライドを、無教養と貧困とともに親から受け継ぐ。

この問題を、どう解決すればいいのだろうか？

ヴァンスは、ヒルビリーの子どもたちに、安心して学べる環境や、自分のようなチャンスを与えるべきだと考える。そして、悪循環を切るのだ。だが、その方法については「僕にも答えはわからない」と言う。

「（だが）まずオバマやブッシュや企業を非難することをやめ、事態を改善するために自分たちに何ができるのか、自問するところからすべてが始まる」

残念なことに、白人労働者が情熱的に応援したトランプ大統領は、就任後2週間にしてすでに労働者たちを裏切っている。

たとえば、トランプ候補は通称「オバマケア」と呼ばれる医療保険制度改革（Affordable Care Act）を、「もっと素晴らしいものに取り替える」と公約したが、トランプ大統領と共和党が支配する連邦議会がオバマケアを廃止した後には、多くの国民が健康保険を失うことになる。その大部分は、ヴァンスが本書で紹介しているトランプを応援した低所得のヒルビリーたちだ。

また、トランプ大統領は「メキシコとの国境に壁を作り、その費用をメキシコに払わせる」と公約したが、膨大なコストを「メキシコからの製品に20%の関税をかける」ことで賄うと提案した。しかし、それはメキシコに払わせるということにはならない。アメリカの消費者が負担するということだ。アメリカは特に冬場の野菜や果物をメキシコからの輸入に頼っている。実現したら、野菜だけでなく、すべての製品に影響が現れるだろう。即座に打撃を受けるのは、無職や低所得の国民ということになる。

都市に住む知識階級のリベラルはすでにこの裏切りに気付いているが、そこを指摘しても、分断したアメリカの溝を埋めることはできない。現在のアメリカは、海外との交流以上に、都市と地方での交流が必要になっているのかもしれない。

50年後のアメリカ人が2016年のアメリカを振り返るとき、本書は必ず参考文献として残っていることだろう。(2016年11月「ニューズウィーク日本版オフィシャルサイト」掲載、のちに『ヒルビリー・エレジー──アメリカの繁栄から取り残された白人たち』解説)

Hillbilly Elegy: A Memoir of a Family and Culture in Crisis
J. D. Vance, 2016
『ヒルビリー・エレジー──アメリカの繁栄から取り残された白人たち』
関根光宏・山田文訳、光文社

大統領選の波乱を予兆していたアメリカSF界のカルチャー戦争

The Three-Body Problem/The Fifth Season

ヒューゴー賞（Hugo Awards）は、世界中のSFファンが注目するSF、ファンタジー、ホラージャンルの重要な賞だ。

受賞作は世界SF大会（ワールドコン、World Science Fiction Convention）に登録したファンの投票で決まり、大会の間に開催される授賞式で発表される。気取った文芸賞とは異なり、批評家ではなくファンが決める賞なので、必ずといって良いほど面白く、ベストセラーにもなる。そういった点で、とても信頼性がある賞だ。少なくとも、2015年まではそうだった。

ヒューゴー賞の信頼を地に落としたのは、「サッド・パピーズ（Sad Puppies、悲しい子犬たち）」と「ラビッド・パピーズ（Rabid Puppies、怒り狂う子犬たち）」と呼ばれるSF作家の集団だ。

数年前から、アメリカのSF作家のなかには、最近のヒューゴー賞が、「マイノリティの人種、女性、同性愛者への公正さを重んじるリベラルな政治性を優先して選ばれている」「文芸的な作品が重視され、娯楽的なSFが無視されている」といった不満を持つ者がいた。彼らは、コニー・ウィリス、ジョー・ウォルトン、アン・レッキーといった女性作家やマイノリティ作家が受賞しているヒューゴー賞が「SJW（Social Justice Warrior、社会的公正の闘志）作家」によって不当に支配されていると信じ、4年ほど前にこれに対抗する集団「サッド・パピーズ」を作った。

サッド・パピーズの代表者はラリー・コレイラというパルプ（大衆向け）SF作家で、同じような見解を持つ作家やファンに呼びかけて2013年のヒューゴー賞で自分や仲間の作品を最終候補に入れるキャンペーンを行った。

その年と翌年にはあまり成果を出さなかったのだが、2015年にブラッド・R・トーガーセンがコレイラの後を継ぎ、ビデオゲームデザイナーで編集者でもあるヴォックス・デイ（別名セオドア・ビール）がサッド・パピーズよりさらに過激な「ラビッド・パピーズ」というグループを作ったところから活動の成果が顕著になった。

■パピーズの「正体」

パピーズに所属する主要な作家は白人男性で、人種差別、男尊女卑、アンチ同性愛の立場も堂々と公言している。彼らは、アメリカのSF界が、白人男性による白人男性のための作品が尊敬される「古き良き時代」に戻ることを望んでいる。

パピーズ作家の1人ジョン・C・ライトは、「強い女性キャラクターからSFを救済する」というタイトルのエッセイを書くほど、「SF界に女は邪魔」と公言する一派だ。男女の役割については「男性のスペースヒーローこそが率先して活躍してヒロインを救う役割であるべき。女性ヒロインは、露出たっぷりのハーレム衣装に身を包むか鎖に繋がれて弱々しくヒーローから救われるのを待つお姫様の役割くらい」といった差別的な意見を持ち、同性愛に関しては「男は、ホモセクシャルを心底嫌悪するものだ」と書いている。

またパピーズのリーダー格のヴォクス・デイは、「なぜ女性への公平な権利は間違っているのか」というタイトルのエッセイで、「僕は実際には女性のことが大好きであり、幸せでいてもらいたい。だからこそ、僕は女性が求める公平な権利を撲滅すべき病だとみなしているのだ」と、前時代的な「女性への思いやり」を見せている。

アメリカには、現代社会に定着しつつある多様性やリベラルな姿勢に被害者意識を持つ白人男性がけっこういる。彼らは、女性や肌の色が異なる人種や同性愛者が自分たちにとって安泰だった世界を壊していると信じて鬱憤をためている。パピーズは、そんな読者にターゲットを絞り、ネットで情熱的なキャンペーンを繰り広げた。その結果、2015年のヒューゴー賞候補作は、パピーズのメンバーや仲間の作品ばかりになってしまったのだ。

ヒューゴー賞は、ワールドコンに登録すれば誰でも投票できる民主的な選出方法であり、これまで仲間内の信頼感で支えられてきた。高い料金を払わなければならないワールドコンに登録するファンは限られている。そこで、比較的少人数が受賞作を決めることになる（2014年の投票数は3587）のだが、彼らは独自の意見を持つ「通」のファンであり、結果は信頼できた。しかし、パピーズのように強い動機を持つグループが意図的に参加すれば簡単に最終候補を操作できる脆弱さもあった。

パピーズからの攻撃に、著名なSF作家やファンはショックを受け、憤った。授賞式のプレゼンターを依頼されたベテラン女性SF作家コニー・ウィリスは抗議のために依頼を拒否し、パピーズの作家と名前を並べることを恥じた作家2人は候補入りを辞退した。

ノベラやショートストーリー部門などでは最終候補がパピーズ推薦作ばかりになってしまったので、世界SF大会の参加者は「No Award（受賞該当作なし）」に投票することで抵抗した。その結果、2015年は「受賞該当作なし」だらけになった。だが、パピーズ攻撃で完全に崩壊しなかった長編部門は、中国人作家の劉慈欣（Cixin Liu）原作で、中国系アメリカ人作家のケン・リュウ（Ken Liu）が英語に翻訳した *The Three-Body Problem*（『三体』）が受賞作に選ばれた。

このカルチャー戦争は、2015年では終わらなかった。

■オルタナ右翼との関連

2016年でノミネート作品が発表されたとき、右翼系オンラインニュースサイトの「ブライトバート・ニュース」は、喜々として「SFのヒューゴー賞をアンチSJW作家がまたも独占！」と伝えた。長編部門のリストを見ると、今年のパピーズの推薦作には、ニール・スティーヴンスンの *Seveneves*（『七人のイブ』日暮雅通、早川書房）のようにれっきとした大作もある。だが、娯楽作品としては評価できてもヒューゴー賞の最終候補にはふさわしくないファンタジーも入っている。

大統領選の経緯を追ってきた人ならご存知だと思うが、ブライトバート・ニュースの最高経営責任者スティーブ・バノンは、トランプの選挙対策本部の最高責任者で、新政権の首席戦略官となった。ブライトバート・ニュースは、トランプの当選にも大きく貢献している。

つまり、2015年のヒューゴー賞での出来事は現代アメリカの白人男性層の不満を反映し、2016年の大統領選を予期させるものだった。

しかし、アメリカのSF界はまだ負けていない。

2016年のヒューゴー賞長編部門の受賞作は、フェミニストで人権問題での発言が多い黒人女性作家N・K・ジェミシン（N. K. Jemisin）の*The Fifth Season*（ザ・フィフス・シーズン）だった。彼女は、黒人として初めてのヒューゴー賞の長編部門での受賞者だ。

ラビッド・パピーズのリーダーヴォックスは、かつて自分のブログでジェミシンのことを「半野蛮人（half-savage）」と呼び、「我々は、明白な歴史的理由で、彼女（ジェミシン）のことを、完全に文明化された存在だとみなしていない。彼女は文明人ではない」とまで書いていた。アメリカのSF界ではよく知られている事件だ。

■奴隷の歴史を反映

受賞作の*The Fifth Season*は、非常に複雑なファンタジーだが、読み進めるうちに、アメリカの奴隷の歴史を反映しているのがわかる。

タイトルにある「ザ・フィフス・シーズン」とは、遠い未来の地球で人類が滅亡に向かう終末期である。人類は過去に達成した高度な技術や文化を深く地下に埋め込んだ地表で細々と生き延びている。そして人類の敵は、怒れるファーザー・アース、つまり地球そのものなのだ。

ファーザー・アースは、自分を粗末に扱い、傷つけてきた人類を、地震や火山活動で全滅させようとしている。それを鎮めることができるのは、外見はふつうの人と変わらないミュータントのオロジェンだ。

だが、生まれつき異常な能力を持つオロジェンを、人々は異質なものとして恐れ、蔑み、殺そうとする。一方で、人類存続のためにオロジェンは必要不可欠だ。ゆえに、オロジェンとして生まれた子どもの宿命は二つしかない。見つけた大人に殺されるか、ファルクラムという組織でトレーニングを受け、人類存続のために働くかのどちらかだ。たとえファルクラムでトレーニングを受けて熟練したオロジェンになっても、普通の人間のような自由もなければ、尊敬も得られない。掟に背くと即座に死が待っている。そして、人々を救っても、見下され、蔑称で呼ばれる。

オロジェンの葛藤は、アメリカの歴史で虐げられてきた黒人が体験する「不条理」を反映しているように思えてならない。そのせいなのか、ジェミシンの描く世界はとことん暗い。親子や恋人の関係の描き方からも、人間への徹底的な不信を感じる。

読んで明るくなるような作品ではないが、壮大な世界観であり、読みごたえがある。

ジェミシンは、9月の「アトランティック」の取材にこう語っている。

「復古主義的な運動は、捕まえて燃やす新しいものを見つけないかぎり、維持することはできない。同じ戦術を何度も繰り返しても維持できるとは思わない。そのうち、自らを燃やし尽くしてしまう時が来るだろう。ほかに良い説明がないけれど、ドナルド・トランプ主義のような――。いつか、復古主義運動ではなくなり、デマゴーグが先導して、すべての問題は自分中心になってしまう。そのとき、この運動が、狭量でナルシスティックなものだということが明らかになる。それが、(パピーズ)の終焉だと思う。(それが正しいかどうか)そのうちわかるだろう、ヒューゴー賞にしても、11月の選挙にしても」

今年この作品を選んだことで、ヒューゴー賞はパピーズとその復古主義に勝ったことになる。だが、11月の選挙は異なる結果になった。

アメリカの現状を見る限り、ヒューゴー賞の戦いは来年も続くことになるだろう。（2016年12月「ニューズウィーク日本版オフィシャルサイト」掲載、以下「ニューズウィーク」とのみ記載）

【追記】ジェミシンの三部作は、この *The Fifth Season* を含め、3年連続でヒューゴー賞を受賞した。もちろん、SF界の歴史に残る稀な達成である。だが、2019年10月現在では、アメリカでの復古主義はまだ敗北していない。

The Three-Body Problem
Cixin Liu, 2014
『三体』
立原透耶監修、大森望・光吉さくら・ワン・チャイ訳、早川書房

The Fifth Season
N. K. Jemisin, 2016

巨額の金がアメリカを動かす、コーク兄弟のダークマネー

Dark Money

2016年の大統領予備選では、政治評論家やジャーナリストがまったく予期しなかったことが起きている。テレビのリアリティ番組で有名になったビジネスマンのドナルド・トランプと、社会活動家の歴史が長く、無所属で知名度がほとんどなかった左寄りリベラルの上院議員バーニー・サンダースが熱狂的な支持を得ている。

この現象の背後には、「収入格差」というアメリカの社会問題がある。現在のアメリカでは、上位0・1％に属する少数の金持ちが持つ富は、下方90％が持つ富の合計と等しい。そして、70年代にはアメリカの過半数だった「中産階級」が消えつつある。

これに加えて、トランプ人気の陰には、かつてアメリカの中心的存在だった白人中産階級の鬱憤がある。また、トランプとサンダースの支持者に共通するのが、政府や議会、マスメディアといった「エスタブリッシュメント」への強い不信感と反感だ。

これらの現象は、すべてが自然に発生したものではない。少なくとも、収入格差やエスタブリッシュメントへの不信感については、それを煽った犯人がいる。

その犯人を紹介する前に、2016年の「フォーブス」の世界長者番付のトップ10を見てみよう。1位のビル・ゲイツから、ウォーレン・バフェット、ジェフ・ベゾス、マーク・ザッカーバーグ、ラリー・エリソン、マイケル・ブルームバーグ、と馴染みある顔が並んでいる。だが9位に入っているチャールズ・コークとデイヴィッド・コークの名前は、日本ではあまり知られていない。

彼らは、石油、天然ガスなどのエネルギー、肥料、穀物、化学物質などを広く手掛ける「コーク・インダストリーズ」のCEOと副社長だ。この会社は上場しておらず、4人の兄弟が株の大部分を所有している。けれども、兄弟間の確執の結果、実質的に会社を動かしているのはチャールズとデイヴィッドだ。2人の資産を合わせると、1位のビル・ゲイツの資産750億ドルを超える約800億ドルにもなる。

アメリカの政治に少しでも興味がある人なら、「コーク兄弟」の名前は、共和党の最も気前が良い政治資金提供者として耳にしているはずだ。

だが、コーク兄弟がやってきたことは、金を使って贔屓の候補を当選させるだけではない。彼らは、アメリカ社会を根本的に変えるプランを立て、一般人が見えない場所で、何十年にもわたって根気よく実行に移してきたのである。

「ニューヨーカー」のベテランライターであるジェイン・メイヤー（Jane Mayer）が書いた*Dark Money: The Hidden History of the Billionaires Behind the Rise of the Radical Right*（『ダーク・マネー――巧妙に洗脳される米国民』）を読むと、現在アメリカの最大の問題である収入格差や、政治家への国民の不信感の陰に、大富豪たちの長年の策略があることがわかる。メロン・スケイフ、オーリン、ブラッドリーといったオールドマネー（古くからの資産家）の名前も出てくるが、誰よりも目立つ活動をしてきたのがコーク兄弟だ。

■反共、そしてリバタリアンの系譜コーク家

コーク兄弟の祖父はオランダからテキサスに移り住んで富を築いた移民で、父親のフレッドは1920年代にスターリン政権のソ連で石油精製所建設に関わり、その時の苦い体験から反共産主義となった。右翼団体のジョン・バーチ協会を結成し、第二次世界大戦ではイタリアのムッソリーニを賞賛し、ナチスドイツと取引した。ナチスドイツのシンパでもあり、わざわざ息子の養育係に厳格なドイツ人女性を雇ったほどだった。そんな父の影響を受けたコーク兄弟は、政府に極度の不信感を抱いて育ち、環境汚染を防ぐための規制や税金を敵視し、政府による福祉に反対で、経済的自由促進を強く信じるリバタリアンになった。

弟のデイヴィッドは、1980年にリバタリアン党の副大統領候補として出馬したこともあるが、結果は失敗だった。人生で初めての大きな挫折を経験し、彼らは真正面からの政治活動の限界を知って、もっと効果的で壮大な方法を思いつく。

ひとつは、膨大な富を利用し、地方自治体から連邦政府まで、全米の行政機関を自分たちの理念に沿う政治家で牛耳ることだ。そして、もうひとつは、学問の看板を掲げたシンクタンクや非営利団体を作り、メディアや大学機関に入り込んで理念を広めていくというものだ。そのアイディアの元になったのは、後に最高裁判事になった保守派の企業弁護士ルイス・F・パウエル・ジュニアが1972年に書いた、「真の敵は、大学機関、説教者、メディア、知識人、文芸雑誌、芸術、科学だ」という文章だという。

コーク兄弟はコーク財団を作り、ケイトー研究所、ヘリテージ財団など保守系シンクタンクを多く支援した。ブッシュ政権の公共政策や外交政策のアドバイザーを多く送り込んだアメリカンエンタープライズ公共政策研究所（AEI）もそのひとつで、コーク兄弟やその仲間である大富豪から何億円もの支援を得ている。著者のメイヤーによると、表面的には研究所だが、実際には石油、天然ガス、石炭等の企業による環境汚染を法的に正当化することと、企業の減税のために働く団体だ。

コーク兄弟のコーク財団と同様の目標を持つのが、ジョン・オーリンのオーリン財団だ。CIAの隠れ銀行として機能したこともあり、ハーバード、シカゴ、コーネル、ダートマス、ジョージタウン、マサチューセッツ工科大学といった多くの有名大学で、保守的な思想を説くプログラムに何十億円も寄付し、それらのプログラムで学んだ学生が政府やシンクタンク、メディアで有名な論客へと育った。

一方で、彼らは自分の政策に反対する政治家や科学者に汚名を着せる活動もしてきた。

1993年に大統領に就任したビル・クリントンとヒラリーは、ヘリテージ財団の大きな標的だった。ヘリテージ財団とは、メロン財団で有名なメロンの財産を引き継いだリチャード・メロン・スケイフとクアーズビール経営者のジョゼフ・クアーズが出資してできた保守系シンクタンクだ。

ヘリテージ財団は、クリントン夫妻の拠点であるアーカンソー州にちなんだ「アーカンソー・プロジェクト」を作り、複数の私立探偵を雇ってクリントンに関する汚点を探った。そして、嘘が混じった猥褻な逸話を、「アメリカン・スペクテーター」に流したのだ。この雑誌の資金もスケイフから来ている。

クリントン大統領の次席法律顧問ビンス・フォスターの死が自殺と判明した後でも、スケイフはそれが殺人だとほのめかし、「（クリントンは）人々に命令して（都合が悪い人物を）始末する。（クリントン関係者で）ミステリアスな死を迎えた者が60人はいる」と取材に答えたこともある。

ヒラリー・クリントンが「右派による大きな陰謀だ」と発言したとき、メディアは「思いすごし」だと冷笑した。だが、ホワイトウォーター、トラベルゲート、ファイルゲートといったクリントンに関するスキャンダルの陰には、本当にこのような大きな陰謀があった。著者によると、クリントン大統領の弾劾裁判へと至る数々の訴訟も、ヘリテージ財団が出資していたのだ。

根拠がない陰謀説であっても、いったんマスコミが騒げば、事実として記憶されてしまう。これらの陰謀説は、2016年の大統領選挙でもヒラリーへの攻撃として使われている。

「私的財産を使った、しかもその大部分は（非営利団体のために）税金控除さえある、スケイフによる超越したレベルのクリントンに対する抗争は、極端な信念を抱くたった1人の裕福な人間が、国家の情勢に打撃を与えることを示している」とジェーン・メイヤーは書く。

■巨額な資金が政治を動かす

2000年の大統領選挙でアル・ゴアがジョージ・W・ブッシュに負けたのも、スケイフが火をつけたクリントンのスキャンダルの影響がある。アメリカの庶民は、知的な討論ができないブッシュを「自分たちみたいで庶民的だ」と歓迎したが、ブッシュは決して庶民の味方ではなかった。高所得層と大企業に有利な減税を実施し、ウォール街に有利な規制緩和を行い、イラク戦争を開始し、不景気、失業率増加、金融危機をもたらした。

ロナルド・レーガン大統領の時代から共和党は右傾化していったが、スケイフやコーク兄弟などの大富豪たちは、共和党の政治家を金で操る方法でさらに党を右寄りにしていった。彼らに反抗した政治家は選挙で破れ、政治生命を失う。こうして、共和党は一握りの富豪たちに操られる党になってしまった。

オバマ大統領の政策に反対するティーパーティも、草の根運動のふりをしているが、実際はコーク兄弟らが出資して作り出した人工的なものだ。メイヤーは、クリントンに対するスケイフの攻撃を「コーク兄弟によるオバマへの戦争のドレスリハーサルでもあった」と表現する。

アメリカ国民に政府への不信感を広めたのはティーパーティだけではない。マスメディアの責任も大きい。コーク兄弟らの陰謀は既に知られていたのに、その代わりに、「トップ1%が残りの99%を抑圧している」、「政府も議会も機能していない」という表層的なニュースばかりを流し続け、その結果、アメリカの国民は、右寄りの人も左寄りの人も、まとめてプロの政治家をまったく信用しなくなってしまった。

「反エスタブリッシュメント」の雰囲気が漂う現在のアメリカに現れたのが、ドナルド・トランプとバーニー・サンダースだ。

共和党の筆頭候補になったトランプは、これまで政治とは無縁だったビジネスマン（というよりも、人気リアリティ番組のパーソナリティ）だ。そして、若者に大人気のサンダースは、若かりし頃多くのデモに参加した社会活動家で、民主党の予備選で闘っているが、無所属の上院議員だ。

どちらも、2大政党にとっては「部外者」であり、党を代表する候補でありながらも、自分の党をおおっぴらに批判している。有権者にとって、トランプとサンダースの魅力はここにある。

党という体制に媚びることなく、自分たちの感じていることをそのまま代弁してくれる。

しかし、国民の怒りをエネルギーにするトランプとサンダースのムーブメントは、次第に過激化して党の存在を脅かすまでになっている。

「アメリカを改善するためには、このくらいの急激な変化が必要だ」と語る人は少なくない。だが、アメリカという巨大な国を破壊せず、99%の国民の収入を増やすのは簡単なことではない。

アメリカでは、法律の原案作成から公布まで、異なる政党のメンバーで構成される委員会でのネゴシエーション、議会での討論と草案の変更、予算討論、再び委員会での話し合い、再び議会での討論と変更、そして最終的に投票というプロセスが必要だ。つまり、1人の政治家や大統領がどんなにピュアな理想を持っていても、思い描いた通りの法律を作ることは不可能だ。どこかで妥協をしなければならないし、妥協を拒んだら何も解決しない。

この部分にフラストレーションを覚えている真摯な政治家はいるし、フラストレーションを抱えながらも、国民のためになる法律を可決する努力をしている政治家はいくらでもいる。国を変えるためには、こういった政治家を地道に増やし、応援し続けるしかないのだ。

だが、トランプとサンダースの熱狂的な支持者たちは、その部分をまったく無視して、これまで地道な努力をしてきた政治家すら「エスタブリッシュメント」として否定し、批判している。

これでは、コーク兄弟らの思う壺だ。

しかし、コーク兄弟ら保守派の大富豪にとっての大きな皮肉は、計算にまったく入れていなかったトランプの登場だ。トランプは、コークたち富豪を必要としていないから、彼らの言うことはきかない。そして、コークらが作りだしたティーパーティの代表テッド・クルーズを退けて共和党の筆頭候補になり、このままでは大統領にもなりかねない勢いだ。

経済や外交面での政策がなく、行きあたりばったりで、毎日のように発言が変わるトランプは、安定を重視するウォール街やグローバル・ビジネスマンにとっては悪夢のような存在だ。トランプが大統領になったら、株が大暴落し、巨額の資金を失う可能性もある。そこで、トランプを阻止するために巨費を投じてコマーシャルを流しているが、それでもトランプの勢いは強まるばかりだ。

コーク兄弟らは、庶民の味方であるリベラルな政治家を潰す目的は果たしたが、その過程で、フランケンシュタイン博士のように、自分では操れないモンスターまで生み出してしまったのだ。

（2016年5月「ニューズウィーク」）

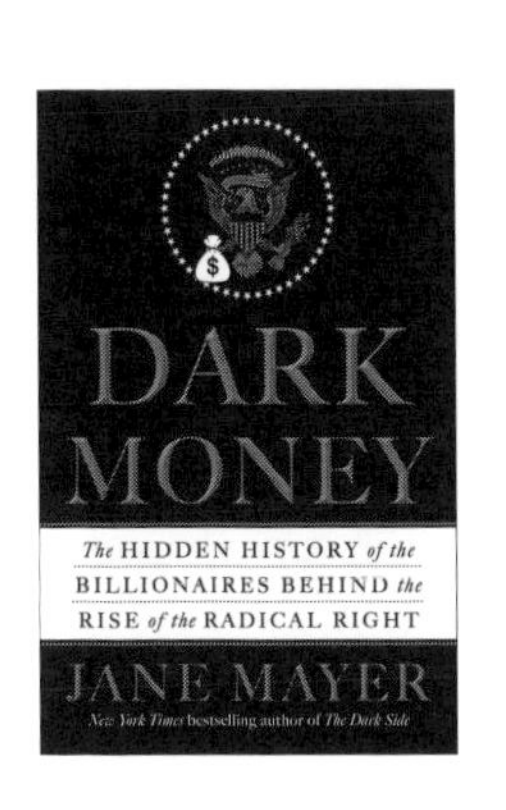

Dark Money:
The Hidden History of the Billionaires Behind the Rise of the Radical Right
Jane Mayer, 2017
『ダーク・マネー――巧妙に洗脳される米国民』
伏見威蕃訳、東洋経済新報社

トランプはソシオパスなのか？精神科医たちが見る大統領

The Dangerous Case of Donald Trump

■ゴールドウォーター・ルール

２０１５年6月16日に大統領選への出馬を発表して以来、ドナルド・トランプの常軌を逸した言動に関する話題は途切れたことがない。

ビデオやツイッターでの揺るぎない証拠があるというのに平然と嘘をつきとおし、それを指摘されたり、批判されたりすると、逆上する。そして、こともあろうに、ツイッターで個人を執拗に攻撃する。

これまでの大統領候補や大統領からは想像もできなかったトランプの言動に対し、インターネットやメディアでは「彼は単にクレイジーなのか、それともキツネのようにずる賢いのか？（Is the man simply crazy, or is he crazy like a fox?）」という疑問が繰り返されてきた。

しかし、精神科医や心理学者、心理セラピストなど精神医学の専門家の大部分は、専門的な見解は述べず沈黙を守ってきた。その主な理由は、「ゴールドウォーター・ルール」というアメリカ精神医学会の行動規範だ。

この行動規範の名前は1964年大統領選の共和党候補バリー・ゴールドウォーターから来ている。ベトナム戦争で核兵器を標準兵器として取り扱うことを推奨するゴールドウォーターに対して「ファクト」という雑誌が精神科医からアンケートを取り、「1189人の精神科医が、ゴールドウォーターは大統領になるには精神的に不健全だと答えた」というタイトルの特集号を刊行した。大統領選に敗戦したゴールドウォーターは名誉毀損で雑誌の編集者を訴え、勝訴した。

この経緯から、精神医学専門家の品格や信頼性を維持し、公人や有名人を名誉毀損から守るために「公的な人物について、直接に正式な検査を行なわず、また承諾を得ずして、その人の精神の健康について、専門家としての見解を述べることは非倫理的である」というゴールドウォーター・ルールが生まれた。

トランプ大統領が就任した2カ月後の3月、アメリカ精神医学会の倫理委員会は、「もしある個人が国や国の安全にとって脅威だと信じている場合に意見を述べても良いのか?」という仮の質問を挙げた上で、改めてゴールドウォーター・ルールを遵守するよう呼びかける声明を発表した。

だが、このアメリカ精神医学会の対応に疑問を抱く専門家は少なくなかった。

翌4月20日、イェール法律大学院でも教鞭をとる精神科医のバンディ・X・リー(Bandy X. Lee)准教授が「『警告義務』も専門家の責務に含まれるのか?」というカンファレンスを企画した。リーに招待された多くの専門家は関わるのを避けたようだが、インターネットやメディアで関心を集め、複数の大手出版社が出版を持ちかけた。執筆希望者も多く、その中から27人が3週間というタイトなスケジュールで書き上げたのが本書 *The Dangerous Case of Donald Trump : 27 Psychiatrists and Mental Health Experts Assess a President*(『ドナルド・トランプの危険な兆候——

精神科医たちは敢えて告発する』）だ。

■邪悪の正常化

内容は大きく三部に分かれている。

一部の「われわれの警告する義務」に含まれたエッセイは、「警告義務」は専門家と患者の間にある「黙秘義務」を覆す、という立場で書かれている。「警告義務」とは、患者から特定の人物への殺意を告白されていたのに、治療者が「黙秘義務」を守ったために実際に殺人が起きたタラソフ事件が発端である。この事件で治療者は責任を問われ、現在では、第三者への危険が明らかになった場合には「黙秘義務」より「警告義務」が優先されることになっている。

この部分では、それぞれの執筆者が「検査もせずに診断はできない」というゴールドウォーター・ルールをわきまえたうえで、公の場で簡単に入手できるトランプの言動から該当する人格障害などを挙げ、「トランプは大統領として危険だ」と警告している。

二部は精神医学専門家が抱えるジレンマがテーマだ。国や人々の安全が脅かされる場合、ゴールドウォーター・ルールよりも「危険を知らせる義務」のほうが大きいのではないか、というものだ。

三部のテーマは、トランプが社会に与えた影響や、今後の危険性についてだ。

本文に移る前のロバート・J・リフトン（Robert Jay Lifton）による「まえがき」も読み逃してはならない。

朝鮮戦争のとき空軍の精神科医として日本と韓国に駐在したリフトンは、戦争と人間の心理に興味を抱くようになり、原爆の被害者、ベトナム戦争帰還兵士、ナチスドイツの医師などについて本を書いた。そんなリフトンが警告するのは、「邪悪の正常化（Malignant Normality）」だ。

私たちのほとんどは、自分が暮らしている環境が「正常」だと思っている。けれども、「正常」の基準は、特定の時代の政治的環境や軍事的な動向の影響を受けて変化する。そして、私たちは、その変化にたやすく慣れてしまう。

極端な例はリフトンが研究したナチスドイツの医師たちだ。彼らは、アウシュビッツで恐ろしい人体実験や殺人を行った。

「動揺し、震え上がった者がいるのも事実だ。しかし、手慣れた者が一緒に大量の酒を飲み、援助や支援を約束するなどのカウンセリング（歪んだ心理セラピーとも言える）を繰り返したら、ほとんどの者は不安を乗り越えて殺人的な任務を果たす。これが、『邪悪への適応』プロセスだ」とリフトンは言う。ナチスドイツの医師たちの間に起こったのは、「邪悪への適応」から「邪悪の正常化」だった。

リフトンによると、近年のアメリカにも「邪悪の正常化」の例がある。ジョージ・W・ブッシュ政権下で、ＣＩＡは「増強された尋問のテクニック」と称して「拷問」を取り入れた。その拷問プロトコルの作成者の中に心理学者が２人含まれていたのだ。

冷戦時代の初期には、政府が核兵器の大量貯蔵を「正常なこと」とアメリカ国民に説得させる任務を精神心理学の専門家が導き、近年では地球の温暖化を否定するグループのために専門家が働いた。

このような過去を念頭に、「（トランプ時代の専門家は）この新しいバージョンの『邪悪の正常化』

を無批判で受け入れることを避けなければならない。そのかわりに、我々の知識と経験を活かしてあるがままの状況を暴露するべきだ」とリフトンは主張する。

■精神科医はトランプをどう見るのか

さて、肝心のトランプの精神状態だが、専門家はどう見ているのだろうか？

自己愛（ナルシシズム）の専門家でハーバード大学メディカルスクール教授のクレイグ・マルキン（Craig Malkin）は、まず「病的な自己愛（pathological narcissism）」について説明する。

自己愛そのものは病気ではなく、自信を持って幸せに生きるためには必要なものだ。自己愛を1から10までのスペクトラムで測ると、4から6は健全なレベルであり、それより低かったり、高かったりすると問題が生じる。有名人は普通より高いものだが、10に近づくと「病的な自己愛」の領域になる。「自分が特別だという感覚に依存的になり、ドラッグと同様に、ハイになるためには、嘘をつき、盗み、騙し、裏切り、身近な人まで傷つけるなどなんでもする」という状態だ。この領域が「自己愛性パーソナリティ障害（NPD）」だ。

トランプの言動パターンは、この自己愛性パーソナリティ障害（NPD）と精神病質（サイコパシー）が混ざりあったときの「悪性の自己愛（malignant narcissism）」だと言う。

「悪性の自己愛」は診断名ではない。元はパーソナリティ障害の専門家であるエーリヒ・フロムの造語で、「自分のことを特別視するあまり、他人のことを自分がプレイしているゲームで殺すか殺されるかの駒としか見ていない」。いとも簡単に殺人命令を出したヒトラー、金正恩、プーチンなどが例として挙げられており、このエッセイのタイトルである「病的な自己愛と政治：致命的な混合」の意図が理解できる。

専門家としてさらに踏み込んでいるのがハーバード大学メディカルスクールの元准教授のランス・ドーデス（Lance Dodes）だ。冒頭の「トランプは単にクレイジーなのか、それともキツネのようにずる賢いのか？」という疑問に対して、はっきりと自分の見解を述べている。ドーデスは、トランプの言動がもっと深刻なものであり、「精神錯乱」の徴候だと考えている。

ふつうの人間には他人への「共感、感情移入（empathy）」がある。それが欠落しているのが「ソシオパス（社会病質者）」だ。深刻なソシオパスの多くは社会から脱落するが、チャーミングで思いやりがあるフリができるソシオパスも存在する。彼らは人の操縦に長けているので、成功していることが多い。

ソシオパスはときおり「サイコパス（精神病質者）」と同様に使われるが少し異なり、上記の「病的な自己愛」の重要な側面であり、公式の診断名である「反社会的パーソナリティ障害」と同意語だとドーデスは説明する。

ドーデスは公の記録にあるトランプの言動から、「重篤な社会病質者の傾向がある」と結論づけている。そして、「これまでトランプ氏ほどの社会病質的な性質を顕わにした大統領はほかにいない」と言う。

ドーデスがこれほどはっきりと発言する理由は「重篤な社会病質によるパラノイアは、非常に大きな戦争のリスクを生む」からだ。戦争を起こせば、国の指導者として非常事態のために大きな権力を手にすることができる。この際に、憲法で保証されている人権を停止し、戒厳令を出し、マイノリティを差別することも可能になるという計算が背後にあるというわけだ。

論文を書くのに慣れている専門家たちなので、根拠もきちんと書かれており、本書を読むとトランプの精神状態への危機感を強く感じる。

この本を読了した翌日、私は別件でホワイトハウスを訪問した。

招待してくれたのは、これまで4回の大統領選挙を経験している共和党のベテラン戦略家である。彼自身は「社会的にはリベラル、経済的には保守」という立場であり、私がヒラリー・クリントン支持だったことも承知している。

雑談のときに率直な意見を求めたところ、彼は言いにくそうにこう語った。

「(共和党の議員たちは) みな、トランプはクレイジーだと知っている。トランプに票を投じた者の多くもそう思っている。だが、有権者は自分たちの生活を良くするために何もしてくれない議会にうんざりして、ぜんぶ捨ててしまいたいと願った。彼らは、すべてをぶち壊して、新しく何かを始めてくれる者としてトランプを選んだのだ」

最近になってようやくジョン・マケインなど何人かの共和党議員がトランプ批判に乗り出したが、いずれも再選を狙わない者だけだ。そのほかの共和党議員らが後に続かないのは、次の選挙で有権者から見捨てられるのがトランプではなく自分だと分かっているからなのだろう。

翌日のパーティでも、集まったのは共和党の人たちばかりなのだが、みな税金を湯水のように使うトランプ政権の閣僚たちに呆れ果てていた。だが、それを公に追及するのは「大人げない」という雰囲気があるのも事実だ。民主党の議員やヒラリーの支持者がトランプを糾弾するのもそうだ。「選挙に負けたのだから、潔く沈黙せよ」と批判されてしまう。

先の共和党の知人も「メディアはトランプの言動にいちいち振り回されてはならない。自分に都合が悪いことから目をそらすための目くらましなのだから」と言う。

しかし、こういう態度こそが、先に出てきた「邪悪の正常化」の一種ではないかと感じた。

トランプ大統領の精神状態について最も重要な点を指摘しているのは、二部の「トランプ・ジレンマ」に寄稿したニューヨーク大学教授の精神科医ジェームズ・ギリガン（James Gilligan）かもしれない。

Preventing Violence（『男が暴力をふるうのはなぜか――そのメカニズムと予防』佐藤和夫訳、大月書店）の著者であるジェームズ・ギリガンは、エッセイの中で「われわれが論点として挙げているのは、トランプに精神疾患があるかどうかではない。彼が危険かどうかだ。危険性は、精神科の診断ではない」と主張する。

トランプの危険性を証明する言動は多く記録に残っているが、ギリガンが例として挙げているのは、「使わない核兵器を持っていることに何の意味があるのかという発言」、「戦争の捕虜に対して拷問を使うことを奨励」、「すでに無罪であることが証明されている黒人の少年5人に対して死刑を要請」、「『スターならなんでもやらせてくれる』と女性に対する性暴力を自慢」、「政治集会で、自分の支持者に抗議者への暴力を促す」、「（大統領選のライバルである）ヒラリー・クリントン暗殺をフォロワーに暗に呼びかける」、「5番街の真ん中に立って誰かを拳銃で撃っても支持者は失わないと公言」といった多くのアメリカ国民が熟知しているトランプ発言だ。

これらは、ギリガンも書いているようにほんの一部でしかなく、暴力の威嚇、自慢、鼓舞が次から次へと絶え間なく続いている。

「ドナルド・トランプが繰り返し暴力の威嚇をし、自分の暴力を自慢しているのに対して私たちが沈黙を守るとしたら、彼のことをあたかも『正常な』大統領、あるいは『正常な』政治的指導者だとして扱う危険でナイーブな失敗に加担し、可能にすることになる」とギリガンは訴える。


トランプが独裁者になりたがっていることは、専門家の指摘を待つまでもなく、彼の言動から明確だ。だからこそ、次のギリガンの呼びかけが重要になる。

「1930年代にドイツ精神医学会がおかした過ちを繰り返さないようにしよう」

これこそが本書の真髄だろう。（2017年10月「ニューズウィーク」）

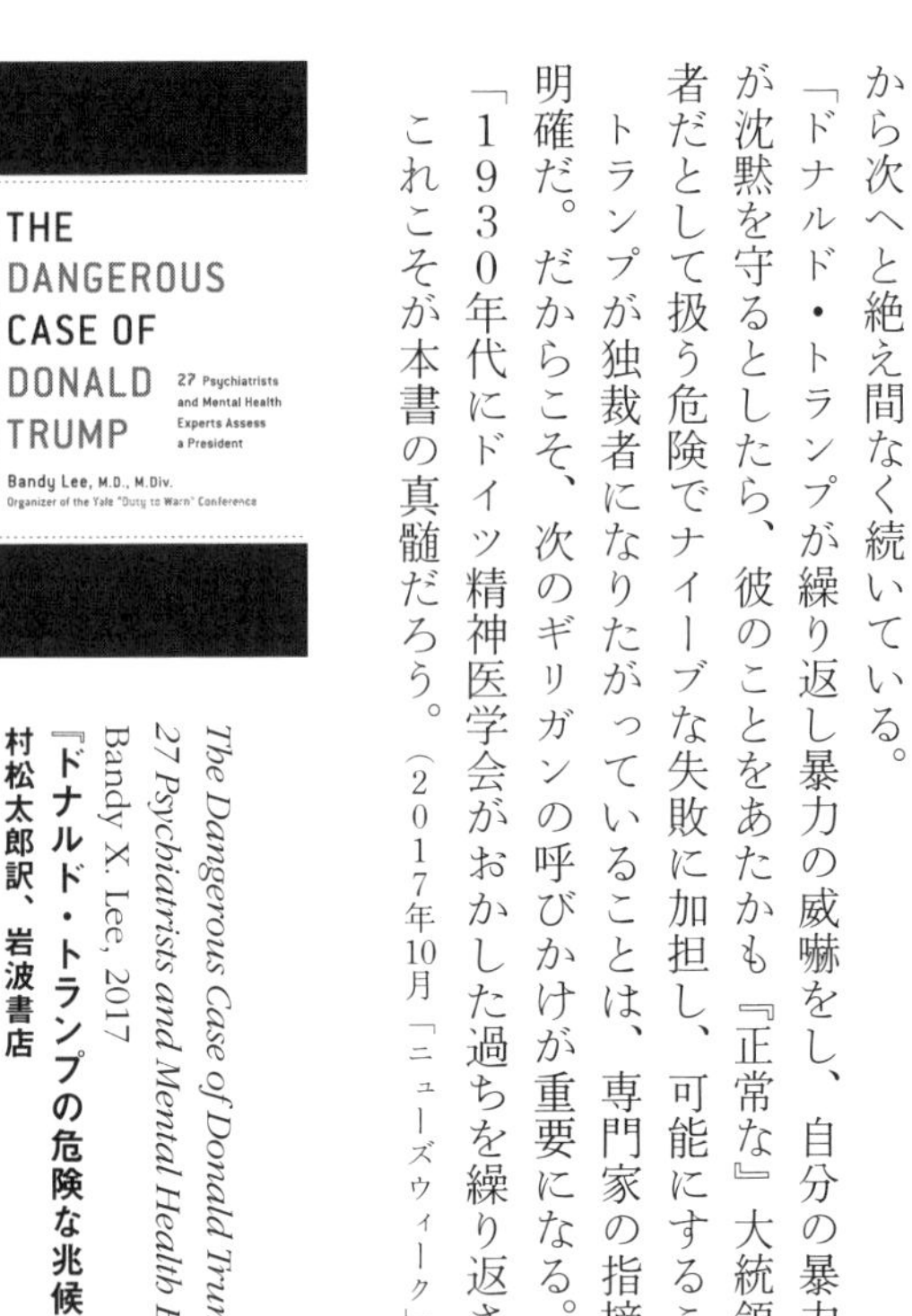

The Dangerous Case of Donald Trump: 27 Psychiatrists and Mental Health Experts Assess a President
Bandy X. Lee, 2017
『ドナルド・トランプの危険な兆候——精神科医たちは敢えて告発する』
村松太郎訳、岩波書店

トランプ暴露本の白眉、ボブ・ウッドワードが取材したホワイトハウスの内側

Fear

トランプ就任後、ジャーナリストのマイケル・ウォルフ *Fire and Fury*（『炎と怒り――トランプ政権の内幕』関根光宏・藤田美菜子他訳、早川書房）、元大統領補佐官オマロサ・マニゴールト *Unhinged*（錯乱状態）など、大統領と彼を取り巻くホワイトハウスの実態を公に知らせる暴露本が次々と発売されている。その中で最も期待されていたのが、9月11日発売のボブ・ウッドワード（Bob Woodward）の *Fear : Trump in the White House*（『FEAR 恐怖の男――トランプ政権の真実』）だった。初版のハードカバーは100万部刷られ、発売と同時にアマゾンのベストセラーリストのトップに躍り出た。ウッドワードの講演マネジャーによると初日に90万部以上が売れたということで、出版社サイモン&シュスターにとって史上最高の記録になった。

今年1月にベストセラーになったウォルフの暴露本は大統領選でトランプを勝利に導いた選挙対策本部長スティーブ・バノンを中心としたトランプの側近からのリークを元にしたものだ。そして、マニゴールトの本は彼女の実体験を元にしている。だが、ウォルフとマニゴールトには過去に多くのスキャンダルがあり、本の内容もゴシップ的だったのでシリアスな問題提起の本とし

て受け止められなかった。

その点、カール・バーンスタインとともにウォーターゲート事件を調査・告発し、*All the President's Men*（『大統領の陰謀』常盤新平訳、立風書房ほか）を書いたボブ・ウッドワードは、「ワシントン・ポスト」で47年のキャリアを持つベテラン政治ジャーナリストである。ピューリッツァー賞も二度受賞している。「ワシントン・ポスト」はリベラル寄りだとみなされているが、ウッドワード自身は中立の立場を心がけているようだ。そのためか、ウッドワードは保守からは「左より」、リベラルからは「保守的」と批判されることが多い。

Fear の冒頭には、「現場にいた者や目撃者を直接何百時間も取材して得た情報から導き出した本であり、「物語がさらに精密に伝えられるように、取材に応じたほとんどすべての者が録音を許可した」と記されているが、そこがウォルフやマニゴールトとの最大の違いである。

ウォルフが *Fire and Fury* で焦点を当てたのは、白人至上主義でオルタナ右翼過激派のスティーブ・バノン、ウォール街と密着するニューヨークの富裕層のジャレッド・クシュナーとイバンカ・トランプの夫妻、元共和党全国委員長で就任時に首席補佐官に任命されたラインス・プリーバスの三つの勢力だった。そして、マニゴールトが暴いたのは、テレビ番組「アプレンティス」時代からのつきあいであるトランプのあからさまな実態だ。

ウッドワードの本にも、ウォルフとマニゴールトの暴露本の中心的存在であるスティーブ・バノン、ジャレッド・クシュナー、イバンカ・トランプ、ラインス・プリーバス、首席補佐官ジョン・ケリー、元国家安全保障問題担当大統領補佐官マイケル・フリン、元国務長官レックス・ティラーソン、国防長官ジェイムズ・マティス、フリンの後任で2018年に辞任したH・R・マクマスター、司法長官ジェフ・セッションズ、テレビに出演してPRトークをよく行うことで知られる大統領顧問ケリーアン・コンウェイ、元ファッションモデルでトランプの個人的なお気に入りのホープ・ヒックスホワイトハウス広報部長、といったニュースでよく見かける顔ぶれが出てくる（作品が出版された時点での役職名）。

だが、ウッドワードの本で重要な役割を果たすのは、通商政策をアドバイスする立場にあった経済担当大統領補佐官ゲイリー・コーンと秘書官のロブ・ポーター、国家通商会議のトップでありながら徹底した保護貿易主義者のピーター・ナバロ、元FBI長官ジェイムズ・コミー、元FBI長官で大統領選中のトランプのロシア介入疑惑を調査しているロバート・ムラー特別検察官、その対策としてトランプの法律チームに加わったジョン・ダウド、大統領法律顧問ドナルド・マクガーンなどだ（本コラム執筆時点での役職名）。つまり、アメリカや世界の安全にとって最も重要な部分に焦点が絞られている。

■トランプとトランプ政権の恐ろしき実態

トランプ大統領の自己中心的な言動、精神の不安定さ、知識不足、忠誠心の欲求、ホワイトハウス側近同士の軋轢などはウォルフとマニゴールトの本でも描かれていた。ウッドワードのFear は、しっかりとした情報源をもとにそれを裏付けている。

この本には、次のような恐ろしい実態が克明に描かれている。

- トランプは「恐怖」こそが最もパワフルな力であると信じている。

・トランプは証拠があっても自分の嘘を認めないこと、決して謝らないことが「強さ」だと信じている。
・トランプの経済などの知識は小学生なみ。だが、それを認めず、学ぶ意思はない。
・トランプは専門家であるアドバイザーの意見は聞かず、根拠がない持論だけを信じる。
・国防長官のマティスいわく「大統領は小学校5年生か6年生のように振る舞う……また、その程度の理解力だ」。
・ケリー首席補佐官いわく「(大統領は)ばかだ。何であれ彼を説得するのは無意味。脱線して怒鳴り散らすだけ。われわれがいるのは『クレイジー・タウン』だ」。
・トランプは閣僚や補佐官などに自分への絶対的な忠誠心を誓わせるが、自分は彼らを簡単に裏切る。彼らが辞任する前にツイッターで解雇を告知し、相手に恥をかかせることで自分のパワーを誇示する。
・トランプの人選とリーダーシップが、ホワイトハウスの内部に混沌状態を作りだしている。元首席補佐官プリーバスいわく「蛇とドブネズミ、ハヤブサとうさぎ、サメとアザラシを檻のない動物園に放り込んだら、じきに状況が悪化して血みどろになる。(ホワイトハウスで)起こっているのはそれだ」。
・トランプは病的な嘘つき。証拠が目の前にあっても平然と嘘をつく。経済担当大統領補佐官コーンいわく「彼はプロの嘘つき」。
・トランプは弾劾を恐れている。

米韓自由貿易協定（ＫＯＲＵＳ）に関する冒頭のシーンを読むと、私たちが毎日危険な崖っぷちに立っていることがわかり、背筋が寒くなる。

１９５０年代から存在するＫＯＲＵＳは、経済面だけでなく、軍事協力や秘密情報機関の活動の点でアメリカにとって重要なものだ。２万８５００人ものアメリカ軍人が韓国に駐屯するのは、韓国のためではなく、アメリカのためである。そんなことは、ふつうのアメリカ人でも知っている。

それなのに、トランプ大統領は韓国への貿易赤字が年１８０億ドル、米軍を韓国に駐屯させる費用が35億ドルもあることに怒り、協定を停止することを独断で決意した。

アメリカの国防にとってＫＯＲＵＳがいかに重要なのかを経済担当大統領補佐官コーンなどの側近が何度も説明したのだが、トランプは「そんなことはどうでもいい。その議論には飽き飽きだ！　もう聞きたくない。ＫＯＲＵＳからは撤退する」と韓国大統領に協定停止を告げる書簡を書くことを命じた。コーンと秘書官のポーターが行ったのは、書簡を完成させないことと、サインできないように隠すことだった。集中力がないトランプが忘れてくれることを願って。だが、トランプはしばらく忘れてくれるのだが、また思い出して同じことを命じる。

困り果てたコーンはマティス国防長官に相談した。ふだんは大統領を避けているマティスだが、危機感を抱いて「金正恩はわが国の国防にとって最も直接的な脅威です。私たちには同盟国としての韓国が必要なのです。貿易は無関係に感じるかもしれませんが、（実際は）それが中軸なのです」と大統領への説得を試みた。「韓国のためにやっているのではありません。韓国が助けてくれるから、私たちは韓国を助けているのですよ」と小学生に対するように噛み砕いて説明したのだが、結局トランプは自説に戻ってしまったのだった。

トランプは同盟国である韓国に対してこのような態度を取るのに、アメリカが歴史的に「脅威」とみなしているロシアや中国に対しては公然と親密さを語る。ロシアのウラジーミル・プーチン大統領や中国の習近平国家主席など独裁的な指導者を尊敬しているだけでなく、まるで遠慮しているかのように決して悪口を言わないのだ。

■日本の存在感のなさ

日本の読者にとってたぶんショックなのは、ウッドワードの本では韓国と中国が非常に重要な役割を果たしているのに、日本についての記載が皆無に等しいことだろう。安倍首相の名前は参考文献リストにしか出てこない。つまり、トランプにとっては日本と安倍首相は話題にする必要がないほど軽い存在ということなのだ。

衝動的で予測不可能なトランプ大統領の言動を考慮すると、日本の存在が軽いことが良いのか悪いのかは不明だ。だが、ひとつだけはっきりしているのは、これまでのアメリカ大統領とは異なり、トランプは日本がアメリカの同盟国である事実など重視しないということだ。

また、大統領予備選で自分を真っ先に支持してくれたセッションズ司法長官など、これまで自分を援助してくれた者に対して手のひらを返したように悪口雑言を浴びせかけるトランプの姿を知れば、安倍首相がトランプ大統領を優遇しても見返りが期待できないことは明らかだ。日本が中国やロシアと対立した場合、習近平やプーチンとの友情を強調するトランプは、専門家のアドバイザーが何を進言しても中国やロシア側につく可能性が高い。

トランプが重視するのは、アメリカ国家と国民にとっての利益ではなく、自分の利益とイメージだけだ。また、そのときの気分で判断を変えるので予測不能だ。

「感情が高ぶった、気まぐれで予測不能な指導者の言動に縛られていたというのが、2017年のアメリカ合衆国の現実だった。大統領の最も危険な衝動だと思われるもののいくつかを、スタッフたちが協力して意図的にブロックした。世界で最もパワフルな国の行政権がノイローゼに陥った状態だった」とウッドワードは書く。

「トランプは大統領にふさわしくない」ということは、すでに多くのアメリカ国民が感じていたことだ。それをウッドワードの本は具体的に再確認してくれた。そして、国や世界に危機をもたらしかねない危険人物であることも。

この本に登場する多くの側近たちがすでに職を離れている。「逃げた」と言っても過言ではないだろう。彼らは逃げれば済むかもしれない。だが、アメリカや世界を衝動的な行動で奈落の底に突き落とそうとするトランプ大統領を止める者がいなくなったらどうなるのだろう？

日本も他人ごととして傍観してはいられなくなっている。（2018年9月「ニューズウィーク」）


【追記】このコラムを書いた約3カ月後の2018年12月に、知人の紹介でボブ・ウッドワードに会う機会があった。そのときウッドワードが語っていたのが、トランプにとってツイッターがいかに重要かということだった。

ウッドワードは、「ホワイトハウスで働く人びとは、出勤してから（トランプが前夜に）何をツイートしたのか発見しなければならない。彼らは何も知らないのだ。（トランプが何をやるのか）知っている者は誰もいない。（有名な奇術師の）フーディーニが現れて、誰も予期しなかった魔法のツイートが現れる」と、トランプ政権で働く人びとが毎日のようにトランプのツイートに振り回されている様子を説明した。

ウッドワードが彼らを綿密に取材して知ったのは、トランプが自分のツイートの反応に細心の注意を払っており、「扇動的で人を罵倒する」ツイートのほうが多くの反応を得るということを知って、わざとやっているということだ。つまり、国家の長期的なビジョンではなく、自分のツイートがいかに大きな反応を得て、さらに多くのフォロワーが増えるのかといったことのほうが、周囲の専門家のアドバイスよりもこの大統領にとっては重要であることを示唆している。

その危うさを表す言動は数え切れないが、国際情勢にまで影響を与えたのがシリア問題だ。

２０１９年10月6日、トランプ大統領は、クルド人が支配するシリア北部に在留するアメリカ軍の全面撤収を命じた。その3日後の10月9日にトルコはシリアへの侵略を開始し、民間人にも多くの死者を出した。シリア北部を支配するクルド人民兵組織「人民防衛部隊」（YPG）は、これまでアメリカが過激派組織「イスラム国」（ISIS）に対抗するための同盟関係にあったので、クルド人にとって、これはトランプ政権とアメリカによる大きな裏切り行為だった。

シリアのクルド人民兵組織は、これまで、ロシアのプーチン大統領とシリアのアサド大統領との間に立つ勢力だったのだが、トランプ大統領の独断によるシリア北部からのアメリカ軍全面撤収により、プーチン政権とアサド政権が協力関係を持つことになった。トランプの決断で最も利益を得たのは、何の努力もせずに勢力を拡大したロシアのプーチン大統領だということになる。

むろん、トランプに専門的なアドバイスをする立場の者はすべて反対したようだが、トランプは聞く耳を持たなかった。これまでいかなるスキャンダルでもトランプを公に批判しなかった共

和党員だが、この件に関しては党内からも強い批判が出るようになった。（2019年10月）

Fear: Trump in the White House
Bob Woodward, 2018
『FEAR 恐怖の男——トランプ政権の真実』
伏見威蕃訳、日本経済新聞出版社

ブッシュ元大統領の矜持と贖罪

Portraits of Courage

私が住んでいるマサチューセッツ州は「アメリカで最もリベラルな州」として知られている。それゆえに、ジョージ・W・ブッシュ元大統領への反感をよく耳にする。

ブッシュは、高所得者優遇の減税で国民の収入格差を広げ、同時多発テロ後の国民感情を利用してネオコン（新右翼）のアジェンダを推し進め、アフガニスタン戦争とイラク戦争を開始し、クリントン政権が黒字にした財政を大幅な赤字にして、経済成長を遅らせ、金融危機を招いたというものだ。

ところが最近になって、ブッシュを毛嫌いしていた人たちが、「ブッシュがそう悪人に思えなくなってきた」「懐かしさすら感じる」と言い出した。アンチ移民、アンチ環境保護、アンチ芸術、アンチ科学などの政策を押し進め、根拠がない噂を真実と主張し、自分に都合が悪い情報を載せるメディアを「偽ニュースメディア」と呼ぶトランプ大統領と比べたら、ブッシュは極めてまっとうな人物に見えてくる。

ホワイトハウスを離れてからのブッシュの言動も尊敬できるものだ。

自分と異なる理念を持つ（と推測できる）バラク・オバマ前大統領の在任中、ブッシュは一度として公の場でオバマの批判をしなかった。テレビや講演などでオバマ批判を繰り返したディック・チェイニー元副大統領とは対称的に、ブッシュは沈黙を貫いた。「アメリカ大統領」という地位を重視し、尊重しているのだと感じた。

■引退後のブッシュの変貌

そんなブッシュが初めて公の場で現役大統領を批判した。同じ共和党のトランプだ。証拠もないのに「自分のコミュニケーションを盗聴した」と前任者のオバマを糾弾するトランプが、「アメリカ大統領」の尊厳を破壊しているからかもしれない。

CNNやニューヨーク・タイムズなどの大手メディアを「偽ニュースメディア」で「アメリカ国民の敵」と呼ぶトランプに対して、テレビで質問を受けたブッシュはこう答えた。

「私は、民主主義にとってメディアは不可欠なものとみなしている」「私のような者の責任を問うためにも、メディアは必要だ。権力というものは、とても依存性があり、腐敗しがちなものだ。だからメディアが権力を濫用する者に責任を取らせるのは非常に重要なのだ。ここであれ、別の場所であれ」

現役時代のブッシュからは想像できない発言だ。

引退してから始めた彼の趣味も、この変貌に影響を与えているのかもしれない。

引退して3年後の2012年、ブッシュは、イエール大学の歴史学の教授であるジョン・ルイス・ギャディスから、ウィンストン・チャーチルの *Painting as a Pastime*（気晴らしとしての絵描き）

という本を薦められた。ブッシュが尊敬するチャーチルは、アマチュア画家としても知られている。大統領としての多忙な生活を離れてantsy（じっとしていられない、そわそわした感じ）だったブッシュは、この本から刺激を受けて絵を書き始めた。

それからしばらくした後、ブッシュはテレビのトーク番組に登場して自分が描いたペットの絵を公開した。上手とは言えない油絵だったが、「ヘタウマ」的な魅力があった。トーク番組の司会者とのやりとりも、現役時代のネオコンのイメージとはかけ離れ、自嘲的な台詞がお茶目な印象を与えた。

「彼は今でも絵を描いているのだろうか？」と思っていたときに出版されたのが、*Portraits of Courage: A Commander in Chief's Tribute to America's Warriors*（勇敢さの肖像——最高司令官がアメリカの戦士にささげる賛辞）だった。掲載されている絵のすべてがカラー版のずっしりとしたハードカバーだ。中身を見て驚いた。テレビで見たときから、ずいぶん上達している。しかも、すべてが人物像だ。

■兵士の苦悩は終わらない

夫人のローラ・ブッシュは、本書の紹介文にこう書いている。

ジョージと私が結婚したとき、もし誰かが「ご主人は将来大統領になる」と言ったら、「そうかもしれないわね」と思っただろう。彼はそのとき下院議員に立候補していたし、私自身も政治好きだった。でも、もし誰かが「将来、あなたはジョージの描いた絵を掲載している本のまえがきを書くことになるだろう」と言ったとしたら、「そんなこと、ありえないわ（No way）」と答えただろう。

読み終えたときに私の頭に浮かんだのは次の台詞だ。

「ブッシュの任期中に、もし誰かが『あなたは将来ブッシュ大統領の著作を購入し、しかも好意的なレビューを書くだろう』と言ったとしたら、『そんなこと、ありえない！』と答えただろう」

前述の友人や知人のように、私もブッシュは好きではなかった。イラク侵攻の後での家族の集まりでブッシュ大統領をおおっぴらに支持する夫の家族に対して厳しい反対意見を述べ、しばらく険悪なムードになったこともある。不要な戦争で殺されたアフガニスタンやイラクの民間人のことを思えば、今でも怒りが込み上げる。

自分の意思で戦争を選ぶことができないアメリカ人兵士や、その家族の苦悩にも胸がつまる。多くの兵士が命を落とし、子どもたちは親を失った。たとえ生還できても、手足を失ったり、PTSD（心的外傷後ストレス障害）にかかったりした兵士と周囲の人々の苦悩は終わらない。

この本には、2001年の同時テロ以降に従軍し、アフガニスタンやイラクで負傷した約100人の軍人のポートレートが載っている。義肢もしばしば登場する。

だが、ブッシュに描かれた軍人たちは、義肢で見事なゴルフのショットをし、ブッシュ本人とダンスを踊り、笑顔で仲間と肩を抱き合っている。つまり、深い傷にも負けずに立ち上がる彼らの勇敢さを強調するものだ。

何よりも印象的だったのが、ブッシュの絵から、それぞれの軍人の人格や個性、心理状態がしっかりと伝わってくることだ。脳損傷とＰＴＳＤへの治療として、左右が異なる色のコンタクトレンズを入れている男性の表情からは、終わりのない苦痛が伝わってくる。モデルにした人物に興味がなければ描けないポートレートだ。これまで知らなかったブッシュに出会ったような気がして、感慨を覚えた。

読んでいるうちに浮かんできたのはAtonementという単語だ。キリスト教の概念を表す言葉で、贖罪、罪ほろぼし、償い、という意味がある。

同時多発テロの首謀者だったウサマ・ビンラディンを支援するタリバンが統治していたアフガニスタンでの戦争は、大統領がブッシュでなくても起こっていた可能性は高い。アメリカ国民の多くがテロへの報復を求めていたからだ。

だが、引き続いて起こったイラク戦争は、ブッシュでなければ起こっていなかっただろう。「サダム・フセインが大量破壊兵器（ＷＭＤ）を所持している」という主張で国民を説得してイラクを侵略したのだが、結局、ＷＭＤは見つからなかった。２０１６年６月時点での、イラク戦争におけるアメリカ軍人の死亡者数は４４２４人、負傷者は３万１９５２人だという。

■敬虔なキリスト教徒の一面

ブッシュは、それぞれのポートレートをシンプルな言葉で紹介する。彼らに出会ったきっかけ、負傷したときのこと、回復までの道のり、そして現在の状況を綴り、逆境に負けずに立ち上がった彼らの勇気を讃える。

まえがきでも、目に見える外傷だけでなくＰＴＳＤやＴＢＩ（外傷性脳損傷）の深刻さも語り、「私は国のために尽くした男女に栄誉を与え、彼らの犠牲と勇気に尊敬の念を示すひとつの方法として」これらのポートレートを描いた、と書いている。そして「残りの私の人生を通して、彼らに敬意を表し、支えていくつもりだ」とも。

ブッシュは、敬虔なキリスト教徒でもある。対テロ戦争が過ちだったとは現在まで認めていないが、多くのアメリカ軍人の死は、彼の胸に重くのしかかっているはずだ。

後遺症に苦しむ軍人とその家族を支援する非営利団体「George W. Bush Presidential Center」を作り、傷を負った軍人らを招いてゴルフをし、彼らのポートレートを描き、その本の収益を前述の非営利団体に寄贈するブッシュ大統領は、自分の罪を償い、魂を清めようとしているような気がしてならない。

だが、その贖罪の対象がアフガニスタンやイラクの民間人まで届かないのは残念だ。（２０１７年４月「ニューズウィーク」）

Portraits of Courage: A Commander in Chief's Tribute to America's Warriors
George W. Bush, 2017

賛否が激しく分かれるヒラリーの大統領選回想記

What Happened

２０１６年の大統領選を振り返るヒラリー・クリントンの*What Happened*（『WHAT HAPPENED――何が起きたのか？』）が９月12日に発売され、アマゾンのノンフィクション部門でベストセラーのトップになった。

予備選でオバマ大統領に敗れた２００８年大統領選の後、再び立候補することを決意した経緯からショッキングな敗北、そしてトランプ大統領就任後の現在に至るヒラリーの回想録には、読者を驚かせるような告白や暴露はない。

私は、予備選から多くの候補者のイベントに足を運んで当サイトでレポートし、『トランプがはじめた21世紀の南北戦争』（晶文社）という本を書いたが、選挙で浮き彫りになったアメリカ社会の部族化やメディアの不公平さ、投票日寸前のＦＢＩコミー長官の謎の行動など、重なる部分が多かった。

■いままでになく率直なヒラリー

予備選のライバルだったバーニー・サンダースと情熱的なサンダース支持者からの不公平な攻撃に対するフラストレーションも遠慮なく書いている。そのダイナミクスをヒラリーの支持者がまとめたフェイスブックの書き込みが選挙中に有名になったのだが、本書ではヒラリー自身がそれを紹介している。

バーニー：アメリカは仔馬（子どもが親におねだりするものの象徴）をもらうべきだ。
ヒラリー：仔馬の代金はどう工面するのですか？　仔馬はどこから入手するのですか？　仔馬の購入をどうやって議会に承諾させるのですか？
バーニー：ヒラリーは、アメリカには仔馬を得る資格がないと思っている。
バーニー支持者：ヒラリーは仔馬を憎んでいる！
ヒラリー：いや、仔馬は大好きですよ。
バーニー支持者：ヒラリーは仔馬についての政治的立場を変えたぞ！　#WhichHillary?（どっちのヒラリーだ？）　#WitchHillary（魔女ヒラリー）
ニュースのヘッドライン：「ヒラリーが全国民に仔馬を与えることを拒否」
ディベートの司会者：ヒラリー、あなたが仔馬について嘘をついたと人々は言っていますけれど、それについてどう感じますか？

もし、この本に「驚き」があるとすれば、サンダースへのフラストレーションを含めて、これまでヒラリーが書いた回想録の中で、最も自分の感情を正直に吐露している部分だ。

本書の中でも本人が書いているが、弁護士としてトレーニングを受けたヒラリーは、口を開く前にじっくり考え、数字などの根拠に基づいた正確なことを話そうとする癖がある。そのフォーマルさが、「計算深い」「何か隠しているのではないか?」「正直ではない」という彼女のネガティブなイメージにも繋がっている。

また、常にポリティカル・コレクトネスを保とうとするヒラリーに対して「いい子ぶりっ子している」という反感を抱く者がいるのも否めない事実だ。大統領夫人だった1990年代にダメージを受けたときからメディアとの関係も良いとは言えず、メディア取材に対して心理的な鎧をかぶってしまう。これが悪循環になってきたことはヒラリー本人も自覚している。


これまでの回想録では、正しいことを言おうとする努力や、言いたいことをがまんする硬さが「ヒラリーの回想録は退屈」という評価につながっていた。だが、*What Happened* には、これまでになかったような本音や率直な意見だけでなく、ユーモアも盛り込まれている。

たとえば、大統領就任式でのシーンだが、トランプの「アメリカ第一」という排他的な演説に対して、出席していたジョージ・W・ブッシュ元大統領が「That was some weird shit（なんともけったいな戯言だったな）」とテキサス式の単刀直入な表現で感想を言ったことについて、「私もおおいに同感」と書いている。

また、「この本を読んでいる人たちが、将来大統領選で負けるとは思わないけれど」と書いた後で（でも、もしかしたら読んでいる人がいるかも。ハイ、ジョン、ハイ、ミット、元気にしてる?）と、

2008年の敗北者ジョン・マケイン、2012年の敗北者ミット・ロムニーに呼び掛けたりしている。

トランプのプーチンに対する過剰な関心と寛容を「ブロマンス」（恋人ではないけれど、それ以上にロマンチックな男性同士の友人関係）と呼び、プーチンに会ったときのことを「プーチンと会談したとき、地下鉄で横柄に脚を広げてほかの人の席を独り占めしている男性みたいだった」とも表現している。

トランプへの批判は、周知の事実ばかりなのでここに書く必要はないが、ヒラリーは、リベラルのメディアも強く批判している。

選挙中の偏った「公平さ」だけではない。選挙後のメディアに流行っている「都市部のインテリ批判」もそうだ。繁栄に取り残された地方の白人たちのやるせない気持ちを民主党が汲み取り損ねたのは事実だが、だからといって、高学歴者や高収入者が言い訳をしなければならないような「反知性主義」的な雰囲気が高まっているのは問題だ。

それについて、ヒラリーはこう書いている。

大統領選以降、マスコミの評論家たちが型通りのトランプ支持者をやみくもに崇拝するがあまり、東海岸と西海岸に住む大卒の学歴を持つ者の意見を、見当違いだとか、現実に疎いとか言って却下する。それに対して気が狂いそうになる。

「負けたのだから黙って消えてくれ」とか「言い訳は聞きたくない」という批判も予期していて、

ヒラリーはこう反論している。

終わってしまった大統領選を少しでも「ほじくり返す」ような発言は聞きたくはないという人がいるのは理解できる。みな疲れ切っている。トラウマを抱えている人もいる。政治からは距離を置いて、国家の安全という分野に絞ってロシアについて語りたい人もいる。それらすべてがよくわかる。けれども、何が起こったのかを理解するのは重要だ。なぜなら、二度と同じことを繰り返さないための唯一の方法だから。

こうも書いている。

もしすべてが私のせいだと認めてしまうと、メディアは内省をする必要がなくなってしまう。共和党はプーチンの介入が大したことではないと言うだろうし、民主党は自分たちの思い込みと処方に疑問を持つ必要がない。そのままふんぎりをつけて次に進んでしまう。

ヒラリーの回想録で最も重要なのは、次の部分だと私は思った。私たち有権者は、敗北者にすべての責任を押し付け、自分では内省もせずに同じ過ちを繰り返す。ジョージ・W・ブッシュが勝ち、アル・ゴアが負けたときもそうだった。イラク戦争が起こり、いまだに続いているのは、ブッシュだけではなく、アメリカ国民のせいでもあるのだ。

むろん、すべての読者がヒラリーに共感するわけではない。発売の翌日のアマゾンのレビューは、5つ星が90%で1つ星が5%の平均4・8だった。この時点では、3つ星評価はなんと0%だった。

アメリカの政治家の本は、それが保守であれリベラルであれ、支持者からの5つ星と不支持者の1つ星という極端な評価ばかりが集まる。こと政治になると、本の感想ではなく、人気投票になってしまうのだ。ヒラリーの新刊の評価が高くなっている最大の要因は、これまでとは異なり、アマゾンが購入もせずに評価する人を取り除いていることだ。

アマゾンのアルゴリズムの是非はここではさておき、わざわざ1つ星を与えるために本を購入している人が5%もいるというのは興味深い。普通なら、どんなに嫌いな政治家であっても、選挙に負けたら忘れるものだ。ところが、ヒラリーに関しては、悪評価をするために本をわざわざ購入する人がこんなにいるのだ。それだけ影響力を持つ人だともいえる。

アマゾンやグッドリーズ（Goodreads）、その他のサイトで実際に読んだ人のレビューを比較すると、「非常に率直。ヒラリーを誤解している人はぜひ読むべき。ここに書かれていることを理解し、アメリカの将来のために活かすべき」というポジティブなものか、「言い訳ばかり。全部他人のせいにしているが、有権者をムカつかせたお前自身の責任だ」というネガティブなものにはっきり分かれている。

ポジティブな意見を持つ人と、ネガティブな意見を持つ人の世界は、同じ人物を評価しているとは思えないほど異なる。それだけでなく、「政治とは何か？」「政治家とは何をする人なのか？」という見解も大きく異なる。同じアメリカに住んでいながらも、大きくすれ違っている。

これは、選挙中にソーシャルメディアで人々が交わしていた意見とほとんど変わらない。まるで、いまだに選挙を戦っているような雰囲気だ。選挙中の取材でも感じたことだが、これは、ある一定のグループが共有する「ナラティブ」の違いを反映しているような気がする。

「ナラティブ（narrative）」とは、「ストーリー、あるいは、ある出来事の説明」のことだ。「特別な見解や主張を支持するために注意深く選ばれた出来事、体験などをつなぎ合わせ、説明するストーリー」というニュアンスもあり、聖書もナラティブのひとつだ。

Sapiens（『サピエンス全史――文明の構造と人類の幸福』柴田裕之訳、河出書房新社）で著者のユヴァル・ノア・ハラリが書いていたが、「神、国家、通貨、人権」といったイマジネーションの中にしか存在しないものを信じるユニークな能力があるからこそ、サピエンスは大人数の社会を構成することができた。宗教にせよ、経済にせよ、政治にせよ、多くの人が「ナラティブ」を信じ、共有するからこそ存在できるのだ。

大統領選の間に、アンチ・ヒラリーの有権者の間で何度も耳にした特定のナラティブがあった。それは、「ワシントンの政治家は腐敗している」「ウォール街を解体すれば、大学を無料にできる」「それに反対する政治家は、ウォール街から買収されている」といったものだ。

それらは、政治集会で耳にしたフレーズであったり、ソーシャルメディアで仲間が共有していたものだったりした。

サンダース支持者とトランプ支持者には共通のシンプルなナラティブがあったが、ヒラリー支持者にはなかった。それは、サンダースとトランプが、有権者を説得できるナラティブを巧みに使ったことを示している。

だが、現代アメリカが抱えている問題は、国民が自分に与えられたナラティブを過信しているところにあるのではないか。

ナラティブは、事実の場合もあれば、フィクションの場合もある。また、その境界が不明なものも。だが、多くの人は、それを意識せずにネットで情報を集め、「真実」として交換する。実際には、ロシアが仕組んだ偽ニュースの数々を読んでいたり、洗脳された人の書いたソーシャルメディアを読んだりしているのに、話を聞くと「自分で能動的に信頼ある情報を探し出した」と強く信じていた。

偽ニュースが伝統的なメディアを圧倒した2016年の大統領選挙の影響は未だに続いており、偽ニュースの正体が明らかになった現在でも、偽ニュースを信じた人はその内容を信じ続けている。トランプの支持者の一部は、いまだにオバマ元大統領が外国で生まれたイスラム教徒だと信じているくらいだ。

■新しいナラティブを見つける

ヒラリーの最大の失敗は、回想録で分析したことよりも、有権者に浸透しやすい「ナラティブ」を見つけられなかったことかもしれない。

オバマ大統領の元で国務長官を務めたときのヒラリーは、国民から69%という高い支持を受けていた。それは、実際にすばらしい仕事をしただけでなく、「かつてのライバルの元で、国のために献身的に働く国務長官」という、わかりやすくてポジティブなナラティブがあったからでもある。彼女は、メディアがそのナラティブを継続的に使ってくれることを期待していたのだろう。

しかし、大統領候補になったときに、ヒラリーは新人のつもりでナラティブを作り直すべきだったのだ。彼女は、メディアに「公正な」ナラティブを作ってもらうことを期待しすぎた。政治イベントで政策について詳細にわたって語るヒラリーをメディアが無視して「eメール」にこだわったのは、そちらのほうが視聴者に売りやすい「ナラティブ」だったからだ。ヒラリーのメッセージは複雑すぎて政治の仕組みを知らない人には理解しにくく、理解できても、他人に広めにくかった。ヒラリーの回想録についても、同じことが言える。

だから、ヒラリーのナラティブに慣れている人は回想録に高い評価を与えるし、それ以外のナラティブを信じていた人は嫌悪感しか覚えないのだ。ヒラリーの回想録は、良い意味でも悪い意味でも読者が信じているナラティブを変えることはない。

ヒラリーが今後やるべきことは、自分についての人々の見解を変える努力ではなく、分断したアメリカを統一できる「ナラティブ」を語ることができる政治家を見つけ出し、背後でその人の応援にまわることではないだろうか。（2017年9月「ニューズウィーク」）

What Happened
Hillary Rodham Clinton, 2017
『WHAT HAPPENED――何が起きたのか？』
高山祥子訳、光文社

爆発的に売れたミシェル・オバマの自伝

Becoming

新しい国であるアメリカには貴族や皇族などのロイヤルファミリーが存在しないが、それに匹敵するのが大統領とその家族だ。アメリカ国民は彼らの言動だけでなく、ファッションにも注意を払う。そして、任期が終わると、大統領だけでなく、大統領夫人も回想録を出す。

政策に直接関係ない大統領夫人の支持率は、夫の大統領より高い傾向がある。近年の大統領夫人の平均支持率では、ミシェル・オバマ（65％）は、バーバラ・ブッシュ（81％）とローラ・ブッシュ（72％）に続く第3位の位置にあり、政策に口出しをしてバッシングにあったヒラリー・クリントン（56％）やナンシー・レーガン（55％）より高かった。

支持率は回想録のセールスに関係がありそうだが、そうでもない。

支持率が72％もあったローラ・ブッシュの回想録は、最初の週に15万部近くが売れてベストセラーリストの2位になったが、支持率が56％だった44代大統領夫人のヒラリー・クリントンが2003年に出した回想録 *Living History*（『リビング・ヒストリー――ヒラリー・ロダム・クリントン自伝』酒井洋子訳、早川書房）は、最初の週に60万部以上売れてアメリカのベストセラー記録を更新した。

大統領選挙の敗北後に出した*What Happened*も、最初の週に30万部（ハードカバー、ebook、オーディオブック含む）以上が売れ、ハードカバーの売上では過去5年のノンフィクションで最高の売上を記録した。

ローラ・ブッシュには夫を陰で支える伝統的なアメリカの賢妻のイメージがあり、そのために保守的な共和党支持の男女から尊敬されていた。リベラルな民主党支持者も、夫のジョージ・Wに強い怒りを覚えていても「夫と妻は別の人格」と捉える成熟さがあった。だから支持率は高かったのだが、ローラという人物に対して強い興味を抱く人はさほど多くなかったのだろう。

その点、ヒラリー・クリントンはローラとはまったく異なるタイプの大統領夫人だった。大統領夫人という立場なのに医療制度改革を試みて反感を買い、敵を多く作った。だが、同時にステレオタイプの「大統領夫人」に挑戦したヒラリーの勇敢さを評価する女性ファンが生まれた。こういった「情熱的なファン」に加え、公の場で詳細が暴かれたビル・クリントンの女性スキャンダルの後でも夫と別れなかった妻の心情への好奇心もあってヒラリーの回想録は記録的に売れた。

その後もヒラリー・クリントンの回想録は必ずベストセラーになったのだが、それを超えたのがミシェル・オバマの回想録*Becoming*（『マイ・ストーリー』）だ。

*Becoming*は、最初の15日で200万部（ハードカバー、ebook、オーディオブック含む）を売り、ヒラリー・クリントンの*Living History*の歴史的な販売記録を超えた。また、ヒラリー・クリントンのブックツアー（出版社が著者に要求する販促イベント）は大学での講演や書店でのサイン会だったが、ミシェル・オバマはスポーツ観戦に使われる巨大なアリーナを使い、しかも売り切れが続出している。私が住むボストンでは約2万人が収容可能なＴＤガーデンが使われ、ステージ

近くのチケットは約500ドル（約5万5000円）で平均価格は214ドル（約2万5000円）という、エルトン・ジョンのさよならツアーレベルだった。もちろん前代未聞である。

さて、それほど売れている*Becoming*だが、内容はどうだろうか？

■バラクのために

歴代の大統領夫人とミシェル・オバマの最大の違いは、ミシェルが奴隷を先祖に持つ黒人だという点だ。しかも、ミシェルは多くの大統領夫人のように経済的に恵まれた環境では育っていない。現在は犯罪が多いことで知られるシカゴのサウスサイド地区で、水道局で働く父と専業主婦の母に育てられた。

この回想録の前半で、ミシェルは質素ながらも努力家で愛情たっぷりの両親、ピアノを教えてくれた厳しい大叔母、カリスマ性がある兄を通じて、家族や隣人たちとの絆を大切にしていた当時のサウスサイドのコミュニティの様子も紹介している。

周囲に模範となる高学歴の成功者がいたわけではないが、ミシェルは、類まれなる向上心と努力、そしてお手本となった兄に続くかたちでアメリカで最難関として知られる「アイビーリーグ」のひとつであるプリンストン大学に入学した。そして、卒業後にはハーバード大学のロースクールで学び、シカゴで名前が知られた法律事務所に勤務した。ミシェルがバラクに出会ったのはこの法律事務所だった。

ここまでのミシェルの話は、「すごい達成だ」と感心させるが、正直いって退屈なところがある。これまで知っている努力家のミシェルそのものであり、何も驚きがないからだ。回想録がぐっと面白くなるのは、ミシェルがバラクに出会ってからだ。

彼らが出会ったとき、バラクはまだハーバード大学ロースクールの学生で、ミシェルは法律事務所での彼の指導係のような立場だった。バラクは、この頃からカリスマ性あるスーパースターだったようだ。最初はデートを断り続けたミシェルだが、バラクに根負けした形で付き合い始め、ついに結婚することになる。だが、プロポーズのときですら、バラクは自分のペースを崩さない。働く女性としてそれまで綿密に人生の計画を立てて着実に実行に移してきたミシェルにとって、バラクはそれを乱す不確定要素のようなものだった。

バラクは最初から富にはまったく興味がなく、コミュニティの立て直しや貧困層の救済など社会的にインパクトがあることに駆り立てられていた。経済的に独立し、働く女性として大きな達成をすることを夢見ていたミシェルにとって、バラクと一緒になることは、相当大きな決意だったに違いない。なにせ、バラクはお金儲けには興味ないが、自分がやりたいことに100%の時間と労力を費やすのだ。そういう人と結婚して子どもを育てるためには、妻のミシェルが家事育児と経済面で大部分の責任を負わねばならない。この本で明かされている葛藤はたぶん一部でしかないが、それだけでもミシェルが相当悩んだことは想像できる。

40歳のミシェルが、シカゴ大学メディカルセンター病院のエグゼクティブ・ディレクターという重職をこなしながら、昼食の休みの間に5歳の娘が土曜日に招かれている誕生パーティーのプレゼントを買い、見当たらなくなった靴下の替えを買い、娘たちが学校に持っていくランチ用のジュースやアップルソースを買い、その合間にお昼ごはんのテイクアウトを車の中で食べる場面がある。そうしながら、「私はご飯を食べている。(家族は)まだみんな生きてる。見て、この管理の腕前を！」と小さな達成を心中で自画自賛する描写は、同じような体験をした母親にとって拍手したくなるほど見事な表現だ。

また、仕事優先のバラクのために夕食を待っている家族が疲れ果ててしまうところなどにも、男性パートナーと同様の学歴や能力がありながらもサポート役にまわる女性の苦悩が感じられる。葛藤しながらも、ミシェルは社会を変える情熱を抱く夫を愛するがゆえに自分のニーズを後回しにするのだ。

「政治の世界には興味はない」と何度も繰り返すミシェルは、バラクのために上院議員の妻になり、大統領夫人になった。そして、この本でそれを率直に書いている。

アメリカの女性が惹かれるのは、このミシェルなのだと私は思う。

大統領夫人の回想録は、読者に親密さを抱かせつつも、あまり極端なことは書けないという「綱渡り」的な難しさがある。ミシェルは、それをうまくこなしたうえで、嘘のない「本物らしさ」を保っている。多くの人が知らなかったバラクの素顔を少しばらしながらも、決して貶めていない。

ただ、そんなミシェルが1人だけはっきりと批判している人物がいる。それはトランプだ。

「バラクのアメリカの出生証明書は偽造であり、ケニアで生まれたイスラム教徒だ」というニュアンスの陰謀説「バーサー運動」を公の場で何年にもわたって煽り続けたトランプに対し、「そのものがクレイジーで卑劣で、むろん、強い偏見と外国人差別が根底にあることを隠しもしない」と真っ向から批判し、「wingnuts や kooks（どちらも、考えていることが狂っている変人という俗語）をわざと煽り立てるためのものであり、危険でもある」、「もし精神が不安定な人が銃に弾をこめてワシントンまで運転してきたらどうするのか？　もしその人が私の娘たちを狙ったらどうするのか？　ドナルド・トランプは、派手で無責任なほのめかしで私たち家族を危険に晒した。この理由で、私は彼を決して許さない」と書いた。

これについてトランプ支持の共和党員は批判したが、それ以外の人々は「よく言ってくれた」とミシェルの正直さを讃えた。また、ここに彼女の「本物らしさ」を感じた読者もいる。

元大統領夫人の回想録で難しい綱渡りを達成した*Becoming*は、それだけでも非常に優れた回想録と言えるだろう。

この回想録を反映してか、2018年末には、「最も称賛されている女性」でミシェルは初めてヒラリー・クリントンを抜いて1位になった。（2019年1月「ニューズウィーク」）

Becoming
Michelle Obama, 2018
『マイ・ストーリー』
長尾莉紗・柴田さとみ訳、集英社

ディストピア小説化する
トランプ時代のアメリカ

The Testaments

トランプが大統領に就任した２０１７年1月から1カ月も経たない同年2月、１９８５年に出版された古い小説がアメリカでベストセラーになり、1年を通じてベストセラーを続け、アマゾンで２０１７年に「最も読まれた本」になった。

それは、マーガレット・アトウッド（Margaret Eleanor Atwood）の *The Handmaid's Tale*（『侍女の物語』斎藤英治訳、ハヤカワepi文庫）だ。現代クラシックと呼ぶにふさわしいこの小説が一般の人にも知られるようになったのには、フールーでのドラマ化も影響している。

The Handmaid's Tale の舞台は、キリスト教原理主義のクーデターで独裁政権になった未来のアメリカ合衆国の Gilead（邦訳版ではギレアデ共和国）だ。白人至上主義で、徹底した男尊女卑の社会である。国民は男女とも厳しい規則で縛られ、常に監視されている。環境汚染などで女性の出産率が激減しており、子どもが産める女性は貴重な道具として扱われる。

（クーデターの以前から）不倫や堕胎をした女性は罪人であり、出産可能だとみなされたら子どもを生むための「Handmaid（侍女）」として（妻は別に持っている）司令官にあてがわれる。侍女は所有物なので固有の名前を持つことは許されず、「of」に司令官の名前をつけたもので呼ばれる。

中絶禁止を違憲として人工妊娠中絶を認めるようになった1973年のアメリカ連邦最高裁の「ロー判決（ロー対ウェイド事件）」を知らないアメリカの若者にとって、これまでは「ありえない架空の世界」だった。

だが、トランプ大統領は就任後すぐに海外で人工妊娠中絶を支援する非政府組織（NGO）に対する連邦政府の資金援助を禁止する大統領令に署名した。そして2018年には、トランプは性的暴行疑惑があるブレット・カバノーを最高裁の判事に任命した。最高裁判所が5対4で保守に傾くことで、ロー判決が覆される可能性が生まれている。

■あり得ないSF小説に現実が近づく

生殖に関する女性の選ぶ権利が実際に脅かされている現在のアメリカでは、*The Handmaid's Tale* は決して「ありえない架空のディストピア」ではなくなっている。

そんななか、マーガレット・アトウッドが *The Handmaid's Tale* の続編である *The Testaments*（陳述書）を出版した。ブッカー賞の審査官ですら出版日までは全編を読むことを許されていないほどの秘密主義だったようだが、アマゾンが発売日より前に一部のカスタマーに「ミス」で郵送してしまうというスキャンダルもあった。

それほど期待された *The Testaments* だが、何十年も前から *The Handmaid's Tale* を愛してきた読者にとっては不安な本でもあった。せっかくの名作の価値を損なう駄作だったらどうしよう？

結論から言うと、駄作ではないが、前作のように歴史に残る名作でもない。前作が紛れもない「文芸小説」だったのに対し、新作はよくある「ディストピア・ファンタジー」のように感じる。読んでいて面白いが、前作のように、行間から漂う不気味さや絶望感はない。しかし、前作では不明だった独裁国家ギレアデ共和国の初期、構造、命運、そしてOffred（邦訳版ではオブフレッド）のその後などの回答を得ることができるので、アトウッドが多くの読者から受けた質問の回答編としては納得できる。また、アクションが多くて決して読み飽きない。

ギレアデの成人女性にはWife（妻）、Handmaid（子どもを生むだけの道具である侍女）、Martha（マーサ、女中）、Aunt（小母）という四つの階級しかない。上流階級の若い女性は学校で良き妻になる教育を受け、10代のうちに年上の司令官や上官の「幼妻」になる。上流階級の家で料理や掃除を行う女中には個々の名前はなく、誰もがマーサと呼ばれる。何人のマーサをあてがわれるかでその家の主人の重要さもわかるようになっている。文字が読めるのはカトリックの尼僧のように女子の教育係もつとめる小母だけであり、そのほかの女性は本だけでなく文字を読むことが禁じられている。掟を破ったら広場で絞首刑になるか、罪が軽くて若ければ司令官たち専用の娼婦という運命しかない。

*The Testaments*の主要人物は、前回でオブフレッドのサディスティックな教育係だったリディア小母、カイル司令官の養子として育てられたアグネス、そしてカナダで育った16歳のデイジー（「カナダが盗んだギレアデの所有物の象徴的存在」であるベイビー・ニコルだと読者にはすぐわかるようになっている）の3人の女性だ。

■揺れるリアルな人物像

この中で最も興味深いのはリディア小母だ。前の世界では元女性判事だったリディア小母がいかにしてギレアデの主要人物になったのか、そしてこの国の未来をどう操ろうとしているのかが次第に明かされていく。リディアは「小母」という階級が作られたことにも関わっているのだが、フェミニストであったはずの女性が、ある時点で女性を抑圧する権力層の一部になり、今度はその立場を利用して陰で男たちの権力を削り取るのだ。かといって、リディアには個々の女性を救うような慈愛や憐憫はない。ある意味、怪物のような女性だが、多くのフィクションでの善悪がはっきりした主要人物に比べ、リアルな人間の複雑さを感じる。

権力を持つ男の妻になるためだけに育てられたアグネスは、抑圧された世界で育った女性の視点を読者に見せる重要な存在だ。「こんな人生は嫌だ」と思っても、それを感じる自分のほうが悪いのであり、黙っているほかはないと信じている。女性にとって学ぶことが悪だと教えられていたら、向上心そのものが悪になる。自己犠牲のみが女の美徳なのだ。

アグネスのような立場の女性は、実際には、ディストピアのギレアデでなくても、アメリカ合衆国や世界中に実際に存在する。そして、トランプ大統領の言動を見ていたら、彼が目指しているのはこんな世界ではないかと思えてくる。

この小説の3人の女性を通じてアトウッドが教えてくれるのは、民主主義や人権がいかに脆弱なものかということだ。

ツイッターなどのソーシャルメディアに流れてくる日本人の意見のなかには、民主主義や人権への敵意を感じるものが少なくない。

彼らは、それらが「自分ではない者（特に女性や子ども）を優遇し、自分の権利を奪うわがまま」だと感じているようだが、そういった人には、短期間でいいから「民主主義と人権」を取り去ったギレアデへの留学をおすすめしたい。

ただし、司令官の職はお約束できない。それよりも、たぶん女性とのセックスも許されない（すると処刑される）使い捨て兵士か、有色人種だから強制収容所送りになりそうだ。また、いったん入ったら二度と出ることができない点がやや問題かもしれないが、民主主義や人権に敵意を覚える人にとってはさほど大きな問題ではないだろう。（２０１９年10月「ニューズウィーク」）

The Testaments
Margaret Eleanor Atwood, 2019

II アメリカの歴史

人気ミュージカルで現代に蘇った建国時代の英雄

Alexander Hamilton

12年前の2004年に刊行された、アメリカ建国時代に活躍した政治家アレクサンダー・ハミルトンの伝記が、再びベストセラーになっている。

再流行のきっかけは、ブロードウェイのミュージカル『Hamilton』だ。もともとはオフ・ブロードウェイで小さくスタートしたのだが、またたく間に人気になり、ミュージカルアルバム部門でグラミー賞を受賞した今ではチケット入手が難しくなっている。

「建国時代の政治家の人生」と「ミュージカル」という組み合わせも意外だが、ハミルトン役のリン＝マヌエル・ミランダをはじめ主要なキャストがラテン系やアフリカ系アメリカ人で、音楽はジャズやラップというのも型破りだ。

ニューヨーク生まれのミランダの両親は、アメリカの自治連邦区であるプエルトリコの出身だ。カリブ海にあるこの島は、「アメリカであってアメリカではない」という立場にある。ミランダが偶然手に取ったロン・チャーナウ（Ron Chernow）著の *Alexander Hamilton*（『ハミルトン――アメリカ資本主義を創った男』）に惚れ込み、ミュージカルの製作だけでなく、脚本、作詞作曲、主演までこなしたのは、カリブ海で生まれ、移住したニューヨークを拠点にしたハミルトンに強い親近感を抱いたからだろう。

■建国時代の英雄・ハミルトン

ハミルトンは、すべてにおいて型破りな人物だった。18世紀なかばにイギリス領西インド諸島で内縁関係の父母の間に生まれたハミルトンは、10代で孤児になり、独学で文筆家としての才能を発揮して、経済的な援助を集め、ニューヨークに留学する機会を得た。キングスカレッジ（現在のコロンビア大学）で経済学や政治学を学ぶかたわら、独学で広い分野の知識を蓄え、またたく間に頭角を現した。

ハミルトンは頭脳明晰なだけでなく、独立戦争に従軍して軍人としての才能も発揮し、後に初代大統領となるジョージ・ワシントン総司令官の副官として活躍した。建国後は合衆国憲法の草稿を執筆し、ワシントン大統領のもとで、初代の財務長官になり、「国立銀行」の設立を果たした。ハミルトン自身は大統領にはなっていないが、「フェデラリスト（Federalist）」の党首として、建国初期の大統領誕生の背後で影響力を持った人物だ。

「多才」という表現が陳腐に感じるほど多くの分野での卓越した才能があり、しかも20代前半の若さで国の重要な職に就いたハミルトンは、性格も言動も「ふつう」の領域をはるかに超えていたようだ。

口が達者で、女性を魅了し、群衆を説得するのが得意だが、いったん自分が正しいと思い込んだら相手を論破し、意見を押し通すために敵を作りやすかった。後見人のような立場だった初代大統領ワシントンといさかいを起こして口をきかなかった時期があり、第2代大統領のジョン・アダムズとその妻アビゲイルからは徹底的に憎まれ、財務長官時代に国務長官を務めたトーマス・ジェファーソンとは理念のうえでまったく共通点がない政敵だった。

だがチャーミングで社交的だったことでも知られ、20代後半に恋愛結婚した妻エリザベスとの間に8人の子どもをもうけながら、36歳のときに13歳年下のあやしい身元の女性マリア・レイノルズと情事を持つことになる。マリアの夫から脅迫されて口止め料を払い、それが「汚職」の証拠だと糾弾されたときには、政治家・弁護士としての潔白さを証明するために自ら情事の詳細を公にしたという複雑な人物でもある。そして、49歳（年齢については異論あり）のとき、政敵のアーロン・バーに「決闘」で命を奪われた。

決闘に強く反対してきたハミルトンが、決闘に応じたのは不思議だ。だが、彼は名誉を守るために決闘を受けたものの、挑戦者のバーを撃つつもりは最初からまったくなかった。ハミルトンは「空撃ち」で決闘をシンボリックに解決する方法を想定しており、決闘に臨む前に友人たちにはそれを語り、書面での証拠も多く残している。

バーのほかにも敵が多かったハミルトンだが、この劇的な死により、国民は「英雄」として彼をたたえ、副大統領まで務めたバーは「英雄を殺した卑怯者」とみなされて政治生命を失った。

■建国時代のアメリカと現在

ハミルトンという人物の劇的な人生もさることながら、建国時代の政治家たちが「アメリカをどのような国家にするべきか？」という理念で大衝突した部分が非常に興味深い。

建国当時にパワーを持っていた政党は、フェデラリストだ。そして、敵対する政党は、通称リパブリカン（Democratic-Republican、だが現在の共和党ではない）。

二つの党の違いを簡単にまとめるとこうだ。

「フェデラリスト」（代表的政治家：アレクサンダー・ハミルトン、第2代大統領ジョン・アダムズ、連邦裁判所の初代長官ジョン・ジェイ、ニューヨーク州知事デイヴィッド・クリントン）――ボストンなどニューヨークより北部の知識階級のエリート、裕福な商業階級が中心。教育を受けていない民衆はモラルが低く無知なので、エリートで構成された強い政府がまとめる必要があるという理念。投票権を得る条件は厳しくするべき。製造業、商業、銀行、貿易を奨励。

「リパブリカン」（代表的政治家：第3代大統領トーマス・ジェファーソン、第4代大統領ジェイムズ・マディソン、第7代大統領アンドリュー・ジャクソン）――南部の農業主、中小の商業主が中心。高等教育を受けていない者が多い。ふつうの民衆にも十分自律はできる。投票権はすべての国民に（ただし、黒人と女性はのぞく）。国家の権限は最低限にし、州に強い権限を与える。シンプルな農業優先政策。金持ちではなく、小規模な農家、平民を助ける政策。

フランス革命についても、ハミルトンとジェファーソンの意見は鋭く対立した。市民による革命を手放しでたたえるジェファーソンに対して、群衆による暴動を嫌うハミルトンは、革命後にも興奮が収まらず国が不安定になることを予期した。

これらの違いを見ると、ハミルトン時代のフェデラリストは現在の共和党で、リパブリカンは現在の民主党だという印象を受けるかもしれない。だが、北部のフェデラリストが奴隷制度に早くから反対していたのに対し、リパブリカンの政治家のほとんどが奴隷を所持する農業主だった。これらの党の中間にいた初代大統領ワシントンは「奴隷反対」の立場だったが、自分自身も奴隷所有者だった。遺言で所持していた奴隷を解放し、自由になった彼らと子どもたちのために金も残したが、それはワシントンと妻が奴隷を使うことの恩恵を十分に受けた後、つまり死後のことだった。

この本を読んでいると、大統領を決めるときの政治的な駆け引きや根回しが現代とよく似ていることに驚く。実は、アダムズが大統領再選を狙っていたとき、それを阻止したのは、同じ党に属するハミルトンだった。大統領としてのアダムズの仕事を批判する手紙を自分の支持者に書き、それが公にひろまって、対立するリパブリカンのジェファーソン大統領の誕生につながった。

ジェファーソンが大統領になるのが明らかになってきたフェデラリストのコーカス（党員集会）では、「ジェファーソンが大統領になるくらいなら、内戦のほうがいい」という絶望的な声も出たらしい。ドナルド・トランプが予備選に勝つ見込みが強くなった現在（2016年3月で予備選なかば）の共和党では、「トランプを指名候補にするくらいなら、第3党の候補を出してそちらを推す」という意見すらあるが、建国時代にも同じような状況があったのだ。

また、現在の共和党内では、「トランプが共和党を崩壊させる」という恐れを口にする政治家が出てきているが、実際に、ハミルトンのせいで「フェデラリスト」は威力を失い、ジェファーソン以降はリパブリカンの大統領が続いた。

このような共通点だけでなく、政治的理念の違いが個人的な深い怨恨に発展していくところも、今のアメリカの政治や大統領選に驚くほど似ている。つまり、人間の性(さが)は、そう変わらないということなのだろう。（2016年3月「ニューズウィーク」）

【追記】この後、トランプは共和党の反対勢力を抑えて予備選に勝ち、11月の本選でも勝利した。しかし、本書執筆中の2019年10月には、トランプ大統領の弾劾調査が繰り広げられている。ある引退した共和党議員は、「多くの共和党議員が内心ではトランプ大統領の振る舞いに嫌悪感を持ち、疲れ果てている。だが、共和党支持者がまだトランプを強く支持しているので、背くことができない」という葛藤をメディアに語った。議席を守るために魂を売ったような共和党議員が、「正直者エイブ」と呼ばれたリンカーン大統領の共和党を根こそぎ変えてしまおうとしている。今後、共和党が「フェデラリスト」のように威力を失ったとしたら、歴史は繰り返されたことになる。（2019年10月）

Alexander Hamilton
Ron Chernow, 2004
『ハミルトン――アメリカ資本主義を創った男』
井上廣美訳、日経BP、2019年（2005年版の改題、新装版）

ベトナム戦争の機密を漏らしたエルスバーグは、英雄か裏切り者か

Most Dangerous

ベトナム戦争の時代を覚えているアメリカ人は、ダニエル・エルスバーグという人物に対してはっきりとした意見を持っている。「政府の嘘を暴露してベトナム戦争を終わらせた英雄」か、あるいは「英雄ヅラして国家機密を漏らした裏切り者」である。

しかしその世代が歳を取ったいま、アメリカではエルスバーグの名前どころか、ベトナム戦争そのものの記憶が薄れてきている。政府にとってはそのまま忘れ去ってもらったほうが都合がいいのだろうが、国民が忘れそうになると、必ず新しい本が出版される。そこがアメリカのいいところでもある。

スティーブ・シェインキン（Steve Sheinkin）の *Most Dangerous: Daniel Ellsberg and the Secret History of the Vietnam War*（最も危険――ダニエル・エルスバーグとベトナム戦争の秘史）もそのひとつ。1945〜1968年にかけての「ベトナムにおける政策決定の歴史」、通称「ペンタゴン・ペーパーズ」という極秘報告書を報道機関に漏洩したダニエル・エルスバーグを中心にベトナム戦争の歴史を語るノンフィクションで、*Most Dangerous* というタイトルは、ニクソン政権で国

家安全保障問題担当大統領補佐官だったキッシンジャーが、エルスバーグのことを「アメリカで最も危険な男（the most dangerous man in America）」と呼んだところから来ている。

この本がこれまでの関連本と異なるのは、まず読者ターゲットが中学生から高校生で、シンプルな語彙や文章にして読みやすくした「ヤングアダルト（YA）」のジャンルだということ。

そして冒頭から、変装した元FBIエージェントのジョージ・ゴードン・リディと元CIAエージェントのエベレット・ハワード・ハントが、エルスバーグの精神科医の事務所に押し入るというスリリングなシーンで始まる。しかも、このとんでもない犯罪を彼らに命じたのは、アメリカ大統領なのだ。ノンフィクションが苦手で、飽きっぽい中高生の読者であっても、「なぜ大統領がそんなことをするの？」と好奇心を抱いて読み続けたくなる。

ダニエル・エルスバーグは、非常に複雑な経歴を持つ人物だ。ハーバード大学を上位の成績で卒業したにもかかわらず、愛国精神から海兵隊に従軍し、戻ってからは保守系の有名なシンクタンクであるランド研究所で核兵器を専門とする戦略アナリストになった。その後ハーバード大学院で経済学の博士号を取得し、エルスバーグ・パラドックスという有名な理論を生み出した。1964年に国防長官ロバート・マクナマラのもとで勤務していたときにも、共産党の侵略を防ぐためとしてベトナム戦争を擁護するタカ派だった。

すでに反戦運動が高まる大学のキャンパスを訪問してベトナム戦争の正当性を語ることまでしていたエルスバーグの考え方が変わり始めたのは、自ら訪問したベトナムでの体験と、当時恋におちた反戦派のパトリシア・マルクスの影響だった。

エルスバーグが職場で読んだ機密書に綴られていたのは、代々の大統領が国民につき続けた嘘であり、彼がベトナムで目撃したのは、その嘘のために戦場でむごたらしい殺し合いを続けるベトナム人とアメリカ人の姿だった。

Most Dangerous は、ノンフィクションでありながらもスパイ小説のようにスリルたっぷりで、ベトナム戦争の残酷な描写では容赦なく、ロマンスの要素もあり、読者を最後まで飽きさせない。娯楽小説のように読ませながら、ベトナム戦争の背景とエルスバーグが政府の秘密文書を漏洩する経緯をしっかりと伝えているのは快挙だ。

エルスバーグの体験をたどるうちに、読者も自然に「正義を貫く」ことの難しさや苦悩を感じることができるのだが、この本はエルスバーグを「英雄」として扱うことでは終わっていない。周囲の人々を犠牲にして我を通すエゴイスティックな部分も描いており、年若い読者を見下さない著者の真摯さを感じる。

また、エピローグの部分で著者は読者に難しい質問を投げかけている。「政府が機能するためには、情報の一部を秘密にする必要がある。しかし、機密保護はどこまでが過剰なのか？　政府の機密情報を市民が漏洩するのは正当化されるのか？　そうだとしたら、それはどんな場合なのか？」と、２０１３年に起こった元ＣＩＡ職員のエドワード・スノーデンの例をあげている。

とはいえ、ベトナム戦争という過ちから学んだはずのアメリカ人は、ふたたびイラク戦争という過ちをおかした。私はスノーデンよりも、そこに触れてほしかった。「戦争に負ける初めてのアメリカ大統領になりたくない」というモチベーションで戦争が続くことを、アメリカの10代はどう思うのだろうか？

本書を読むと、国のトップが戦争を続ける理由の愚かさと、そのために犠牲になった人々の悲劇にあらためて胸が痛む。でも、私たちはアメリカだけを責めることはできないと思う。

本書のように、「大統領や政府は嘘をつくものだ」という都合が悪い真実を語るティーン向けのノンフィクションが売れ、しかも全米図書賞の最終候補になるのもまたアメリカなのだ。自国の不都合な歴史をこれほどオープンに語ることができる国は、世界でもまだ稀だろう。（2015年12月「ニューズウィーク」）

Most Dangerous: Daniel Ellsberg and the Secret History of the Vietnam War
Steve Sheinkin, 2015

複雑な中東の近代史がわかるジャーナリストの明快な報告書

And Then All Hell Broke Loose

ＩＳＩＳをはじめ、イスラム過激派テロリストのニュースをほぼ毎日のように目にする。ソーシャルメディアにも、にわかリポーターや評論家が溢れているが、歴史的背景を踏まえた上で現状を理解できている人はほぼ皆無ではないだろうか。私自身、１９９０年にエジプトを旅行した頃から２００１年9月11日の同時テロ、イラク戦争、と継続的にニュースを追っているが、いまだにほとんど理解できていない。

中東問題は今始まったことではないし、刻々と変化する。現地に住んでいる人や、取材をしている記者にも見えにくい程、複雑なものだ。

イスラム教、キリスト教、ユダヤ教が崇拝するのは（異論はあるものの）基本的には同じ神だ。しかし、キリスト教による十字軍遠征、オスマン帝国による東欧から地中海の沿岸各国の征服、イスラム諸国でのユダヤ教徒の度重なる大虐殺、イスラエル建国後のアラブ諸国対イスラエルの中東戦争など、同じ神を信じているはずの三つの宗教は、長い歴史のあいだ、絶え間なく争いを続けてきた。

中東の歴史をたどれば、はっきりした犯人と犠牲者はいないし、純粋潔白な宗教や民族もない。イスラム教徒の間でも血みどろの戦いを続けてきたのだから。しかし、国際問題では「～が悪い」という単純な犯人探しを好む人が多い。特に日本では、アメリカを悪者として語る人が、非常に多い。

だが、本当にそんなに単純なことなのだろうか？

アメリカが「何も手を出さない」という選択をしていたら、中東に平和が訪れたのだろうか？

過去20年中東に住み、そこを第二の故郷として愛するアメリカ人記者が、外部の私たちにはとうてい理解できない複雑な過去と現状を、わかりやすく解説しているのが、*And Then All Hell Broke Loose: Two Decades in the Middle East*（『戦場記者が、現地に暮らした20年――中東の絶望、そのリアル』）だ。

リチャード・エンゲル（Richard Engel）は、スタンフォード大学を卒業した1996年にエジプトに渡ってアラビア語を学び、そのまま中東に残って記者になったという珍しい経歴のアメリカ人だ。当時は、フリーランスとして生計を立てるのがやっとだったが、イラク戦争が危険な状況になったときに現地に残った数少ない記者の1人として一躍アメリカで名前が知られるようになった。その業績が評価されてMSNBCの特派員として正式に中東を拠点にするようになり、反政府運動が政権を打倒したチュニジア、エジプト、リビア……といった「アラブの春」では、流暢なアラビア語を駆使して危険な現場まで潜り込み、シリアでは武装勢力に誘拐されたという壮絶な体験もしている。

エンゲルが説明する中東の近代史は、実にわかりやすい。

現在の私たちが忘れていることだが、イスラム教は、かつて富もパワーも世界の最高峰にあった。しかし、没落してきたオスマン帝国で、20世紀初頭に「青年トルコ」が革命を起こして政権を握り、ドイツと組んで第一次世界大戦に参戦したことで運命が大きく変わった。七〇〇万人を戦争で失ったあげくオスマン帝国は敗戦し、戦勝したイギリスとフランスが領土の大半を分割することになった。しかし、これは戦勝国の都合で切り分けたものである。敵対するスンニ派アラブ人、シーア派アラブ人、クルド人などの多様な民族が混じり合っているモザイクのような国々を統率するのはただでさえ困難だったのだが、じきに第二次世界大戦に参入したイギリスとフランスにはその金もエネルギーもなくて中東を手放し、代わりにアメリカがゴッドファーザーとして面倒をみる羽目になったのだ。

戦後のアメリカにとって、中東はソ連と共産主義に対する前線であり、冷戦下の中東政策は、イスラエル擁護と石油の供給確保だった。中東諸国ではアラブとイスラム教徒の統一を声高に叫ぶ指導者たちが何人も現れたが、イスラエルに対する複数の戦争の結果、エンゲルが「ストロングマン（強い男）」と呼ぶ独裁者たちが中東の国々を統率するようになった。シリアのアサド家、エジプトのナセル、サダト、ムバラク、チュニジアのベンアリ、リビアのカダフィ、イラクのフセインなどがそうだ。

エンゲルは、これらのリーダーの多くに直接会っている。民族や宗派の違いによる血なまぐさい争いを抑えこむためなら遠慮なく残酷な手段を取る彼らが尊敬できる人格者でないことは、エンゲルもアメリカのリーダーたちも百も承知だった。

しかし、これらの強いリーダーがいたからこそ、国が機能していたのも事実だった。エンゲルは、これらの中東の国々を、「外見は華麗で印象的だが、内部はシロアリに喰われ、カビだらけで、腐りかけている豪邸」とたとえ、強そうに見えたがひと押しすれば倒れる状態だったと言う。腐っていることがわかっていても、家を倒してしまったら、国民は住む場所がなくなって混乱してしまう。だから、生かさず殺さずにいるのが、それまでのアメリカの方針だったのだ。

■ブッシュとオバマの失敗

ところが、ジョージ・W・ブッシュ大統領がそれを変えた。

ブッシュ政権は、イラクが「(2001年9月11日の同時テロの首謀者である)オサマ・ビンラディンと同盟関係にある」とアメリカ国民にイラク侵略の大義を説明した。だが、エンゲルはそれを「ばかげている」と非難する。中東に居を構えていたエンゲルにとって、ビンラディンとフセインが敵対関係にあるのは周知の事実だったからだ。

それでもブッシュがイラク戦争を始めた理由をエンゲルは二つあげている。ひとつは、「ブッシュ政権は最初からイラクに執着していた。イラクからの亡命者のグループとネオコン(新保守主義)は、サダム・フセインを打倒するのは簡単だと説得し、ブッシュはナイーブにもフセイン政府を民主主義に取って代えられると信じこみ、それがすべての政治的な悪への解毒剤だと考えたのだ」。もうひとつは、「アメリカは(同時テロへの)復讐に飢えており、軍隊は戦争準備万端だった」という当時のアメリカの雰囲気だ。

そして、イラク戦争が始まり、「侵略、占領、その後の管理の不手際、というイラクでの6年間の軍事活動を通して、ブッシュ政権は、1967年からアメリカが続けてきた『現状維持』の対策を破壊させた」とエンゲルは言う。

ブッシュ政権は、侵略を正当化するために、「イラク国民をフセインから救った」とアピールし、イラクでのイスラム過激派の台頭に「やはり、アルカイダがいたではないか」と指摘したが、エンゲルは「サダム・フセインは、残忍な暴君だった。だが、アルカイダ的なイスラム過激派がイラクに来たのは、アメリカが侵略したからだ」と言う。

ブッシュがイラクでサダム・フセインが守っていた腐った豪邸を倒してしまったために、現在最も恐れられるISISが誕生する土壌を作ったというのだ。

「現状維持」を打ち壊し、イラクに侵略したブッシュ政権には言い訳の余地はない。

だが、アメリカのジレンマは、軍事介入をしても、しなくても、世界から批判され、恨まれるという部分だ。

オバマ大統領の優柔不断な政策が良い例だ。

「オバマは、民主主義の名のもとに、カイロでの蜂起を後押しし、ムバラクに背を向けた。リビアでは反政府グループを軍事支援した。それなのに、シリアでは（助けを求められても）決断を躊躇した。約束は破られ、信頼は失われた。」とエンゲルは言う。

つまり、ソーシャルメディアで盛り上がったエジプトの革命で、民主主義を応援するという名義でアメリカの長年の友人だったムバラクを見捨てて革命を支援したオバマに対し、中東のリーダーたちは「アメリカと交渉して妥協してきたのに、いざとなったら守ってはくれない」と信頼を捨てたのだ。一方、エジプトとリビアを見てきたシリアの反政府グループは、助けてもらえると信じていたオバマから無視され、失望した。政府と反政府、どちらの側もアメリカから「裏切られた」と思い、恨みを抱いたのだ。革命後のエジプト、リビア、シリアは内戦が続く地獄のような無法地帯になり、「現状維持」の政策で続いてきた中東とアメリカの脆弱な信頼関係はこうして失われた。

イスラム教の内部の対立は14世紀にもわたる歴史があり、アメリカが作ったものではない。ISISを作ったのもアメリカではない。しかし、軍事介入に積極的なブッシュと、消極的で優柔不断なオバマが中東問題を悪化させたのは事実なのだ。

戦後に平和主義を打ち出した日本は、他国から軍事介入を求められることはない。だからある意味、現在の中東問題などに関しては、傍観者として自由な批評家でいられるわけだ。

だが、もし「政権交代」を求める反政府派から介入を求められ、その決断の責任を将来ずっと背負わねばならないとしたら、日本はどんな選択をするのだろうか？

そんなシミュレーションを考えながら読んでいただきたい本だ。（2016年3月「ニューズウィーク」）

【追記】Iの「トランプ暴露本の白眉、ボブ・ウッドワードが取材したホワイトハウスの内側 *Fear*」の追記に、2019年10月6日にトランプ大統領がクルド人の支配するシリア北部に在留するアメリカ軍の全面撤収を命じたことを書いた（54ページ）。

アメリカ軍撤収によりトルコはシリア北部に侵攻し、国内外から批判を浴びたトランプ大統領はマイケル・ペンス副大統領を仲裁役として送り込み、トルコとシリアの休戦を図った。これらについて、リチャード・エンゲルは2019年10月20日のNBCの政治番組「ミート・ザ・プレス」で、「ウラジーミル・プーチンは、シリアの新たなキングメーカーになった。そして、エルドアン大統領とプーチン大統領は二者の間でシリアを切り分けた」と説明した。そして、「地政学的には、アメリカ合衆国は脇に押しのけられた。トランプ大統領は、（トルコとシリアの間の）国境とシリアからアメリカ軍を撤収すると発表したことによってトルコによる侵略の扉を開け、以前のクルド人との約束を無意味にし、アメリカの存在を無意味にした。ウラジーミル・プーチンは彼の条件を提出し、それは受け入れられた。クルド人たちは彼らの将来をとても、とても心配している。彼らはアメリカから約束をされていたのだ。それをトランプ大統領は破った。いまや、彼らの未来はウラジーミル・プーチンの手に握られていて、それはまったく不確かなものだ。それゆえ、彼らは自分たちの家を離れており、民族浄化作戦に直面するのではないかと恐れている」と語った。（2019年10月）

And Then All Hell Broke Loose: Two Decades in the Middle East
Richard Engel, 2016
『戦場記者が、現地に暮らした20年——中東の絶望、そのリアル』
冷泉彰彦訳、朝日新聞出版

現代アメリカを培った狂気と幻想のアメリカ500年史

Fantasyland

2016年のアメリカ大統領選挙では、信じられないことが次々と起こった。アメリカ国民は、主流の新聞やテレビニュースよりもネットでの「偽ニュース」を信じるようになり、明らかに真実より偽りの発言のほうが多い候補を大統領に選んだ。トランプは、大統領に就任してからも、堂々と偽りの発言を続けている。彼の嘘を証明する映像やツイートは数え切れないほどあるというのに、いまだに30%以上のアメリカ国民がトランプ大統領のことを「正直だ」と思っているのだ。

「いったいアメリカはどうなってしまったのか？」

そう首を傾げているのは、他国の人だけではない。アメリカ国民もそうだ。獲得票数ではヒラリー・クリントンのほうがトランプより280万票以上も多かったのだから、少なくともアメリカ国民の半数にとっては受け入れがたい現実だ。大統領選の開票のときから、「いったい何が起こったのか？」といまだに呆然としている。

リベラルだけではない。「ワシントン・ポスト」のジョージ・ウィルや「ニューヨーク・タイムズ」

のデイヴィッド・ブルックスなど、著名な保守のコラムニストたちも憮然としている。当初トランプが当選する可能性を否定していた彼らは、可能性が高まったときから反対意見を述べてきた。それにもかかわらず、トランプは大統領になったのだ。

2016年の大統領選挙で起こったことを理解するための本は多く出版されているがいずれも現象の一部に光をあてたものである。そのなかで、全体像を把握することに挑戦したのが、カート・アンダーセン（Kurt Andersen）の *Fantasyland: How America Went Haywire: A 500-Year History*（『ファンタジーランド――狂気と幻想のアメリカ500年史』）だ。なんと、コロンブスがアメリカ大陸に上陸した500年前まで遡ってアメリカの根本的な問題を浮き彫りにしている。

■はじまりからカルトな国、アメリカ

日本ではあまり知られていないが、アンダーセンは辛辣な風刺小説とノンフィクションのどちらでも有名なベストセラー作家だ。賞を受賞した人気ラジオ番組「スタジオ360（Studio 360）」の創始者でもあり、「ニューヨーク・タイムズ」や「ニューヨーカー」などにもコラムニストとして寄稿している。また、「スパイ」共同創始者、「ニューヨーク」の編集長として、1980年代から実業家としてのトランプを批判してきた人物でもある。

アンダーセンによると、アメリカは、ヨーロッパの白人が移住し始めたときから一貫して、ファンタスティカル（空想的）でマジカルな考え方をしてきた国であり、現在起こっていることは、500年の歴史で繰り返し強化されてきた国民性のせいなのだ。

アメリカのユニークな点は「何もないところから、計画され、創られた初めての国」であることだとアンダーセンは指摘する。

むろん、アメリカ大陸にはすでに先住民がいたわけだが、ヨーロッパの白人にとっては、当初この「新世界」は「想像上の場所」でしかなかく、「熱に浮かされた夢」であり、「伝説」であり、「夢見心地の妄想」だった。1600年前後にアメリカに渡ってきたイギリス人は、まったく根拠がない夢のために、家族、友人、祖国、そして分別を捨てた。

そういう人たちは、平均的なイギリス人とは異なり、空想力と冒険心が強かった。

「新世界に最初にやってきたイギリス人は、自分のことを、エキサイティングな冒険でのなせばなる精神の英雄的なキャラクターだと想像した。燃え上がる信念と、望み薄い希望、叶う可能性が低い夢、『頼むから実現してくれ』というファンタジーのために、馴染みあるもの全てを放棄し、自己をフィクション化した過激主義者だったのだ」とアンダーセンは言う。

南米のアステカやインカから金と金鉱を盗んだスペインを羨んだイギリスは、それより北にある新世界で同じように金や宝石を見つけようとした。しかし、彼らが選んだ現在のアメリカ南部のヴァージニアに金や宝石があるという証拠はどこにもなかった。計画は、ただのフィクションでしかなかったのだが、そのフィクションに魅了されたイギリス人は勇んで故郷を捨てた。そして、「ゴールドなしのゴールドラッシュ」という現象が起こった。

1500年代後半にヴァージニアに移り住んだイギリス人コロニーは、金を見つけられないままほぼ全員が死亡した。それでもイギリス人は40年以上夢を捨てずに移住し続けた（金は実際にあったのだが、見つかったのは200年後だった）。ようやく金の夢を諦めたヴァージニアのアメリカ人は、タバコ栽培を始めた。

金を求めた初期の新世界移住者はファンタジーを信じる「過激主義者」だったが、その後マサチューセッツにどんどんやってきた清教徒たちは、アンダーセンによるともっと過激だった。日本では清教徒は「故郷で迫害を受けてきた可哀想な人」というイメージがあるが、アンダーセンによると「クエイカー教徒を絞首刑にし、カトリックの司教が足を踏み入れたら絞首刑にするという法を可決した」宗教過激派だったのだ。彼らは、すでに腐敗したヨーロッパではなく、「新しいイギリス」であるニューイングランド（マサチューセッツを含む、アメリカ北東部の地域）に「新しいエルサレム（聖地）」を作ろうとした。

清教徒は、聖書を文字通りに信じる。カトリックは「終末予言」をさほど深刻に扱わないが、清教徒はそれを文字通りの真実だと捉えている。初期のニューイングランド地方の神権政治家であり、ハーバード大学の学長代理になったインクリーズ・マザーは、ボストンの空に彗星が現れているのは、神の不満を表している証拠であり「キリストが再臨し、死者を蘇らせ、裁きを行う」世界の終わりは、「今すぐにでも起こる」と説いた。

マザーは、悪名高いセーレムの魔女狩り裁判に関わったことでも知られる。「被害者」が証言する「呪いをかけられた夢」が証拠として使われ、多くの者が処刑されたセーレムの魔女狩りがいかに非論理なものであったのかは、ここで説明する必要もないだろう。

アンダーセンは、「言い換えると、アメリカは、いかれた宗教カルトによって創造されたのだ」と書いているが、現在のアメリカ人を見ると、セーレムの魔女狩りをした先祖の影響は無視できない。

たとえば、神が7日で天地を創造し、アダムとイブが楽園から追放される逸話が出てくる旧約聖書を信じる日本人はほとんどいないだろう。だが、旧約聖書が実話ではないと確信しているアメリカ人は、3分の1でしかない。なんと、信じているほうが圧倒的に多いのだ。

それだけでなく、テレパシーや幽霊が存在しないと思っているアメリカ国民は3分の1しかいない。3分の2は、本気で天使と悪魔が現実の世界にいると信じ、半数以上は、天国が実際にあると「確信」している。その天国を支配しているのは、コンセプトとしての神ではなく、人（しかも男性）の形をした「神」なのだ。3分の1のアメリカ人は、人類が進化して現在の姿になったのではなく、最初から現在の姿で誕生した（神が創造した）と信じている。

「自分には何でも信じる権利がある」と主張し、「自分が信じることこそが真実」と開き直り、何世紀にもわたって「虚偽への見境ない情熱」を抱いてきたのがアメリカ人なのである。

■マジカルな発想がアメリカのカルチャーを生む

このマジカルな発想があるからこそ、アメリカではハリウッドの映画産業やディズニーが誕生し、栄えた。だが、その一方で、インチキ医療、サイケデリックなドラッグ、ニューエイジ・ムーブメント、UFOに関する政府の陰謀説も生まれた。

現実（リアリティ）よりフィクションが多い「リアリティ番組」が近年大人気になったのも、アメリカ人に派手でマジカルな考え方を好む素地があるからだ。

大統領選の間のとんでもない偽ニュースも、現実と乖離したリアリティ番組の「リアリティ」とそっくりだ。情報を受取る者が、「主要メディアが『証拠』をあげても、私の感覚では、こちらのほうが真実に感じる。私には、自分が信じたいものを信じる権利がある」と決めたら、それが「真実」なのだ。これが現代アメリカ人の特徴だ。

「ニューヨーク・タイムズ」のニュースよりも、「ローマ教皇フランシスコがドナルド・トランプを支持」とか「ヒラリーがISISに武器を販売したことをウィキリークスが確認」といった偽ニュースを信じる人のほうが増え、「最近では、主流（メインストリーム）という単語は軽蔑語になり、エリートによる偏見、嘘、抑圧の省略表現として使われるようになった」とアンダーセンは説明する。

それは、特に共和党の努力の結果でもある。ジョージ・W・ブッシュ大統領のブレインで「影の大統領」と呼ばれたカール・ローヴは、高等教育を受けていないキリスト教右派の人々を取り込む努力をした。それが功を奏して、ブッシュは大統領を二期務めることができたのだが、影響はそこでとどまらなかった。共和党は、事実を無視して票集めに都合が良い創作を伝える「ファンタジー党」になり、ファンタジー重視のキリスト教右派が共和党の中で権力を広めていったのだ。

その結果、経済的保守で社会的リベラルな共和党員やエリートの幹部は力を失っていった。そして迎えたのが2016年の大統領選だった。アンダーセンはその状況をこう説明する。

> ファンタジー基盤のコミュニティを、便利な阿呆たちとして飼ってきたリアリティ基盤の共和党エリートは、火遊びをしてきたのだ。阿呆たちは、上の者が自分たちを阿呆だとみなしてきたことについに気付き、マッチを手から奪って火をつけた。

エスタブリッシュメントに火をつけた支持者たちが選んだ「ファンタジー候補」がトランプだった。

トランプは、「ファンタジーランド」に住む多くのアメリカ人と同様に、エスタブリッシュメントを憎み、陰謀説を信じ、「自分が感じれば、それが真実だ」と堂々としている。主流メディアが提供する「真実」や「証拠」にもう興味を抱かなくなったアメリカ国民は、嘘であっても自分の信念や感情にピッタリ合致することを言ってくれる人のほうを信じる。それがトランプだったのだ。

とはいえ、「人々に不幸な影響力を持つ虚偽を情熱的に信じるのは、共和党やキリスト教福音主義者（プロテスタント、キリスト教原理主義）だけではない」とアンダーセンは言う。

アメリカでは、1990年代から「遺伝子組み換え食品（GMO）」が流通しているが、これまでの研究では圧倒的に「安全」であり、環境上も問題がないという結果が出ている。それなのに、アメリカ人の57％が「遺伝子組み換え食品は安全ではない」と信じている。また、ワクチンが自閉症やその他の恐ろしい病気を引き起こすと信じている人が危険なレベルまで増加している。

「ワクチンが自閉症を起こす」という恐怖が広まったきっかけは、自閉症の息子を持つ女優のジェニー・マッカーシーだった。彼女は「オプラ・ウィンフリー・ショー」などの人気番組に出演し、反ワクチン運動を行った。科学的な信念を語る資格について尋ねられたマッカーシーは、「私は『グーグル大学』で学位を取った」と、グーグルの検索で得た情報を「真実」として捉えていた。

反ワクチン運動を広めるのに尽力したのは、故ケネディ大統領の甥であるロバート・F・ケネディ・Jrだった。ケネディ家は、リベラルの政治の世界では貴族に等しいセレブだ。そのセレブの政治家が、「政府は、ワクチンの危険さを隠蔽している」という論調の本を書き、テレビや講演で広めていったのだ。

「ワクチンが自閉症を起こす」という研究結果は否定され、その後、引き続き何度も否定されているにもかかわらず、「噂」は山火事のように広まってしまった。

ワクチン全体への恐怖心は、アメリカだけでなく、全世界に広まり、20世紀後半にほぼコントロールされたとみなされていた麻疹などの感染症がふたたび大流行するようになっている。これが、アンダーセンの指摘する「人々に不幸な影響力を持つ虚偽」だ。

■身近な人から変えていく

500ページ近い分厚い本だが、500年の歴史の点を繋げて現状を浮き彫りにしていくアンダーセンの知識と軽快な筆さばきに感心しているうちに読み終えてしまった。

しかし、読了後には絶望感が残る。

アメリカはここからどこに行くのだろう?

このまま「ファンタジーランド」として崩壊に向かうのか?

共和党が「ファンタジー党」になることに手を貸してきた保守ラジオ番組の司会者ジョン・ジーグラーは、2016年にこう告白した。

「われわれは、主要な聴衆を効果的に洗脳した。でも、いまや、それが行き過ぎになってしまった。消費者の心の中では、ゲートキーパーはすべての信頼性を失ってしまった。この状態を元に戻せるとは思えない」

しかし、アンダーセンは、困難だが希望は捨てていないという。

真実を重んじる者たちが、それぞれに「あからさまな虚偽」と戦っていかなければならない。たとえば、ネットで喧嘩をふっかけることではなく、日常生活で家族や知人が語る「偽情報」をそのまま見過ごさないようアンダーセンはアドバイスする。

長年の共和党員だった夫の父親は、2008年の大統領選の頃から「オバマは外国で生まれたイスラム教徒だ」という偽情報をメールでよく送ってきた。その頃、トランプがよく語っていたことだ。ハーバード大学ビジネススクール出身の義父も、自分が信じたい偽情報には弱かったのだ。最初は無視していた夫だが、ついに「そういった悪意だけで根拠がまったくない偽情報を送らないでくれ。ほかの人にも送るべきではない」と父親に返信した。

私も「ワクチンは危険」「電子レンジで調理した食品は危ない」というメールを義妹から受け取るたびに、学術論文などの根拠を添付して「危なくない」という返事を書いた。彼女もハーバード大学で二つの学位を取った秀才だったというのは皮肉なものだ。

面倒だが、このように自分自身がゲートキーパーになって、偽情報を止める努力はするべきなのだろう。

「子どもや孫がいたら、真実と虚偽の見分け方を教えるべきだ」ともアンダーセンは主張する。

しかし、そのためには、まず私たち自身が自分に厳しくなるべきだ。でも、すでにファンタジーランドで生きている私たちには自覚症状もないし、たとえ自覚しても、依存症を克服するくらい難しいかもしれない。（２０１７年12月「洋書ファンクラブ」）

FANTASYLAND
How America Went Haywire
A 500-YEAR HISTORY
KURT ANDERSEN

Fantasyland: How America Went Haywire: A 500-Year History
Kurt Andersen, 2017
『ファンタジーランド――狂気と幻想のアメリカ５００年史』
山田美明・山田文訳、東洋経済新報社

III 移民の国、アメリカ

黒人女性として初めてノーベル文学賞を受賞したトニ・モリスンを偲んで

The Bluest Eye

2019年8月5日に作家のトニ・モリスン（Toni Morrison）が亡くなった。88歳だった。著名人が亡くなるたび、私たちは「残念です」、「安らかに眠ってください」といった追悼の言葉をソーシャルメディアに軽く書き、数日後には忘れてしまう。だが、モリスンが亡くなった2日後、私はラスベガスでのビジネス・カンファレンスに向かう飛行機の中でまだモリスンのことを考えていた。死というよりも、彼女の作品が私たちに与えてくれたことについて。

1年に2度出席するこのビジネス・カンファレンスには約2000人が参加する。夫と私が共同経営するマーケティング会社のオンラインコースの説明や営業をするのが私の仕事であり、5日の間に300〜500人ほどの人と会話を交わす。だが、営業というより、彼らの仕事や家族の悩みに耳を傾け、相談に乗ることのほうが多い。このようなとき、見知らぬ他人と短時間で心理的なコネクションを作るのが「共感」だ。同じような体験をした者同士だと共感は生まれやすいが、20代の若者であろうと、70代の高齢者であろうと、1人の人間が体験できることは限られている。それに、多くの人は、自分と似たような人で構成されたコミュニティで一生を終える。だから、世界中から来た、異なる文化背景を持つ人と「同じ体験」による「共感」で繋がるのは難しい。

ところが、生まれたときからずっと同じ田舎町に住んでいても、異なる文化背景を持つ人と即座に共感できる人がいる。その一方で、ビジネスで他文化の人と多く接しているはずなのに自分しか見えていない人がいる。彼らとは本について語ることも多いのだが、「自分を向上させないフィクションは読むに値しない。成功したければ、人生やビジネスに役立つノンフィクションを読むべきだ」と言う人は、後者の「自分しか見えていない人」であることが多い。実際に、トップに立つ人の多くは、オバマ元大統領のようにノンフィクションも小説も読んでいるし、小説には隠れたパワーがあると私は思っている。

人生は1度きりだ。けれども、小説を読むことで、私たちは異なる時代の異なる場所で、いくつもの人生を生きることができる。それらの人生で体験した不条理、悲しみ、苦悩、悔しさを通じて、私たちは、他人の体験を自分のことのように理解できるようになる。これは、理路整然と解説するノンフィクションでは達成しにくいことだ。

奴隷としての悲痛な歴史を持つアメリカの黒人体験を描くモリスンの小説に最初に出会ったとき、日本で生まれ育った私は異質に感じた。処女作の *The Bluest Eys*（『青い眼がほしい』1970年）は、白人の美しい容姿を持てば幸せになれると信じて祈る少女が父親から強姦されて妊娠する悲惨な内容だし、*Song of Solomon*（『ソロモンの歌』金田眞澄訳、ハヤカワepi文庫、1977年）や *Beloved*（『ビラヴド』吉田廸子訳、ハヤカワepi文庫、1987年）でも、時間や空間が流動的に行き来し、現実と幻想の境目があやふやになり、直線的で明瞭なプロットがなく、経時的でもないので読みやすいとは言えない。ときに、肉体と精神にダメージを受けた人間が取る行動の理解に苦しみ、拒絶反応を起こしそうになることもある。

異なる文化背景を持つ者には、(当然のことだが)アメリカの黒人が持つスティグマがそう簡単には理解できない。奴隷として所有され、売り買いされ、虐待され、尊厳を奪われた民族としての記憶は、奴隷制度がなくなってもそう簡単に消えるものではなかった。今でも、個人や家族のアイデンティティの危機、暴力や絶望という負の遺産として尾を引いている。

この「スティグマ」を知らない読者にとって、モリスンの小説は不可解だったり、重く感じられたりする。だが、その重さに抗うのをやめ、物語に身を任せたとき、モリスンは、マジカルな世界への扉を開けてくれる。それは、これまで遭遇したことのない鮮やかな色や音、魔術、伝説が日常に溶け込んでいる世界だ。これほど鮮やかな情景を眼に浮かばせてくれる作家はそういない。本を読み終え、この世界から離れたとき、私たちは大きな冒険を終えている。読む前の自分と読んだ後の自分は、もはや同じ人物ではない。自分を取り囲む世界の奥行きが変わり、これまで識別できなかった色が見えてくる。それが、上質のフィクションを読むことの恩恵だ。

語り部を連想させるモリスンの文章の独自なリズムと、詩的な表現は、アメリカ文学における貴重な宝物だ。黒人女性として初めてのノーベル文学賞を受賞したのも素晴らしい達成だが、それに加えて、ベストセラー作家として商業的に成功したことが後続の黒人女性作家に道を開いた。出版社は「売れる」とわかったら「次のトニ・モリスン」を積極的に探すからだ。また、モリスンをお手本にした少女たちは、作家になる夢を抱いただけでなく、多くの可能性を信じるようになったことだろう。

現在のアメリカでは、読者としても黒人女性は影響力を持つ集団として重視されている。社会的変化に大きな影響を与え、異なる文化背景を持つ読者の内的世界を広げてくれたモリスンは、何百年経っても、決して忘れ去られることはないだろう。（2019年8月「GQジャパン、ウエブ」）

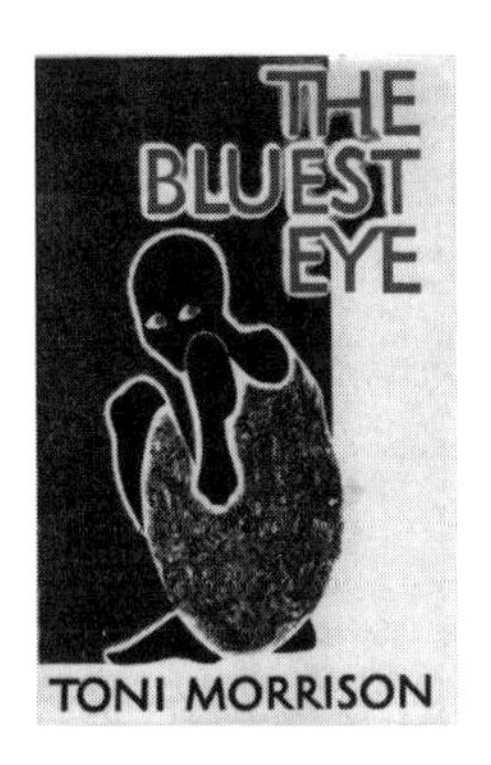

The Bluest Eye
Toni Morrison, 1970
『青い眼がほしい』
大社淑子訳、ハヤカワepi文庫

白人の国、アメリカで、黒人はどのように生きたらいいのか？

Between the World and Me

タナハシ・コーツ（Ta-Nehisi Coates）は、犯罪と暴力が日常茶飯事のメリーランド州ボルチモアで生まれ育ち、ワシントンのハワード大学を中退した後、由緒ある月刊誌「アトランティック」で政治・社会論評の記事を執筆するようになった珍しい経歴の黒人ライターだ（アメリカではブラックのかわりにアフリカン・アメリカンと呼ぶのが政治的に正しいという人もいるだろうが、著者自身がブラックと使っているので、ここでも「黒人」という翻訳表現を使わせていただく）。

人種問題の改善策についてオバマ大統領とは異なる見解を持ち（ここで紹介する本に彼の意見が詳しく書かれている）、アメリカでの黒人差別を語る上で最も重要なライターの1人とみなされている。

Between the World and Me（『世界と僕のあいだに』）は、1963年に刊行されたジェームズ・ボールドウィンの *The Fire Next Time*（次は火だ）からインスピレーションを得たコーツが、14歳の息子に語りかける形を取ったエッセイだ。*The Fire Next Time* は、黒人作家のボールドウィンが、14歳の甥に向けて書いたエッセイであり、1960年代に人種問題を掘り下げて書いた本として

知られている。

ふつうの読者は、「アメリカ人の父が息子に与える言葉」というと、「アメリカは誰にでも機会を与える素晴らしい国」だから、「大きな夢を持て」という内容を予想するだろう。

だが、この本は全く逆なのだ。

コーツは、アメリカに存在する夢のことを、「美しい芝生がある完璧な家、メモリアルデー（戦没将兵追悼記念日）に隣人が仲良く前庭に集うバーベキューパーティ、ツリーハウスとカブスカウト、ペパーミントの香りがして苺のショートケーキの味がするもの……」と表現する。そして、彼自身がこの夢に逃避していたかったと告白する。

だが、それは自分たち黒人には不可能なのだとコーツは息子に語りかける。なぜなら、祖国アメリカは黒人を犠牲にしてできあがったものであり、それを忘れ、都合が悪いことがあれば目を背けるのがアメリカンドリームだからだ。

「国民の自由と平等」を掲げるアメリカだが、建国時にはこの「平等な国民」に黒人奴隷や女性は含まれていなかった。それに、アメリカの初期の富は、黒人奴隷を所有物として消費することで産みだされたものだ。「美しい芝生がある家や隣人との和やかな交流」というアメリカらしさも、その歴史の上に積み上げられたものであり、アメリカの歴史は、「国民の平等」といったイノセントな嘘をいくつも夢に書きかえてきた。

アメリカは国民を平等に扱うはずだ。そして、国民を守る神聖な誓いをしているのが警察官だ。

それなのに、おもちゃの銃を持っていただけの12歳の少年、武器を持っていなかった18歳の少年、路上でタバコをバラ売りしていた43歳の男性が、黒人というだけでいとも簡単に警察官に殺されている。黒人は、少しでも疑いがある行動をしたり、言い返したりしたら、肉体を破壊される可能性があるのだ。

だから黒人の親はわが子に、「おもちゃでも銃を持ってはいけない。フード付きのジャケットは着てはならない。警官にどんなに侮辱されても言い返してはいけない」と教えなければならない。黒人の大統領がいても、それがアメリカの現実なのだ。

何の罪もない18歳の黒人青年マイケル・ブラウンを殺した警官が無実になった日、アメリカの正義を信じられる恵まれた環境で育ったコーツの息子は、その「夢」を失い、自分の部屋にこもって泣いた。

それに胸を痛めながらも、父は息子の肩を抱いて「大丈夫だ。心配するな」と慰めはしなかった。なぜなら、彼自身が一度として「大丈夫だ」と信じたことがなかったからだ。

コーツの父親はかつて息子にこう語った。

「これがおまえの国で、これがおまえの生きる社会で、これがおまえの身体だ。このすべての中で生きる方法をなんとかして探すんだよ」

そして父になったコーツは息子にこう語る。

「夢に没頭している国で、黒人の肉体を持っていかに生きるべきか、という問いは、私の人生そのものへの問いかけであり、それを追求することが、最終的には答えになるとわかった」

このように、著者の息子に代表される若い世代の黒人読者を想定して書かれたエッセイなのに、発売後になぜか白人読者からも高く評価され、「ニューヨーク・タイムズ」のベストセラーになり、ついに2015年の全米図書賞の候補にもなった。

話題になったきっかけのひとつは、ノーベル文学賞受賞者トニ・モリスンの推薦文だ。モリスンが「必読書」と呼んだおかげで、ツイッターでも「モリスンがそこまで褒めるなら読まなくちゃ」という感じで盛り上がった。その中には白人読者もたくさんいた。

この思いがけない白人フォロワーたちに、コーツは戸惑っているようだ。「デイリー・ビースト」の取材でも次のように不思議がっている。

「なぜ白人が僕の書くものを読むのかよくわからない」、「白人のファンを大量に集めようとして書いたわけじゃない」

彼が言うように、白人読者を意識した部分はないし、そもそも彼は、白人の考え方に合わせたご都合主義の表現を嫌うライターだ。散文詩的なコーツの文章を理解するのは難しいが、語っている内容は、歯に衣を着せない率直なものだ。

アメリカは、黒人をモノとして保有し、使い、取引することで富と力を得た国であり、その歴史がアメリカの白人と黒人の間にいまだに深い溝を作っている。

その深い溝を埋める方法を提案するでもなく、溝に橋をかけようとするオバマ大統領の手法にも賛成しない。多くの人々の努力で達成した進歩もさほど評価しない。そんなコーツの言葉に、「じゃあ、私にどうしろと言うのか？」とフラストレーションを覚えたのは事実だ。

だが、コーツは、私のためにこの本を書いたわけではない。彼は、「わかってくれ」などとは頼んでいない。

このエッセイは、白人が作り上げた都合のよい夢に没頭している国で、「黒人の肉体を持っていかに生きるべきか？」というコーツ自身の人生の問いを追求する試みなのだ。

最後まで読んでも答えが見つからないのは当たり前だ。著者自身がまだ答えを出していないのだから。

コーツは、簡単な答えを読者に与えてくれるほど親切ではない。息子にも「夢見る」ではなく、「あがけ」と語りかけている。

そんな読者への挑発が、このエッセイの価値であり、全米図書賞候補にも選ばれた理由だろう。

（2015年11月「ニューズウィーク」）

Between the World and Me
Ta-Nehisi Coates, 2015
『世界と僕のあいだに』
池田年穂訳、慶應義塾大学出版会

自分の国で異邦人として生きるアメリカ先住民の消えない苦悩

There There

アメリカでは11月の第4木曜日に家族が集まって感謝祭を祝う。そして小学生たちは、アメリカに入植した清教徒や先住民のインディアンの衣装を着てアメリカの感謝祭の歴史を学ぶ。

その歴史とはこういうものだ。イギリスでの宗教弾圧を逃れてマサチューセッツ州のプリマスに住み着いたピルグリム・ファーザーズが作物を栽培できずに飢えそうになっていたときに、その地の先住民であったワンパノアグ族が食物を分け与え、栽培の知識を与えた。そのために生き延びることができた入植者は、収穫が多かった翌年にワンパノアグを招いて宴会を行った。それが感謝祭の始まりだと言われている。

だが、初期の入植者とインディアンの関係は、小学生が学んだような心温まるストーリーではなかった。

免疫がないインディアンの多くが、入植者の持ち込んだ疫病で死んだが、それだけではない。白人の入植者らは、自分たちを救ってくれたワンパノアグ族の土地を奪い、女や子どもを奴隷として売り飛ばした。そして、それに抗議した酋長を毒殺し、後続の酋長が抵抗の戦いを挑んだときにはワンパノアグ族を壊滅状態にした。勝利した白人入植者は酋長の頭を槍の上に刺して、見せしめとして飾った。このときに惨殺されたインディアンは他の部族も含めて約4000人と言われる。

その後も、白人たちはアメリカ全土でインディアンから土地を奪い、虐殺し、奴隷にし、作物が採れない場所に追いやったのだ。

感謝祭に七面鳥の丸焼きを食べながら家族団らんをするアメリカ人のほとんどが、この残酷な歴史を知らないか、無視している。先住民に対するアメリカの白人の態度は、おもに「過去のことにこだわっているから前に進めないのだ。さっさと忘れて、自分たちの暮らしを良くするために努力したらどうだ?」というものだ。

だが、現在のインディアンのコミュニティが貧困、アルコール依存症、家庭内暴力といった社会問題を抱えている根本的な原因は、この血みどろの歴史にあるのだ。それなのに、どうすれば忘れ去ることができるのか?

今作でデビューした作家トミー・オレンジ(Tommy Orange)の There There(ゼア・ゼア)の根底には、その血みどろの歴史と行き場のない憤り、そして未来への迷いがある。

この小説には、カリフォルニア州オークランドに住むインディアンの血筋を引く者が多く登場する。

■懐かしい故郷はもうどこにもない

アルコール依存症の母から生まれた胎児性アルコール症候群の男、資金提供を受けてインディアンとしての体験談をフィルムにしようとする若者、母に連れられてインディアンによるアルカトラズ島占拠に参加させられた姉妹、大学でインディアン文学を専攻したが就職口がなくて母の家で引きこもりになっている男、16歳のときにレイプされて生まれた娘を養子に出した女性、裕福な白人家庭に引き取られたためにインディアンとしてのアイデンティティを後に得た女性、子育てを放棄した姉の孫たちを育てる女性、祖母が隠していたインディアンの衣装を取り出して身につける孫など多様だ。一見、何の関係もないような人々だが、インディアンのお祭りであるPow Wowで劇的に繋がる。

タイトルになっているThere Thereは、通常はがっかりしている人や泣いている人をなだめるためにかける言葉だ。日本語なら「よし、よし」という感じだろうか。ラジオヘッドの有名な曲「ゼア・ゼア」を連想するかもしれない。

だが、この小説のタイトルは、作家で詩人のガートルード・スタインの*Everybody's Autobiography*(『みんなの自伝』落石八月月訳、マガジンハウス)からの有名な引用「そこには、『あそこ』がない(there is no there there)」から来ている。1880年代にカリフォルニア州オークランドで子ども時代を過ごしたスタインは、1935年に45年ぶりに故郷を訪問した。だが、オークランド市はスタインの子ども時代から10倍の大きさに成長しており、牛や馬がいた懐かしい「あそこ」の風景が消えていた。その切なさが、「そこには、『あそこ』がない」という表現になったのだ。

作者のオレンジもオークランドに住んでいる。この地に住むインディアンは、インディアン保留地ではなく都市を選んだ者だ。だからといって、彼らのすべてが同じ理由でここに住んでいるわけではない。そして、インディアンというアイデンティティに対する考え方も、プライドも異なる。

そもそも、「先住民」の呼称についても、一致してはいない。アメリカの白人は、ポリティカル・コレクトネスで「ネイティブ・アメリカン／アメリカ先住民」と呼ぶが、自分たちをそう呼ぶインディアンなどいないとオレンジは書いている。彼らの間では、「ネイティブ」という呼び方が多いようだ。私の別の記事について「インディアンという呼び方はしてはならない」と忠告した日本人がいたが、「インディアン」も彼ら自身が選んで使う呼称だし、公式文書にも使われている。尋ねる人によって、それぞれの呼称に対する考え方は異なるのだろう。

そういったことも含めて、この小説に描かれているインディアンの歴史や文化、生活を、アメリカに住む私たちはほとんど知らない。マジョリティの白人だけでなく、移民や黒人についての本は沢山あるのに、この国に最初から住んでいた生粋のアメリカ人を伝える本は少ないし、あまり読まれていない。

それを、オレンジのこの本は変えてくれそうだ。

■歴史は引き継ぐべきものなのか

この作品の根底には、「自分の国を奪われ、自分たちが先に住んでいたというのに、侵略者たちから異邦人のように扱われているインディアンたちが、どうやって民族の文化と歴史、そしてプライドを維持していけば良いのか？」という問いかけがある。

その問いに、私たちは答えることはできない。

けれども、内容を少し変えれば、これはどの民族や国民にとっても普遍的な問いかけになる。

民族、人種、宗教など、それぞれが持つ独自の歴史を、私たちは背負って生きている。その歴史が辛いものであっても、それが現在の自分を壊すものであっても、レガシーとして引き継ぐべきものなのか。それとも、切り捨てるべきなのか。誰もが迷いながら生きている。私たちは誰もが、スタインが感じた切なくて苦いノスタルジアの「There There」を知っている。だからこそ、オレンジの本は、すべての読者に訴えかける力を持っている。（2018年9月「ニューズウィーク」）

There There
Tommy Orange, 2018

日系人収容所の体験を伝え続ける日系人俳優ジョージ・タケイ

They Called Us Enemy

日本のテレビで1960年代に『宇宙大作戦』として放映された『スタートレック』が画期的だったのは、ハリウッドが白人の俳優しか使わなかったあの頃に、黒人女性を含む多様な登場人物を起用したことだ。当時小学生だった私はこの番組のファンだったのだが、ジョージ・タケイ扮するヒカル・スールー（日本語吹き替えでは加藤）には理屈抜きの誇りを感じたものだった。日本に住む私だけでなく、アメリカでも日系人であるジョージ・タケイ（George Takei）が俳優として有名になったことは多くのアジア系アメリカ人に少なからぬ影響を与えた。

ジョージ・タケイは、独自のユーモアあふれるソーシャルメディアで若い世代にもフォロワーを増やし、今では社会活動家としても知られるようになっている。

タケイに興味がある人は、彼が第二次大戦中に日系人収容所に収容された体験を持つことを知っているし、彼の体験を元にしたミュージカル『Allegiance（忠誠）』で主役を演じるタケイを見ているかもしれない。彼らは、日系人収容所がどれほど非人道的なものだったのかをすでに想像しているし、その歴史を繰り返してはならないとも思っていることだろう。

■南米からの亡命希望者収容所と日系人収容所

けれども、大半のアメリカ人はそういったことを知らないし、興味も抱かない。だから、アメリカで今同じような過ちが目の前で起こっているというのに、何も感じないのだ。

現在アメリカで起こっている問題のひとつが、近隣の中南米から押し寄せて来ている「亡命希望者」たちだ。国境で幼い子どもたちが親から引き離され、檻のような収容所に入れられている。そのコンディションは最悪で、アメリカに着いてから死亡した子どもたちもいる。

多くのメディアが報じているが、保守系のFOXニュースのある司会者が「我々の子どもじゃない」と本音を漏らしているし、それに眉もひそめないアメリカ人が実はかなりいる。

この「我々の子どもじゃない（から、何が起こっても知ったことではない）」という態度は、「我々と同じではない者を自分と同じ人間とみなすことはできない」という冷酷な無関心に変換しやすい。その冷酷な無関心がある程度蔓延すると、第二次大戦中のナチスドイツによるユダヤ人の大虐殺のようなことが実際に起こる。ナチスドイツだけではなく、日本でも捕虜に残酷な人体実験を行った731部隊などの例がある（私の恩師の1人が731部隊の一員で、本人が「私は戦犯として処刑されても不思議はなかった」と語ってくれた。彼の苦悩を知っているので、この史実が嘘だという反論を私は受け付けない）。

こういったことに最も敏感なのが子どもたちだ。

私は2019年7月19日現在までに民主党大統領候補16人のイベントに言って直接会い、話しを聴いた（その後、何人かがドロップアウトするまでに21人の候補全員のスピーチを直接聴いた）。アメリカでは、それらに参加して候補に質問する子どもも少なくない。これらの政治イベントでの子どもたちの質問の多くが、国境で親から引き離されて檻のような収容所に入れられている「亡命希望者」と「不法移民」の子どもたちについてだった。そんな子どもたちの姿をニュースで見たアメリカの子どもたちは、肌の色で「我々の子どもではない」とは思わず、「あれは自分かもしれない」と感じている。だから、候補らに会って、「あなたは、収容所をどうするつもりなのですか?」「あの子たちに何をしてあげるつもりですか?」と質問するのだ。

質問された候補全員がしっかりと受け止め、回答していたが、その中で最も真摯な態度で対応したのがエリザベス・ウォーレン上院議員だった。彼女は、質問者の少女とその親に「イベントの後でゆっくり話を聞かせてください」と言い、実際に終わった後で彼らと話し合ってフロリダのホームステッドにある巨大な不法移民収容所を訪問すると約束した。そして、1カ月後に本当にその約束を果たしたのをニュースで見た。

ウォーレンとその他の多くの民主党候補の考え方は、「彼らが命をかけてまで幼い子どもを連れてこの国に来ようとするのは、自分の国で生きるのが危険になっているから。まずはそれらの国に支援とプレッシャーの両方で対処しなければならない。一方で入国してきた移民全員を人道的に扱う。親と子は決して離れ離れにしない。わが国は亡命者を受け入れる法があるのだから、亡命希望者は『犯罪者』ではない。正当に対処するべき」というものだ。

ジョージ・タケイが収容所の体験をコミックライターやイラストレーターとのコラボレーションで16日に出版したグラフィックノベルの *They Called Us Enemy*（彼らは私たちを敵と呼んだ）は、歴史をすっかり忘れているアメリカ人に「同じ過ちを犯してはならない」と思い出させるものである。そして、「あいつらは、我々とは違う」という発想から「だから人間として同じ尊敬を持って扱う必要はない」へと変化やすい大衆心理が与える残酷な影響を想像させようとしている。

社会から「恥」を押しつけられた者は、あたかもそれが自分自身の過ちであるかのように屈辱を受けて恥じ入る。その体験を持つ者は、自由になった後でも一生その辱めを忘れることができない。それについてもタケイは書いている。

私にとって印象深かったのが、大統領候補アドレー・スティーブンソンの選挙事務所でボランティアをしていたタケイ青年がエレノア・ルーズベルト元大統領夫人と会ったシーンだ。彼の父親は具合が悪いと言い訳をしてわざと席を外していたのだが、その理由は、日系人を収容所に入れる命令を下したのがルーズベルト大統領だったからだ。働いてお金を貯めて買った家と所有物、そして自由を奪われた後でも民主主義を強く信じていたタケイの父だが、自分たちの尊厳を奪った大統領の妻と握手することだけはどうしてもできなかった。

淡々としたイラストと文章だが、グラフィックノベルになったことで、これまで日系人収容所の歴史を知らなかったアメリカ人も手に取るかもしれない。（2019年7月「ニューズウィーク」）

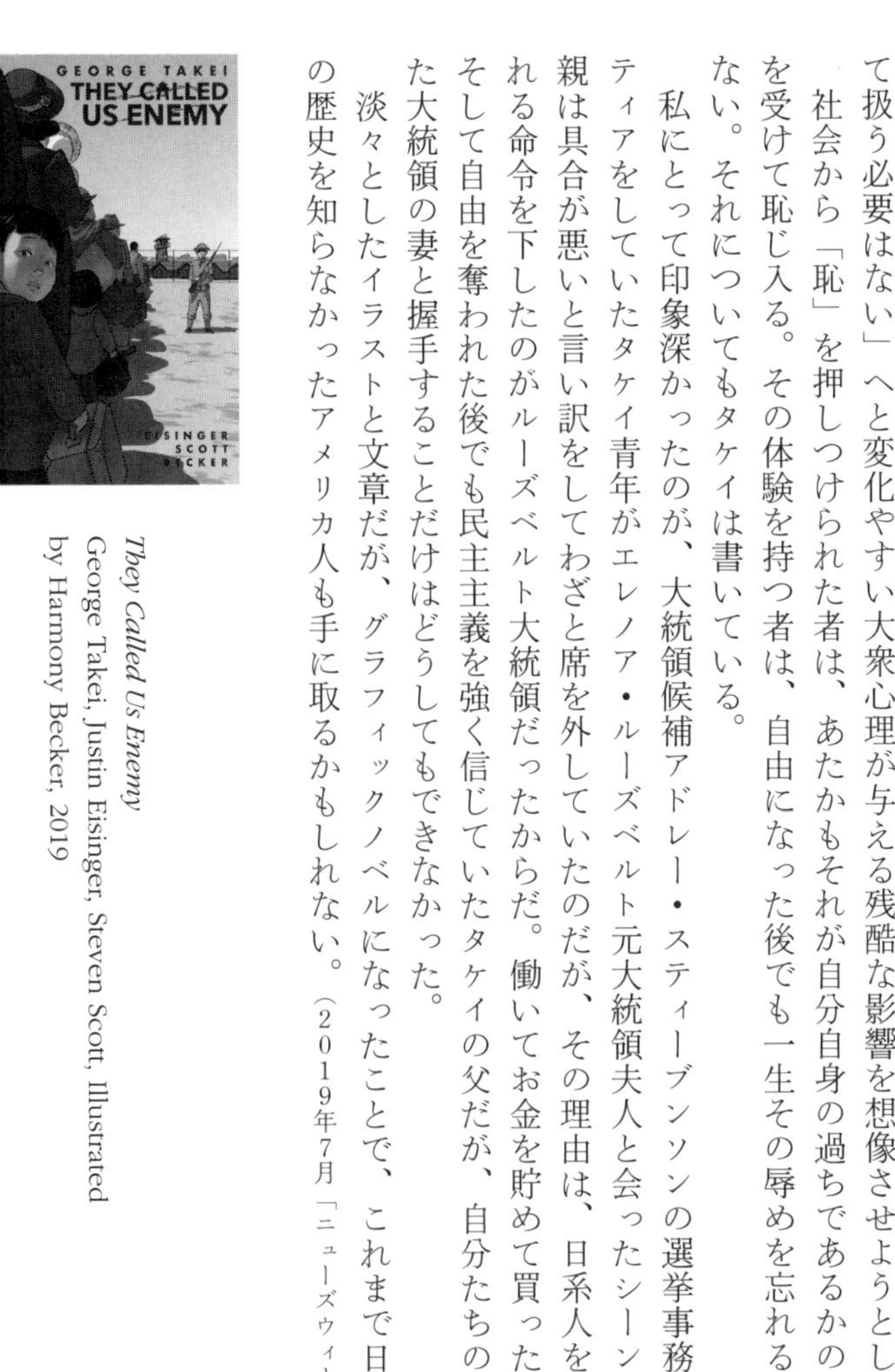

They Called Us Enemy
George Takei, Justin Eisinger, Steven Scott, Illustrated by Harmony Becker, 2019

「アメリカ料理」には移民の人生ドラマが詰まっている

Kitchens of the Great Midwest

アメリカ人の姑は、「来客があるの」と私が口にすると、かならず「何料理を作るの?」とたずねる。そこで、「和食のバリエーション」とか「タイ風カレー」とか答えると、「アメリカ料理は作らないの?」という質問が返ってくる。そこには、「アメリカ暮らしが長いのに、なぜ頑固にアメリカ料理を拒否するの?」という、ささやかな批判が交じっている。

30年近く似たようなやり取りを繰り返して飽きてきたので、一度「アメリカ料理って、どういうものですか?」と尋ねてみた。

すると、彼女は「スキャロップド・ポテトとか……」と言う。でも、それは、フランスからやってきたポテトグラタンのことだ。そう指摘すると、「アメリカ料理のはずよ。私は子どもの頃から食べていたもの」と譲らない。どうやら姑は、ローストビーフやチキンスープも「アメリカ料理」と信じているようだ。

では「アメリカ料理」とは実際何だろうか?

思いつくのは、ピザ、ホットドッグ、ハンバーガー、チリコンカルネといったファストフードだが、これらは、アメリカへ来た移民が母国の味を作り変えたものだ。私の姑はアメリカ中西部のオハイオ州出身で、彼女の両親はこの地域に多いオランダ系、ドイツ系、イギリス系移民の子孫だ。だから、じゃがいもや肉、バターを多く使うこれらの移民が持ち込んだ「味覚」が姑にとっては「アメリカ料理」なのではないかと思う。

姑の故郷に近いアメリカの中西部の食べ物であっても、姑が「アメリカ料理」だとは思っていないものもある。たとえば、北欧からの味だ。

冬がことに厳しいミネソタ州には、ノルウェー、フィンランド、スウェーデン、デンマークなど北欧諸国からの移民が多い。ライアン・ストラダル（J. Ryan Stradal）著の文芸小説 *Kitchens of the Great Midwest*（すばらしい中西部の台所）の主人公イヴァの父親ラーズも、北欧系移民が多いミネソタ州の田舎で育った。ノルウェー系移民の父親から、ルートフィスクというノルウェーの国民食を作ることを強いられた気の毒な少年だった。

ルートフィスクとは、干して発酵させた白身の魚を灰汁（あく）に漬けて柔らかくしたもので、魚はゼリー状になり強い悪臭を放つようになる。日本のくさや、韓国のホンオフェなど、どの国にも、外国人が「そんなもの食べられるの？」と驚愕する国民食があるが、ルートフィスクもそのひとつだ。悪臭も、慣れている人には食欲をそそる香りになるかもしれないが、作るときに染みこむ魚の臭いが好きな人はいない。だから、12歳のときからルートフィスクを作っていたラーズは、まったく女性にモテず、立派なシェフになることだけを夢見て大人になった。

やがて念願のシェフとなり、遅ればせながらも初めて愛する女性と出会って幸せを摑んだラーズだが、子育てよりソムリエとして活躍したい妻に捨てられてしまう。乳児の娘と2人きりになったラーズは、溺愛する娘のイヴァに味の英才教育を始める。

子煩悩なラーズの愛情に包まれたイヴァの人生は、たとえ父子家庭であっても素晴らしいものになりそうなのだが、そんな読者の期待を裏切る災難が訪れる。孤児になったイヴァは親戚に引き取られるが、そこにも不運はつきまとう。

イヴァのように恵まれない境遇の人は、アメリカだけでなく、世界のどこにでも溢れているだろう。多くの人は、逆境と戦うことに疲れて、人生を諦めてしまう。イヴァを引き取った叔父がそうだった。

けれども、イヴァは人に裏切られても、不運に見舞われても、諦めずに立ち上がる雑草の強さを持っていた。人生における彼女の最大の武器は、微妙なフレーバーを識別できる天才的な味覚と料理への情熱だ。それは赤ん坊のうちから「本物の味」を教えることにこだわった父ラーズの娘への最高の贈り物だったのだ。

イヴァは、人生の始まりに父から受け取った贈り物を活かし、天才シェフとして充実した人生を送るのだが、そのイヴァの視点がまったく書かれていないのが、この小説の魅力だ。

ナレーターが三人称でイヴァの人生を綴る、というありふれた手法でもない。イヴァの父、高校時代のボーイフレンド、年上の従姉、恋のライバル……といった彼女に関わった人々の視線で、思い出が短編のように繋がっている。だから、読者は1人の思い出を読み終わった後、次にイヴァに会うのが待ちきれなくなる。そして、再会したときには、イヴァは以前とは異なる女性に成長している。その間に、彼女が何を考え、どんな選択をしたのかは、想像するだけで知ることはできない。そのために、イヴァの人生があたかも伝説のように感じられてくる。

■アメリカ中西部、移民の味

この本のもうひとつの魅力は、アメリカ中西部に引き継がれた北欧の食文化と、レストラン業界の内情だ。

アメリカの食文化やレストラン業界というと、国際的な大都市であるニューヨークのマンハッタンの話題が多い。また、イタリア移民が多いボストンではイタリア料理が、フランス系カナダ人移民が多い南部ニューオリンズではケイジャン料理が有名だ。ワイナリーがあるカリフォルニアにも有名なレストランがいくつもある。だが中西部となると、思いつくのは、シカゴスタイルの分厚いピザくらいだ。中西部に住む移民の母国の味が余りにシンプルで、イタリア系やフランス系の味に比べると地味過ぎるからだろう。

でも、*Kitchens of the Great Midwest* を読んでいると、そのシンプルさが食の真髄だという気になり、「中西部にも美味しいものがありそうだ」と思えてくる。ルートフィスクは食べたくはならないが、地元の自然の食材でイヴァが作る料理はあたかも伝説の一部のように魅力があり、この小説を「ニューヨーク・タイムズ」のベストセラーリストに押し上げるほどの味わいを持っている。

ソーシャルメディアでは、「アメリカ料理はまずい」というテーマで激しい議論が交わされていることがあるが、たぶん誰も中西部の移民の味を念頭に置いていないと思う。中西部のシカゴはポーランドからの移民も多いことで知られている。ポーランド風ぎょうざの「ピエロギ」とかは、きっと日本人の舌にもあうはずだ。

巻きずしがアメリカに来てから変化した「カリフォルニア巻」もそうだが、移民が持ち込んだものは和食であれ、北欧のものであれ、ポーランドのものであれ、そのほか多くのアメリカ人の舌にあうように変化している。そういったものがきっと「アメリカ料理」なのだ。

味そのものよりも、その背後にある移民の歴史と人生ドラマに思いを馳せるのが「アメリカ料理」の醍醐味かもしれない。（2016年2月「ニューズウィーク」）

Kitchens of the Great Midwest
J. Ryan Stradal, 2015

ファンが変えていく、ハリウッドの「ホワイトウォッシング」

Crazy Rich Asians

「リベラル」な思想のリーダー的存在であることを誇りにしているハリウッドの映画界だが、最近話題になっている性暴力やセクハラの温床になってきたことなど、偽善的なところも目立つ。

ハリウッドの偽善のひとつが「ホワイトウォッシング」だ。

「ホワイトウォッシング」とは、もともとは壁に「しっくい」を塗って白くすることを意味する表現だが、映画界ではダークな肌を白く塗りつぶすことを意味する。つまり、原作では黒人、ヒスパニック、ネイティブ・アメリカン、アジア人といった非白人の主要人物を、映画で白人の俳優に置き換えてしまうことをさす。

ホワイトウォッシングが日常的に行われる環境ではマイノリティの俳優が活躍する場が少なく、才能を認められる機会がない。その結果、アカデミー賞の主演男優・女優と助演男優・女優にノミネートされる俳優も白人が主になる。

この状況に抗議するハッシュタグ #OscarsSoWhite（オスカーはとっても白い）は、2015年にソーシャルメディアのトレンドになった。それなのに、翌年2016年のアカデミー賞にノミネートされた20人の俳優すべてが白人だった。

その年に司会を務めた黒人コメディアンのクリス・ロックは、オープニングで「司会もノミネートするのだったら、僕はこの仕事をもらっていなかった」とジョークでこの問題を取り上げた。ハリウッドのホワイトウォッシングとアメリカの人種差別の歴史は切り離せない関係にある。

アメリカでは、奴隷制度が廃止された後も、特に南部では人種差別が公然と行われてきた。悪名高いのが、「ジム・クロウ法」と呼ばれる南部の州での人種隔離法だ。黒人は白人と同じレストランで食事をしたり、同じ学校に行ったり、同じトイレを使うことは許されていなかった。異なる人種間での結婚も法で禁じられていた。こんな時代に黒人俳優を映画の主役に起用するのが不可能だったのはわかる。

1950年代から「ジム・クロウ法」廃止と公民としての平等な権利を求める公民権運動が高まった。そして、1964年にようやく公民権法が制定され、1967年には異人種間での結婚を禁じる法が廃止になり、社会的な認識は高まった。

しかし、国民の間に「人種差別はいけないことだ」という認識が広まるのには時間がかかった。そして、この時点でも、社会を動かす金と権力を持っているのは、圧倒的に白人男性だった。

ホワイトウォッシングの例として非常に有名なのが、公民権運動の時代に作られた『ティファニーで朝食を』だ。1961年公開のこの映画には、コメディ的キャラクターとして日本人が登場する。

細い目、近眼、出っ歯、風呂に入っているなど、日本人をよく知らない白人が想像し、笑いものにするステレオタイプだ。しかも、演じているのはミッキー・ルーニーという白人だった。現在では最も侮辱的なホワイトウォッシングの例として知られているのだが、当時の観客はルーニーの演技に大笑いし、現在はリベラルとして知られている「ニューヨーク・タイムズ」の映画評論ですら「おおむねエキゾチック」と好意的だった。

21世紀でも、ハリウッドはあまり変わっていないようだが、観客は変わりつつある。アメリカ人の観客がホワイトウォッシングを批判し、ボイコットしはじめたのだ。

最近話題になったのが、『GHOST IN THE SHELL／攻殻機動隊』のハリウッド版だ。草薙素子を白人のスカーレット・ヨハンソンが演じたことで批判が高まった。日本ではヨハンソンの人気が高いこともあってか、あまり問題視されていないし、「もともと草薙素子は身体がない女だからアジア系の女優である必要はない」という擁護もある。だが、白人を起用することの言い訳かのように草薙素子の名前をミラ・キリアンにした点などが、とくに、アニメ版『GHOST IN THE SHELL／攻殻機動隊』のアメリカ人ファンの間から批判された。それもあって、今でもホワイトウォッシングの典型的な例としてよく取り上げられている。

だが、それよりもアメリカのアニメファンを怒らせたホワイトウォッシングは、２０１０年公開の映画『エアベンダー』だろう。原作は２００５年から08年にかけてテレビで放映された『Avatar: The Last Airbender（アバター――伝説の少年アン）』というアニメシリーズで、ファンの間では「アバター」と呼ばれていたのだが、同じときに『アバター』という別の有名な映画が公開されたため、アニメの実写化映画の題名から「アバター」という名前が消えた。

元のアニメシリーズは、アメリカ原作のアニメとしては珍しく、古代中国を主体としたアジアの国々がモチーフになった世界観であった。登場人物はすべてアジア人だったのに、人種を超えてアメリカ中の子どもたちの間で人気になった。当時子どもだったファンは、その影響力を『ハリー・ポッター』シリーズと比べるくらいだ。

アニメシリーズ『アバター』に感情移入した子どもたちは、キャラクターを自分とは異なる人種として見なかった。登場人物らは、純粋に自分の分身であり、友だちだったのだ。

アメリカの現在の若者がこういった環境で育ったことはとても重要だ。

映画版の『エアベンダー』に対してアメリカのファンが怒った最大の理由は、「人種差別に対するポリティカル・コレクトネス」ではない。自分たちが友人や家族のように愛してきたキャラクターを別人にされ、彼らと一緒に過ごした大事な世界をめちゃくちゃにされたからだ。

ハリウッドの監督やプロデューサーらがホワイトウォッシングを続ける言い訳は、「そうでないと売れないから」というものだ。「主役を白人にしなければ売れない」と決めつけているが、実際には、無理にホワイトウォッシングした映画は興行的に失敗することが多い。

それとは対照的に、2016年に公開された『ドリーム』は、主要人物がすべて黒人女優なのに、予想を超えて大ヒットした。

原作は歴史ノンフィクション *Hidden Figures*（『ドリーム――NASAを支えた名もなき計算手たち』山北めぐみ訳、ハーパーコリンズ・ジャパン）。「ジム・クロウ法」時代の南部アメリカで、NACAの前身であるNASA（アメリカ航空諮問委員会）に計算士（人間コンピュータ）として雇用され、後にNASAで白人男性のエンジニアに混じって宇宙計画を陰で支えた黒人女性たちの実話だ。

映画では原作の黒人女性を黒人女優が演じたわけだが、ハリウッドの「売れない」という先入観を覆し、今年新たにアメリカと日本で拡大公開されて興行的に大成功を収めた。

■ベストセラーから映画へ

それに引き続き、原作者がホワイトウォッシングを拒否した映画がある。シンガポールを中心にした中国系アジア人のスーパーリッチを描いた *Crazy Rich Asians*（『クレイジー・リッチ・アジアンズ』）という小説を映画化したものだ。作者はアメリカ在住の作家ケヴィン・クワン（Kevin Kwan）で、この小説に登場するような由緒ある家系のようだ。そして、11歳まで過ごしたシンガポールでの体験が活かされているという。これは、ハリウッド映画なのに、キャスト全員がアジア系の俳優だという。

小説の主人公レイチェルは、幼いころに母と一緒に中国本土からアメリカに移住した「中国系アメリカ人」だ。現在は有名大学で経済学教授をしている。2年つきあっている恋人のニックは、イギリスの大学で教育を受けた中国系シンガポール人で、同じ大学の歴史教授を務めている。ニックの親友の結婚式に出席するためにシンガポールを訪れたレイチェルは、彼の家族が大富豪だということを初めて知らされる。そして、家系や富にこだわる彼らの価値観に戸惑い、予想もしなかったような差別やいじめにあう、というものだ。

この小説に出てくる裕福な中国系シンガポール人は、「有名なブランド品を身につけるのは貧乏人。デザイナーの来年のコレクションでないと流行遅れ」とみなしてひとつの服に何千万円も費やし、由緒ある英国のホテルが人種差別をしたら、ホテルごと買い取ってしまうレベルの「クレイジー・リッチ」だ。その金銭感覚は、収入格差が激しいアメリカの「富豪」の感覚も超えている。

これは「ロマンティックコメディ」という娯楽小説のジャンルに属する本なのだが、アメリカで爆発的に売れ、続く2作もすべて「ニューヨーク・タイムズ」ベストセラーリストに入った。

これだけ注目されたら、当然のように映画化がもちかけられる。

だが、最初にクワンに映画化をもちかけたハリウッドのプロデューサーは、レイチェルを白人にしたがった。

そこでクワンは「あなたは要点をすっかり見落としてますよ」と断った。

クワンの言うとおりだ。

この小説は、「全員が中国人」であることが重要なのだ。

主人公のレイチェルは名門大学の経済学の教授なのだが、「中国本土」出身で「家系が不明」であることや、「英語にアメリカ訛りがある」という理由で、恋人の母から「身分が低すぎる」と拒否される。このレイチェルが受ける偏見や差別は、アメリカ人がふだん想像しない逆カルチャーショックだ。

また、シンガポールの中国系スーパーリッチの「しきたり」は英国の階級制度と中国の古い慣習のミックスであり、それもこの世界を知らない者にとってはエキゾチックで興味深い。それと同時に、恋人の母親であるエレノアの意地悪さは、世界共通の「地獄から来た姑」だ。

こういった組み合わせがアメリカ人読者にアピールし、ベストセラーになったのだから、中国系アメリカ人のレイチェルを白人にしたら、まったく意味が通じなくなる。

テキサス州での読書会で、クワンがこの逸話を話したとき、白人女性ばかりの参加者たちは「やめて〜!」と叫んだという。

クワンは、最終的に自分の意図を理解するプロデューサーを見つけ、主役のレイチェルは、両親が台湾出身のアメリカ人女優コンスタンス・ウーに決まった。これまでにも、ハリウッドでの人種差別やセクハラについて勇気ある発言をしてきた35歳のベテラン女優だ。恋人のニックは、マレーシアのイバン族とイギリス人を祖先に持ち、マレーシアとシンガポールを拠点にする俳優のヘンリー・ゴールディングが演じる。

そのほかにも、英国人と日本人のハーフであるソノヤ・ミズノなど、全世界からアジア系の俳優が集まるのだが、これが実現したのは、最近の失敗例から「映画を売るためにはホワイトウォッシングは必然」という言葉に説得力がなくなってきたこともあるだろう。

そうだとしたら、特にアジア系の俳優にとっては、興行的に失敗した『ドラゴンボール・エボリューション』やハリウッド版『GHOST IN THE SHELL』のホワイトウォッシングに、かえって感謝するべきかもしれない。

そして、「主役がマイノリティの俳優でも売れる」ということを証明するためにも、『クレイジー・

リッチ・アジアンズ』にはぜひ成功してもらいたいものだ。（2017年11月「ニューズウィーク」を修正）

【追記】2018年に公開された映画『クレイジー・リッチ！』は爆発的にヒットし、過去10年で最も興行収入が高いロマンティックコメディ映画になった。「ヴォックス」は、「2018年の興行収入シンデレラは、そのものがシンデレラ物語」と表現したほどだ。この成功により、ネットフリックスのストリーミングなどで、いっせいにアジア人を主人公にしたロマンティックコメディやコメディ番組が生まれており、状況の変化を感じている（2019年10月）。

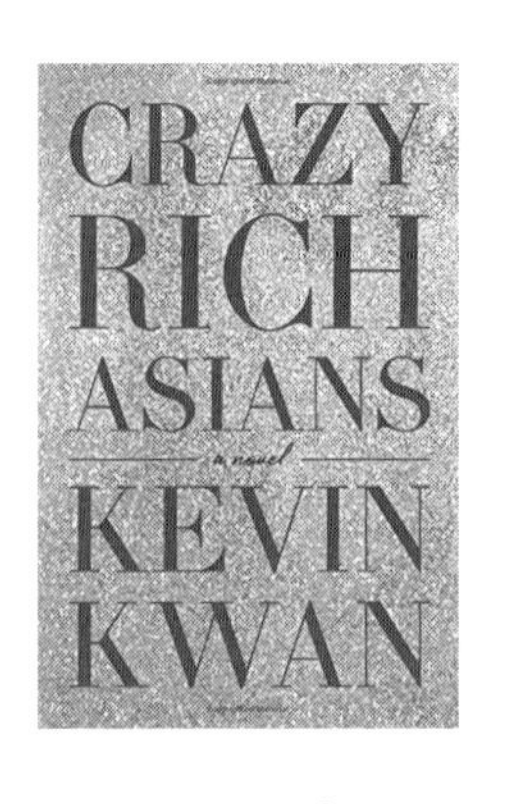

Crazy Rich Asians
Kevin Kwan, 2013
『クレイジー・リッチ・アジアンズ』
山縣みどり訳、竹書房

インド系マジックリアリズムの旗手ラシュディが描く、移民の国アメリカ

The Golden House

インドのムンバイで生まれ、イギリスのケンブリッジ大学で歴史を学んだサルマン・ラシュディ（Salman Rushdie）は、第2作の *Midnight's Children*（『真夜中の子供たち』寺門泰彦訳、早川書房、1981年）でブッカー賞を受賞して作家としての地位を確立させた。だが、37年間にわたってインドを治めてきたネルー・ガンディー一家を批判したとみなされたラシュディは故郷を捨てざるを得なくなり、後にイギリス国籍を得た。

彼の名を世界中に広めたのは4作目の *The Satanic Verses*（『悪魔の詩』五十嵐一訳、プロモーションズ・ジャンニ、1988年）だ。イスラム教の開祖ムハンマドを題材にしたことでムスリム社会から激しい反発を受け、ラシュディは当時のイラン最高指導者ホメイニから死刑宣告を受けた。世界各国での翻訳者も暗殺のターゲットになり、日本では翻訳者の五十嵐一氏が殺された。

ラシュディは暗殺を逃れるためにイギリス警察の保護を受け、居住地を明らかにせずに何十年も潜伏生活を続けている。2000年からニューヨークに移住したラシュディの最新作 *The Golden House*（ゴールデン・ハウス）は、ニューヨークを舞台にしたもので、現代アメリカの揺れ

動くアイデンティティを描いている。

■ニューヨークに移住したラシュディの新作

オバマ大統領が就任した2009年1月、グリニッジビレッジの豪奢な「ガーデンズ」というコミュニティに移民らしき家族が住み着いた。ネロ・ゴールデンと名乗る富豪には、ペトロニウス、ルキウス・アプレイウス、ディオニュソスという3人の息子がいる。だが、ギリシャやローマ神話を連想させる彼らの名前が創作だというのは明らかだ。ゴールデン一家は、故郷のインドを捨ててアメリカに移住すると同時に、過去を捨て、自分たちを新しく創造したのだ。

同じコミュニティに住む青年ルネは、この謎めいた一家に魅了され、ドキュメンタリー映画を作ろうと思いつく。善と悪の矛盾が共存する独裁者のネロを筆頭に、自他への憎悪に翻弄され精神を病む天才的な長男、長男の憎悪の対象になる芸術家の次男、性的アイデンティティの圧迫に押しつぶされる三男、ネロが築いた帝国の乗っ取りを狙うロシア移民の三番目の妻と、一家のメンバーは魅力的な題材だった。

ルネは、ネロの若妻をロシア民話の魔女バーバ・ヤガーの化身として恐れるが、その暗い魅力に抗えない。かくして、ゴールデン家に密着して壮大な物語を身近で追ううちに、ナレーターのルネ自らが重要な登場人物になってしまう。

虚構と現実が入り交じるラシュディ独自のマジックリアリズムはこの新作でも活かされている。ロシア民話から『雨月物語』の幽霊まで世界中の歴史、伝説、民話、映画、小説がトリビアのように登場する豪華絢爛な文章はときに野卑になるものの心地よく、15コースの贅沢なディナーを食べているような満足感を与えてくれる。

しかし、この快楽が逸楽になり、満腹すぎて耽溺に感じるときもある。

むろん、ラシュディのことだから、新作にも社会政治的な要素が盛り込まれている。オバマ政権の8年間に起こるゴールデン家のドラマの背景には、アメリカの不穏な未来を予告する「ジョーカー」が蠢いている。ジョーカーの発言が大統領選挙中のトランプの発言そのままなので、誰のことかは明白だ。わざわざ緑色の髪のジョーカーにしたことに首を傾げたが、本人の名前を使ってトランプに満足感を与えたくなかったのかもしれない。

大統領選の投票日を寸前に控えたナレーター役のルネはこう悩む。

「ジョーカーが王になり、雌コウモリが牢屋に放り込まれたとしたら、それは何を意味するのか？（中略）僕は疲労困憊すると同時に不安に陥っていた。自分の国についての僕の考え方は間違っていたかもしれない。外界から隔離された狭い世界で育ったために物事が見えていないのかも。勝つためには十分ではないのかも。最悪のことが起こったとしたら、空から輝きが消え去ったとしたら、いったい何にどんな意味があるというのか？　もし、嘘、中傷、醜さが……醜さがアメリカの顔になったとしたら。僕のストーリーにどんな意義があるのか？　僕の人生、僕の仕事、メイフラワー号の家族と（アメリカが仮面を取り払うタイミングにちょうど間に合い）誇りを持って帰化宣言をしたばかりの新旧アメリカ人のストーリーにどんな意味があるのか」

緑色の髪の「ジョーカー」（トランプ）と彼が仮面を取り払ったアメリカの醜い顔に対するルネの憤りと絶望感は、直接的すぎて、効果的に表現されているとはいえない。彼に共感する読者はすでに同じ政治的立場を持つものだろうし、そうでない読者は「高圧的なリベラルらしい理解」と辟易するだけだろう。皮肉にも、「外界から隔離された狭い場所で生きてきた」というルネの分析は作者のラシュディにもあてはまっている。

とはいえ、決して保守を一方的に批判する小説ではない。男性から女性へのトランスジェンダーを差別するレズビアン過激派TERFの話題など、リベラルの間でも存在する揉め事も取り入れている。

The Golden House は、ラシュディの代表作として残る大作ではない。だが、移民一家の壮大なストーリーを通して、「混乱する現代アメリカの顔」を描いたところにこの小説の歴史的な価値がある。（2017年9月「ニューズウィーク」）

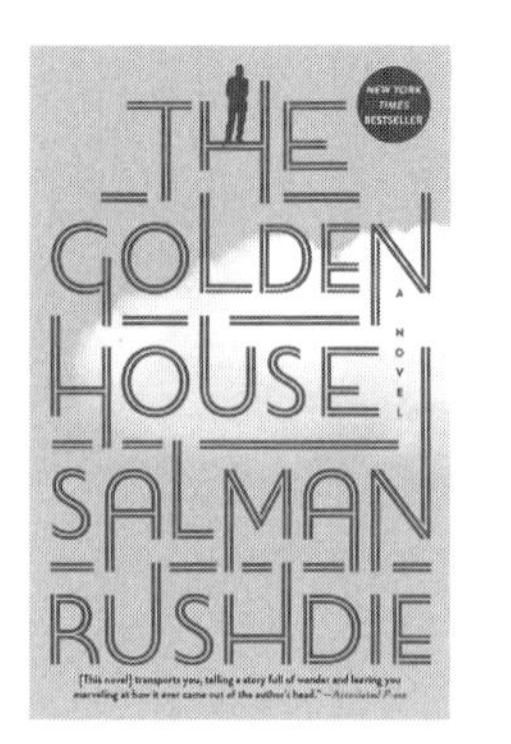

The Golden House,
Salman Rushdie, 2017

遅咲き日系人作家が生み出した、ロス黒人街の「ホームズ」IQ

私がIQ（『ＩＱ』）の作者ジョー・イデ（Joe Ide）と出会ったのは２０１６年5月にシカゴで開催されたブックエキスポ・アメリカの会場だった。日系アメリカ人の新人作家ということで興味をいだいて会話を交わし、ゲラ版の本を受け取った。

読みはじめてすぐ、予想していた内容とまったく異なることに驚いた。アジア系アメリカ人作家の作品は、中国系2世のエィミ・タンのベストセラー小説 *The Joy Luck Club*（『ジョイ・ラック・クラブ』小沢瑞穂訳、ソニーマガジンズ）のように「移民体験」を描いたものが多い。だから無意識のうちに「日系人体験」を描いた小説を期待していたのである。ところが、舞台は犯罪多発地帯として知られるサウス・セントラル地区からロングビーチ市にかけてのロサンゼルス大都市圏南部で、しかも主人公は黒人の青年なのだ。

主人公のアイゼイア・クィンターベィは、彼が暮らす黒人コミュニティでは「ＩＱ」というニックネームで知られている。名前のイニシャルであるＩ・Ｑが示すようにＩＱが並外れて高く、シャーロック・ホームズのように謎を解き、難問を解決する。

シャーロック・ホームズもそうだが、この小説の最大の魅力はアイゼイアの複雑なキャラクターだ。常に冷静で感情を表に出さず、他人と心理的な距離を持つアイゼイアだが、コミュニティの隣人から助けを求められたら厄介な仕事でも応じる。しかも報酬が目当てではない。払える者が払える範囲でいいというスタンスだ。それは過去の自分の罪を償うのが目的なのだが、その謎がシリーズ第1巻のこの作品で次第に明らかになる。

■日系人が作った主人公は黒人の青年

アイゼイアは、ある事情から世話をしている身体障害者の少年フラーコのために大金が必要となり、腐れ縁のビジネスマンであるドッドソンの口利きで仕事を紹介してもらう。

クライアントは、スランプに陥っている有名ラップ・ミュージシャンのカルだ。数日前、自宅に侵入してきた巨大な犬に激しい襲撃を受けたのだという。カルは前妻が自分の命を狙っていると主張し、アイゼイアに依頼してきたのだ。一方でカルの部下やプロデューサーは単なる怨恨絡みだろうと考えて犯人捜しに消極的であり、適当に事件を決着させてカルが仕事に復帰することを望んでいた。アイゼイアはわずかな手がかりから犬の襲撃がプロの殺し屋が関わった計画的な犯行であることを見抜き、ドッドソンとともに捜査に乗り出していく。

全体的には映画を観ているようなアクションとスピーディな展開だが、過去の回想では文芸小説のような哀愁が漂う。また、主人公IQのハードボイルドなストイックさと、ロングビーチ出身のミュージシャンによってつくられたギャングスタラップを思わせるスラングの数々が印象的なコントラストになっている。これらの対比する組み合わせが絶妙な味を創り出し、読者はふだん入り込めない世界へのバックステージパスをもらったような気分になる。

また、この小説は、アメリカ人ですらほとんど知らないロサンゼルス南部の黒人とヒスパニック系ギャングの間の抗争についても光を当てている。アメリカの産業の変化とグローバル化で労働者階級から中産階級への道が閉ざされるようになり、職がない都市部では、若者が手っ取り早い就職先としてギャングを選ぶ。当然のように縄張り争いが起こり、黒人やヒスパニック系という「人種」が対立グループのアイデンティティになる。白人によるマイノリティへの人種差別はよく知られているが、マイノリティ同士も人種差別をする。それがアメリカの現実であり、哀しい人間の性なのだ。イデのスリラーは、その残酷な現実から目を背けていない。本書に登場するロングビーチのギャングたちも、モデルとなった組織が現実に数多く存在する。


この作品が2017年にアメリカ探偵作家クラブ賞（エドガー賞）最優秀長編賞にノミネートされたとき、「やはり！」と納得したのは、初めて読んだときにそれだけの価値がある作品だと思ったからだ。その後本書はアンソニー賞、バリー賞、マカヴィティ賞など、数々のミステリ文学賞の新人部門を総なめにして絶賛を浴びた。

それにしても、日系人のイデが黒人コミュニティを題材に選んだのは不思議だった。そこで、その疑問点について、著者に直接尋ねてみた。

■ザ・フッドで生まれた日系アメリカ人、イデ

イデの両親はどちらも日系アメリカ人だが、育ったのは犯罪が多いことで知られるロサンゼル

スのサウス・セントラル地区だという。イデは、自分の故郷を、親しみを込めて「ザ・フッド（低所得者が多い黒人街の通称）」と呼ぶ。

二世や三世の日系アメリカ人からは、親から「一生懸命勉強して医者になれ」とか「ベストな大学に行け」といったプレッシャーを与えられたと聞くが、イデの両親はそうではなかったという。「（政府が設定した）貧困ラインは、見上げないと見えない」と冗談を言うほど貧しかったイデの両親は、どちらも長時間労働で、4人の息子の教育に立ち入る時間もエネルギーもなかった。「自分たちで勝手に育ったようなもの」とイデは言う。

イデの友だちはほとんどが黒人で、仲間として受け入れてもらうために、彼らの話し方、スタイル、態度を真似した。羨望もあった。家族が貧しくてお下がりしか着られないのは自分と同じなのに、黒人の友だちの着こなしは、なぜかクールだった。イデ少年を魅了したのは、スタイルだけではない。ヒップホップのようなストリートの言葉もだ。リズム、構文、言葉の選択、抑揚、限りなくクリエイティブなスラング……。そのすべてがイデ少年には詩的に感じた。彼らの真似をして溶け込むことで、内気だったイデ少年は、タフなフッドで勇敢に生きることができたという。「偶然に日本人に生まれた黒人として完璧に通用はしませんでしたが、子ども時代のこのバージョンの自分をずっとありがたく思っているんです」とイデは振り返る。

だからこそ、この小説には、黒人コミュニティやロスの音楽シーンの内情を知っている人にしか書けないようなリアリティがある。それには、少年時代の体験もさることながら、イデの経歴が役立っていることがわかる。

イデは、大学卒業後に小学校の教師になったものの、子ども嫌いだということに気付いて退職。

大学院を終えて、大学で教えたが、それも中断。その後、ビジネスコンサルタント、企業の中間管理職、虐待を受けた女性を援助するＮＧＯの運営など職を転々とした。その間、文章を書くとの夢は捨てきれなかった。そこで、あるとき決意して安い賃金の仕事をやりながら脚本を書き始めた。その間に就いた仕事は、アパートの管理、従業員全員がトランスジェンダーの電話代行サービス業、後に詐欺師だとわかったフランス人実業家のアシスタントなどだった。

努力が実って脚本家になった後も、自分が書きたいことを書かせてもらえない葛藤などもあり、50代後半になって思い切って書いたのがこの処女小説*IQ*なのだ。

出版界にまったくコネがない無名の新人の作品だったが、*IQ*は米「ニューヨーク・タイムズ」や「ワシントン・ポスト」、英「ガーディアン」などメジャー紙の書評で高評を得、ベストセラーリストに入り、数々のミステリ文学賞の新人部門を総なめにした。「自費出版で車のトランクに積んで売り歩くことだけは避けたい」と祈っていたイデにとって、この成功はショックですらあった。「家族のために作った料理が（料理のアカデミー賞と言われる）ジェームズ・ビアード賞を取ったような感じ」と彼は言う。

■イデの愛読書

では、黒人の若者である主人公のＩＱは、どこから生まれたのだろうか？

少年時代のイデの愛読書は、コナン・ドイルの〈シャーロック・ホームズ〉シリーズだった。12歳になるまでに、短編をすべてを読了し、小説も何度も読み返したという。ホームズは、イデ少年のようにはみ出し者だった。タフガイではないのに、知性のパワーだけで敵を倒し、自分が住む世界をコントロールするホームズに、イデ少年は憧れた。

彼が育ったサウス・セントラル地区は、「学校への通学路が命を脅かすほど危険な地域」だったので、彼にとって、知性のパワーを武器にするホームズがすごく魅力的に感じたのだ。

「私の生い立ちと愛読書。これらの要素のすべてが自然に繋がり、『フッドのシャーロック・ホームズ』が誕生したのです」とイデは説明する。実際にアイゼイアとドッドソンの関係はホームズとワトスンのコンビの現代的な変形であるし、謎の犬にまつわる奇妙な事件は『バスカヴィル家の犬』を思わせるなど、*IQ*には随所にコナン・ドイルの影響が見られる。


しかし、アメリカの人種問題は取り扱いが難しい。アジア系コメディアンがアジア系を揶揄したり、黒人が黒人への蔑称を使ったりすることは許されるが、ほかの人種がそれをするのはご法度だ。そんなアメリカで、アジア系アメリカ人作家が、黒人社会の小説を書いたことに抵抗を覚える人はいなかったのだろうか？

そんな私の質問に対してイデは、「驚いたことに、アフリカン・アメリカンのコミュニティからは、まったくネガティブな反応はありませんでした。好意的に受け止められており、とてもうれしく思っています」と答えた。黒人女性だけの読書会でも課題図書に選ばれ、ゲストとして参加したりもしている。

58歳で作家デビューしたイデは「遅咲き」と言える。そして、ひとつの職業で「成功」した人でもない。黒人の友だちを羨望して真似したけれども、黒人になれたわけではない。自分を取り囲む世界への憧れと心理的な距離感を持って生きてきたことは想像に難くない。でも、そういう生き方をしてきたからこそ、まれな観察眼が鍛えられたにちがいない。

IQは、そんなイデだからこそ書くことができた作品であり、生み出すことができたクールな主人公だ。IQは、イデ少年がなりたかった黒人街のシャーロック・ホームズなのかもしれない。

（初出は2017年4月「ニューズウィーク」。本文は、邦訳版『IQ』〈ハヤカワ・ミステリ文庫〉の解説用に加筆修正したもの）

IQ
Joe Ide, 2016
『IQ』
熊谷千寿訳、ハヤカワ・ミステリ文庫

在日パチンコ家族4世代の物語にアメリカ人が共感する理由

Pachinko

周囲のアメリカ人から「あの本読んだ?」とよく尋ねられる本が毎年何冊かある。韓国系アメリカ人作家ミン・ジン・リー(Min Jin Lee)の長編小説*Pachinko*(パチンコ)もそのひとつだ。韓国と日本を舞台にした、在日韓国・朝鮮人の4世代にわたる年代記なのだが、アメリカでベストセラーになり、2017年の全米図書賞の最終候補にもなった。私の周囲だけでも、義母、娘、娘の婚約者の母親が同時に読んでいて、まるで「読書クラブ」のようだった。それほど、多くの人に読まれている作品であり、読者の評価も高い。

■在日韓国人4世代の家族の物語

小説は1910年の釜山からスタートする。大日本帝国が大韓帝国との間で日韓併合条約を締結して韓国を統治下に置いた年だ。釜山の漁村に住む漁夫の夫婦は、その運命を黙って受け入れた。「泥棒相手に国を失った無能な貴族と腐敗した母国の統治者」には、それ以前からすでに諦めの気持ちを抱いていたのだ。動揺するかわりに夫婦は身体に障害があるが利発な1人息子フーニーの将来を考えた。夫婦は息子に学校で韓国語と日本語を学ばせ、仲人を使って見合い結婚をさせ、労働者用の宿屋を経営させた。

フーニーの若い妻ヤンジンは何度も流産を繰り返した末にようやく健康な娘スンジャを得た。そして、働き者のフーニーが亡くなった後も、未亡人は娘の助けを借りて評判の良い宿屋を営み続けた。

スンジャは働くことに生きがいを見出す生真面目な少女だったが、16歳のときに年上の裕福そうな男コー・ハンスーから誘惑されて妊娠してしまう。相手が既婚者だと初めて知ったスンジャは、自分の過ちを恥じ、「結婚はできないが面倒は見る」という申し出を拒否して別れる。

田舎の漁村で未婚の女が妊娠するのは醜聞だ。結核で倒れたときに母娘に看病してもらったことに恩義を感じる若い牧師イサックは、これを神が自分に与えた機会だと考えてスンジャに結婚を申し込む。若い2人は、イサックの兄ヨーセブの誘いで1933年に大阪に移住する。

イサックとヨーセブの両親は裕福な地主だったが、韓国社会の不安定化で経済的な余裕はなくなっていた。大阪では韓国人牧師のイサックが得られる収入はほとんどなく、2組の夫婦は会社に務めるヨーセブの収入に頼ることになった。そのヨーセブにしても、雇ってもらっているだけで感謝しなければならない状況で、そこに付け込まれて日本人より安い賃金で倍以上働かされていた。

さらに戦争前夜の日本の思想弾圧により、牧師のイサックが逮捕されてしまう。一家はますます窮地に陥る。男としての甲斐性にこだわるヨーセブは妻たちが外で働くことを固く禁じるが、スンジャはコー・ハンスーから受け取った唯一の贈り物である高級時計を売ってイサックの借金を返し、ヨーセブの妻が作ったキムチを路上で売って家計を支える。

イサックは、スンジャが産んだコー・ハンスーの息子のノアをわが子として愛して育てる。しかし何年も刑務所で拷問を受けた結果、結核が悪化して解放直後に死んでしまう。イサックの性格を受け継いだように生真面目なノアは、働きながらも早稲田大学で英文学を学ぶ夢を叶えるが、自分の誕生の秘密を知って絶望する。日本で受け入れられるために愚痴も恨みも言わずひたすら努力を積み重ねてきたノアは、母を罵り、家族を捨て、見知らぬ土地で日本人としての偽りのアイデンティティを使って新しい人生を生きようとする。

スンジャの次男モサズは、兄とは違って、学問にまったく興味がない。だが、商売の嗅覚があり、パチンコ店に勤務して頭角を現す。そして、自分でも店を持ち成功する。モサズは、1人息子ソロモンをアメリカのコロンビア大学に留学させる。それは、亡き妻が抱いていた夢の実現でもあった。しかし、日本に戻って外資系の投資銀行に勤務したソロモンは、その環境であっても自分が在日韓国人として扱われる現実を実感させられる――。

■アメリカ人の移民としての記憶

在日韓国人の4世代にわたる年代記が、アメリカでベストセラーになり、しかも全米図書賞の最終候補にまでなったのはなぜなのか？

それは、場所や人種が異なっても、「移民の苦労ばなし」が普遍的なものだからだ。

読んでいるうちに思い出したのは、20世紀前半にアメリカに移住したアイルランド系やイタリア系移民が受けた差別や紀元前からあるユダヤ人の迫害だ。

ユダヤ系には金融業、医師、弁護士、科学者が多いが、それは古代のヨーロッパでユダヤ人の就業が禁じられていた職種が多かったからだと言われる。アメリカのニューヨークやボストンでは、アイルランド系移民の警察官が圧倒的に多い。これも、アイルランド系移民が初期に受けた職業差別が少なからず影響している。20世紀の日本での在日韓国・朝鮮人によるパチンコ経営は、これらに比類するものだ。

アメリカは、先住民以外はすべて「移民」とその子孫だ。何世代か遡れば、必ず移民としてのこうした苦労ばなしに行きあたるはずだ。こうしたアメリカ人のDNAに刻み込まれた記憶が、小説への共感を生むのだろう。

日本統治下の韓国での日本人による現地人への虐めや、日本人による在日韓国・朝鮮人への差別、そして単語こそ出てこないが「慰安婦」のリクルートなど、*Pachinko* は日本人にとっては居心地が悪い小説かもしれない。

しかし、これは日本人を糾弾する小説ではない。1人の人間として「読者」になれば、誰でも感情移入できるし、家族ドラマとして楽しめる本だ。私は、若い頃に観たNHK連続テレビ小説の「おしん」を思い出した。そういう雰囲気もある。

著者のミン・ジン・リーはそんな私の意見に対して、このように答えてくれた。

「日本人の読者は洗練されているし、微妙なニュアンスも理解できる。あなたのように先入観なく、公平な視点でこの本を読んでくれると強く信じている。（英語で読んだ）多くの日本人読者は、すでにこの本をとても支援してくれて、とても感謝している。私の夫は日本人とのハーフで、私の息子は民族的には4分の1が日本人だ。現代の日本人には、日本の過去についての責任はない。私たちにできるのは、過去を知り、現在を誠実に生きることだけだ」

とても切ない物語だが、読んで良かったと、きっと思うだろう。

「啓発的で、しかも読んでいて楽しいと（日本の読者に）感じてもらえれば幸いだ。小説が後に残るためには、そのどちらも満たしている必要があると思うから」とリーが言うように、登場人物たちのことが気になって途中で読むのをやめられなくなるページターナーだ。（2018年3月「ニューズウィーク」）

Pachinko
Min Jin Lee, 2017

カトリック教会を蘇らせた法王フランシスコの慈悲

The Name of God Is Mercy

アイルランド系の労働者階級が住むボストン南部（通称サウジー）は、クリント・イーストウッド監督の『ミスティック・リバー』などで知られているように、貧しい住民が多い犯罪の巣窟だった。だが、アイルランド系のギャングたちも敬虔なカトリック教徒である。

そのサウジーで育った私の女友だちには、7人の兄弟姉妹がいた。姉の1人は高校時代にギャングレイプにあい、もう1人の姉はレズビアンであることを家族に明かした。だが教会も家族も、レイプにあった少女とレズビアンを告白した少女を「罪をおかした女、姦淫をおかした女」つまり宗教的な罪人（sinner）として責め、切り捨てたという。その後もずっと自殺願望を捨てられずにいる姉たちを見てきた彼女は、カトリック教会を離れただけでなく、嫌悪している。

映画『ミスティック・リバー』でも少年への性的虐待がテーマになっていたが、カトリック聖教者による少年の性的虐待も「公然の秘密」だった。「ボストン・グローブ」は、その事実を組織的に隠蔽してきた教会の内情を暴露する大がかりなリポートを2002年に連続して掲載し、2003年にピューリッツァー賞を受賞した。聖教者による児童の性的虐待スキャンダルは、それまでにも世界各地で起きていたのだが、この報道に励まされた被害者が次々と名乗りをあげ、一気に注目を集めることになった。

このスキャンダルは全世界に広まり、2005年に就任したローマ法王ベネディクト16世への批判が高まって、辞任を求めるデモまで発生した。マネーロンダリングのスキャンダルも重なり、教会は信者をどんどん失い、ベネディクト16世は非常に珍しい「生前退位」を決意した。

その後を引き継いだのが法王フランシスコだ。就任後、マネーロンダリングなどの金融犯罪と戦う命令を出し、聖職者による性的虐待についても「カトリック教会は被害者の保護より教会の名誉と加害者の保護を優先している」と教会を非難して、違反した聖教者への厳しい対応を勧告した。

その一方で、世界のリーダーに地球温暖化防止を呼びかけ、アメリカとキューバの国交回復の仲介役になり、同性愛についても「もし同性愛の人が善良であり、主を求めているのであれば、私にその者を裁く資格などあるだろうか」とも発言している。

これまでよりも、ずっとリベラルな法王を、私の周囲にいるリベラルなカトリック教徒は大歓迎した。「ようやくカトリック教会はよみがえることができる！」と。

世界から注目を集めているこの新しい法王から、バチカン専門のベテランジャーナリストがじっくり話をきいた記録が *The Name of God Is Mercy*（神の名は慈悲）という本で、アメリカでいま静かなベストセラーになっている。私はキリスト教徒ではないが、フランシスコへの好奇心から手に取ってみた。

■法王フランシスコが語る慈悲深き神

私はふだんキリスト教原理主義には反感を抱いている。それは、彼らが同性婚、中絶、（婚前交渉を前提とするためなのか）性教育、避妊に強く反対し、そのくせ未婚の母を差別し、救済にも反対するからだ。彼らの語るベンジフル（復讐心が強い）な神には近づきたくもない。だが、フランシスコの語る神は、徹底的にマーシフル（慈悲深い）なのだ。

例えば、『ヨハネによる福音書』には、姦通の罪を犯した女性が登場する。モーゼの戒律では、石打ち刑で処刑される重罪だ。キリストは、女性をまさに石打ちにしようとする律法学者やファリサイ派に対して、「あなたたちのなかで、罪を犯したことのない者が、最初に石を投げなさい」と言った。全員がそこを去り、キリストは「私もあなたをとがめない。立ち去りなさい。そして、二度と罪をおかさないように」と女に伝えた。キリストの慈悲を示す有名な逸話だ。

フランシスコは、律法学者やファリサイ派が女を連れてきたのは、キリストへの「テストであり、罠」だったと説明する。「キリストが法にしたがって『石を投げなさい』と言えば、（キリストの信奉者たちに）『お前たちの主は良心的だというが、この気の毒な女に対する仕打ちを見てみろ』と言えるし、『女を許しなさい』と言えば、『法に従わない』と責めることができる。彼ら（律法学者やファリサイ派）は、この女性のことなどは気にもしていなかったし、姦淫の罪すら気にはしていなかった。たぶん、彼らのなかには自分自身が姦淫をおかした者がいただろう」と。１人きりでこの女の心に語りかけたいと考えたキリストは、「あなたたちのなかで、罪を犯したことのない者が、最初に石を投げなさい」と言ったのだ。

最近、日本で話題になっている不倫や経歴詐称のニュースとそれに対する人々のコメントを目にするたび、モヤモヤした気分になっていたのだが、この本を読んでいる最中に「ああ、私が感じていたのはこれだった」と、霧が晴れたような気分になった。

フランシスコを取材した作者が書いているように、現在私たちが住んでいる社会には、「間違いをおかすのはいつも他人」で「不道徳なのもいつも他人」、「常に他人のせいであり、自分には責任がない」という態度が蔓延している。「(なにかあれば)すぐに他人の落ち度をとがめ、人を許容したくない態度。人を簡単に糾弾するのに、人の苦悩に対しては深い同情で頭を垂れることがない」という雰囲気には、誰しも心当たりがあるだろう。

不倫や経歴詐称のスキャンダルを起こした有名人を公の場で叩いている人は、『ヨハネによる福音書』で姦淫をおかした女性に石を投げようとしている人たちと同じだと思う。「罪を犯したことがない者だけが石を投げなさい」と言われたら、誰も投げられはしないはずだ。「私は不倫なんかしていない」とか「経歴詐称なんかしたことはない」と反論する人がいるかもしれないが、「罪」とはそういうことに限らない。見栄を張ったり、失敗をごまかしたり、他人の悪口を言ったり、ちょっとした嘘をついたりしたことは、誰にだってあるはずだ。

フランシスコは、「マーシー(慈悲)」の解釈だけでなく、「コンフェッション(告解、ゆるしの秘跡(ひせき))」の意味と意義についても語る。カトリックにおけるラテン語の「コンフェッシオ」は、洗礼を受けた信者が、聖職者に罪を告白することで、神からのゆるしと和解を得る信仰儀礼である。なぜそれが重要かというと、「われわれは社会的な存在であり、ゆるしには社会的な意味がある。私のおかした罪は、人類そのもの、兄弟姉妹、社会全体を傷つける。聖職者への告解は、自分の人生を他人の心と手にゆだねること」だからなのだ。

フランシスコにこういった考え方を植えつけた1人が、彼が17歳のときにブエノスアイレスで出会ったカルロス・デュアルテ・イバラ神父だ。白血病で治療中のイバラ神父に告解をしているときに、「神の慈悲から歓迎されているのを感じた」と、フランシスコは語っている。

このエピソードを読むと、私たちの振る舞いの重要さがさらに身にしみてくる。挫折や失敗をした人に石を投げつけるのか、余計な批判をせずに受け入れて話を聞くのか、という私たち大人の選択が、子どもたち、若者、そして社会全体に影響を与えるのだ。それに、より良い人生を生きるためには、自分のことを棚に上げて他人に石を投げるのを楽しむより、自分とは相容れない人の過ちすら「慈悲」の気持ちで受け入れ、寛容さがある世界を作ることに専念したほうがいい。

本書は繰り返しも多いし、まとまりもない。そもそもが、キリスト教徒に向けてのメッセージだ。しかし、そのメッセージから「神」という単語さえ取れば、私のように宗教を持たない者を含め、世界のどこで生きる人にも通じる内容になっている。（2016年4月「ニューズウィーク」）

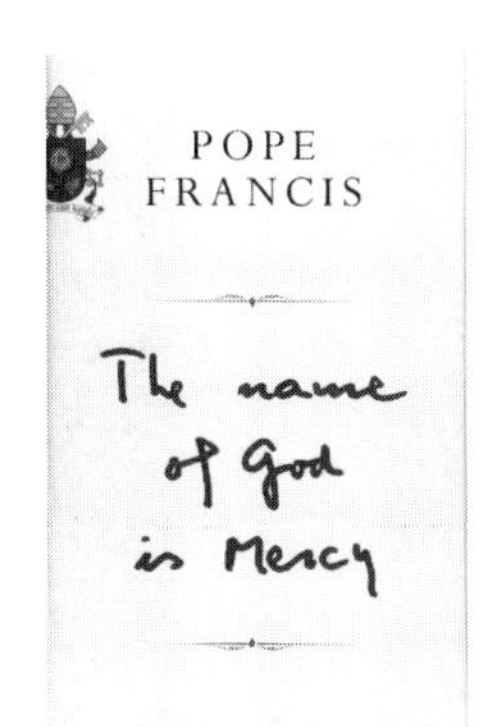

The Name of God Is Mercy
Pope Francis, Translated by Oonagh Stransky, 2016

アメリカンドリームに翻弄されたリーマン重役と移民のNY物語

Behold the Dreamers

アメリカは、500年も前から故郷では果たせなかった夢を追い求める移民が来るドリームランドだった。小説 *Behold the Dreamers*（見よ、ドリーマーたちを）の主人公たちもそうだ。

ジェンデ・ジョンガは祖国カメルーンでは実現不可能な夢を叶えるために妻と息子を国に残してアメリカに移住した。

ようやく貯金をして妻と6歳になった息子を呼び寄せた2007年、ジェンデは幸運を手に入れた。

それは、リーマン・ブラザーズの重役クラーク・エドワーズのプライベート運転手の仕事だった。

クラークは、運転手の条件として「時間厳守、秘密保持、忠誠心」を求め、ジェンデはそれを心から誓う。

クラークだけでなく、妻のシンディや息子たち2人を毎日車で送迎するうちに、ジェンデは裕福で何の苦労もなさそうなエドワーズ一家が持つ深刻な問題を知る。

祖国ではジェンデよりも上流家庭で育った妻のネニには、10代で妊娠したために厳格な父から高等教育を諦めさせられた苦い思い出がある。ネニの夢は、アメリカで薬剤師になることだ。その夢の実現のために、ネニはパートタイムで働きながら家事もし、猛勉強もしていた。

ところが、せっかく良い成績を取ったというのに、再び妊娠したために、ジェンデから仕事と学校をやめて育児に専念するよう命じられてしまう。しかも、弁護士が軽く約束していたジェンデのグリーンカード確保の道が拒否され、退去強制の可能性が出てきた。ネニは、なんとかして、子どもたちだけでもアメリカンドリームを叶える道を残せないものかと画策する。

そんなとき、リーマンショックが起こり、ドミノ式に起こったエドワーズ家の問題に巻き込まれてジェンデは運転手の職を失った。ジェンデとネニは、夢と現実の間で争うようになる……。

■カメルーン出身の女流作家

作者のイムボロ・ウムブェ（Imbolo Mbue）は、本小説のジェンデやネニのようにカメルーンのリンベ出身の女流作家だ。

だが、ジェンデやネニとは異なり、アメリカの大学と大学院で学び、2014年にアメリカ国籍を得た。

デビュー小説でランダムハウスから100万ドルの契約金を得ただけでなく、2016年にペン／フォークナー賞を受賞し、今年2017年6月には、オプラ・ウィンフリーのブッククラブの小説に選ばれたのだから、アメリカンドリームを実現した移民と言えるだろう。

Behold the Dreamers には、文芸小説にありがちな「近寄りがたさ」がなく、テレビドラマの

ようにすんなりと読める。

舞台は、サブプライムローンの問題が浮上してきた2007年から、リーマン・ショックと金融危機に引き続いてオバマが大統領に就任した2009年までのウォール街だ。アメリカンドリームが膨らんで弾け、多くの人が職を失った劇的な時代だ。

カメルーン移民の夫婦から見たリーマン・ブラザーズ重役一家の暮らしはきらびやかだが、彼らが決して幸福ではないことはすぐにわかる。アメリカンドリームを実現したはずの人たちなのに、その成功が彼らを不幸にしているのだ。ジェンデやネニは、自分の子どもたちがアメリカで大学に行き、医師や弁護士になることを夢見ているのだが、すべてを手に入れた成功者のアメリカ人の子どもたちは、弁護士を嫌って、インドでナチュラルな暮らしを実現しようとしている。それに呆れるジェンデたちの反応は、アメリカの移民一世に共通したものだ。

Behold the Dreamers は、とても正直な小説でもある。

アメリカンドリームの要素は「お金」だ。お金がなければ愛は存続できないが、お金があっても愛は破壊される。

ウムブェは、ウォール街の重役を悪者のカリカチュアにすることもなく、カメルーン移民のジェンデやネニを天使のように描くこともない。すべての登場人物がリアルで、彼らの失敗にすら同情心を覚える。

エンディングには正直がっかりしたが、それ以外は非常によくできた現代小説だ。アメリカの移民が抱える問題は、10年後の現在も改善するどころか悪化している。そういう意味でも、タイミングが良い作品といえるだろう。（2017年7月「洋書ファンクラブ」）

Behold the Dreamers
Imbolo Mbue, 2016

IV　セクシャリティとジェンダー

レイプ事件を隠ぺいした大学町が問いかけるアメリカの良心

Missoula

モンタナ大学(州立)がある地方都市ミズーラでは、大学のアメフトチーム「グリズリーズ」の選手が神様のように崇められている。その点では典型的なアメリカの大学町であり、どこといって目立った特徴はない。

だが、グリズリーズのクオーターバックがレイプで訴えられた2013年の裁判をきっかけに、アメフト選手からレイプあるいは輪姦されたと訴えた女子大生がほかにも数多くいたことが明らかになり、ミズーラは突然全米から注目を集めることになった。

アメリカでは、自治体の警察とは別に大学内にcampus police(大学警察)がある。大学により警官が勤務するものや警備員だけのものがあり、全米で統一はされていないが、レイプをはじめ、学内で起きた事件はまず大学警察で対処するのが通例だ。モンタナ大学でも、性被害の報告を独自に調査していた。

ミズーラが全米から非難された主な理由は、大学の対応ではなく、被害者よりも加害者をかばう住民の態度だ。

この町では、アメフト選手は住民全員の「自慢の息子」である。彼らにレイプされたと訴えるような女子学生は、嘘つきとみなされる。たとえ動かぬ証拠（医学的な物的証拠や加害者自身の証言の録音）を持っていても、住民たちは「誤解があっただけだろう」とか、「若さゆえの、男ゆえの、ちょっとしたミスだ」といって訴えられた男子学生をかばい、被害者の女学生を「デートした後でふられたから仕返しをしているに違いない」と犯罪者扱いする。

被害者より加害者の味方をするのは住民だけではない。

この町の警察は、「訴えられたレイプの半数は嘘」という男権団体がネットで流している間違ったデータを信じ（実際には、レイプの9割は警察には届け出されない。また、届け出のうち詐称は2〜10％にすぎない）、被害を受けたばかりで動揺している女子学生に対して「ボーイフレンドはいるのか？」といった、事件に無関係の尋問をする。そのくせ、訴えられた男子学生が「牢獄に入れられるのではないか」と驚いて泣きだすと、「大丈夫だ。心配するな」となだめる。

さらに性犯罪を起訴する立場にいる女性検事は、モンタナ大学が「有罪」の判定を下して退学を言い渡した男子学生を、無罪にするよう大学に訴えている。国の組織である司法省が入り込んで調べたところ、2008年1月から2012年5月までにレイプ被害者からの訴えに応じてミズーラの警察が捜査に乗り出したケースが350件あるのに、この検事はただの1件も起訴していない。

このレイプ事件の真相に迫るノンフィクション *Missoula: Rape and the Justice System in a College Town*（『ミズーラ——名門大学を揺るがしたレイプ事件と司法制度』）を書いたのが、*In to*

Thin Air（『空へ』海津正彦訳、文春文庫）や *Into the Wild*（『荒野へ』佐宗鈴夫訳、集英社文庫）といった、厳しい自然に挑戦する人々とその敗北を描いてきた作家ジョン・クラカワー（Jon Krakauer）だ。

性被害のノンフィクションを女性作家が書くと、「またフェミニストが騒いでいる」と読みもしない人が多い。だが、本当に読んでほしいのは、そのような人々だ。アウトドア派の若者にファンが多いクラカワーが書いたことで、普段ならこうしたテーマを避けている読者の手に届くだろう。私はクラカワーに心から感謝した。

作家としてのクラカワーの素晴らしいところは、レイプ被害者だけでなく加害者の視点を通じて、事件を身近に体験させることだ。読んでいるうちに、胸が痛くなり、涙が出てくる。被害者だけでなく、加害者の親としてのやるせない気持ちを体験するのは辛いものだ。でも、この「辛さ」を体験することが重要だと思う。

多くのレイプは、普通の人が想像するような「夜道で見知らぬ男から襲われる」ケースではない。加害者と被害者が知り合いで、しかも、加害者が自分の行為は「レイプ」ではなくただのアグレッシブな性体験だと思っていることが多い。

ポルノ映画の知識しかなく、体験があまりない若い男子学生は、相手が「ノー」と言って抵抗しても、病院に行くほどの怪我をしても、それが性体験の一部だと思いこんでいるふしがある。だから、被害者からレイプだと訴えられて心底驚く。そして、かえって自分が犠牲者だと思い込んだりする。被害者がどれほど心的外傷を受け、生涯人間不信や不安発作などのPTSDに苦しむか、想像もしていない。本書でも触れているが、ポルノや男女の役割に関する社会的な信念などが間違った性知識を生み出している。
また、ナイーブな新入生の女子大生を狙うパーティを計画する男子学生もいる。それを得意げに告白するのは、被害者が泣き寝入りするのを計算に入れているからだ。訴えて損をするのは騙された女子大生の方なのだから。

クラカワーの本で、レイプ裁判で加害者に無罪を言い渡した男性陪審員がレイプとは次のようなものだと断定している。「①見知らぬ人が茂みから飛び出してくる、②被害者の女性が死ぬまで抵抗しないかぎりは暴行ではない」。

知り合いの男性からの強制的な性交渉を女性が受け入れて生き延びたのだからレイプではないというのが彼の根本的な考え方だ。しかしこの男性は例外ではない。いまだに多くのアメリカ人がそう信じている。

一方でアメリカの大学は入学生に最初からレイプの定義を言い渡している。過去に性的な関係があっても、現在キスなどをする関係にあっても、途中でどちらかが「やめて(No)」「したくない(I don't want to do it)」と意思を明らかにしたら、ストップしなければならない。相手が拒否や抵抗をしても性交渉を続けたら、それはレイプなのだ。「部屋に入れてくれた時点で許可を得た」というのは間違いだ。

問題は、それが学生の間に浸透していないことだ。だから、事件が起きてから被害者と加害者に分かれて争い、深く傷つき、人生を台無しにしてしまう。

本書を読めば、被害者だけではなく、加害者にも、そして加害者の親にもなりたくないと思うはずだ。

それを実感してもらうためにも、これから大学に行く高校生、親、教師、レイプ被害者を責める傾向のある人々、全員に読んでほしい本だ。（2015年9月「ニューズウィーク」）

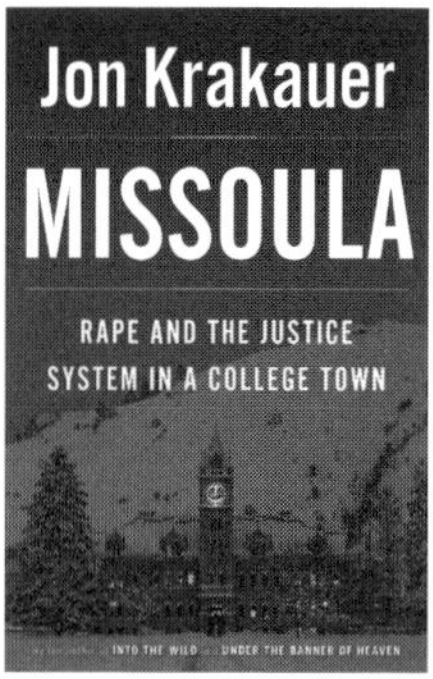

Missoula: Rape and the Justice System in a College Town
Jon Krakauer, 2015
『ミズーラ――名門大学を揺るがしたレイプ事件と司法制度』
菅野楽章訳、亜紀書房

性転換するわが子を守り通した両親の戦いの記録
Becoming Nicole

同性婚が次々と合法化され、有名人がゲイ、レズビアン、トランスジェンダーを公表しているアメリカなので、LGBT（レズビアン、ゲイ、バイセクシュアル、トランスジェンダー）に対する偏見は日本より少ないというイメージがあるかもしれない。

だがアメリカには、日本にはみられない宗教による偏見と差別がある。

しかも、日本に住んでいる人が想像できないほど陰険で、危険なレベルの差別だ。ゲイやトランスジェンダーというだけで憎まれ、殺されることすらある。特に中西部や南部でその傾向が強い。リベラルが多いことで知られる東海岸北部でも、田舎に行くと保守的になる。

ウエイン・メインズが生まれ育ったニューヨーク北部の小さな田舎町もそのひとつだ。「愛国心、勤勉、家族愛」を重んじる労働者階級の家庭で育ったウエインは、高卒で空軍に従軍した後、20代半ばに復員軍人援護法（GI Bill）の適用を受けてアイビーリーグのひとつコーネル大学に入学し、修士号まで取得した堅実な努力家だ。

ウエインの妻ケリーもまた田舎の労働者階級出身だが、問題が多い家庭で育ち、高校を中退してヒッピー的な暮らしをしたところは夫とは異なる。けれども、その後努力して教育を積み重ね、専門家として職を得たところはウエインとよく似ている。

このように、メインズ夫婦には経済的に恵まれた環境で育った知的階級にありがちな「リベラルな思想」などはなく、ことにウエインの場合には共和党の保守的な家庭で育ったので伝統的なジェンダーの考え方が染みついていた。

子どもができなかったメインズ夫婦は、望まない妊娠をしてしまったケリーの16歳の従妹が産んだ双子の男児を養子にして、ワイアットとジョナスと名付けた。一卵性双生児だから外見は見分けがつかないくらい似ている。ところが、育つにつれて2人の行動には大きな差があることがわかってきた。

車やアクションヒーローという〝男の子らしい〟ものが好きなジョナスに対して、ワイアットのほうはバービー人形が好きで、人魚姫ごっこをしたりドレスを着たがったりする。

母親のケリーは、女の子として振る舞うワイアットを最初からありのまま受け入れたが、息子2人と野球や狩猟をすることを夢見ていたウエインのほうは、何年も抵抗した。「自分は女の子だ」と主張する息子を守る妻を批判的に捉え、プリンセスのようなドレスを着たワイアットを怒鳴りつけたこともある。女の子として生きたい息子への対応をめぐって夫婦の間には亀裂ができ、一時は離婚の危機すらあった。

それを乗り越えた原動力は、母としてのケリーの精神力と行動力だ。

ケリーは、ワイアットにあう児童心理セラピストを探し、家族ぐるみのセラピーを続けながら児童性転換の唯一の専門家もみつけた。

幼いときに「身体の性」と「心の性/性同一性（性の自己意識・自己認知）」が異なる「性同一性障害」と診断されたとしても、現在のアメリカでは即座に性転換のプロセスを行うことはできない。性転換のプロセスは「12−16−18プログラム」と呼ばれる。12歳前後に望まない性の思春期開始を抑える療法を行い、16歳前後に望む性のホルモン摂取を開始する。この療法により、女性に性転換する場合には女性らしく成長し、男性に性転換する場合には男性らしく成長する。そして、ほぼ大人になった18歳前後に性別適合手術（sex reassignment surgery）を行う。

思春期が始まるぎりぎりまで最初の療法を開始しないのは、早く始めると成長を止めてしまうからだ。だから、それまで子どもたちは心とは違う性の身体に閉じ込められたままで外の世界と戦うことになる。

双子が通っていた小学校では、小学校5年生から女子トイレと男子トイレが別々の部屋に分かれる。女の子らしく友だちと一緒に女子トイレに行っていたニコルのことを、ジェイコブという同級生の少年が過激な宗教右派に属する祖父に告げ口し、宗教右派による学校への攻撃が始まった。それと同時に、ジェイコブはニコルに執拗な嫌がらせとストーキングをするようになった。

息子の性同一性障害を受け入れられずにいたウエインが大きく変わったのは、この時期だった。「わが子を守りたい」という父の愛情が、これまで根強くあった偏見に打ち勝ったのだろう。ウエインは、判事の前でワイアットがニコルと公式に名前を変更するのを支え、小学校での「父と娘のダンス会」にも出かけ、妻と一丸になり、娘の安全のために女子トイレを使わせてくれるよう学校を訴えたのだ。

こういうとき、普通の親ならどうするだろう？

知的階級のリベラルな親なら、「ワイアットが女の子になるのを応援しよう」とすんなり思うのだろうか？　保守的な親なら「男らしくしろ！」と怒鳴りつけて人形を取り上げ、子どもが泣いて拒否しても激しいスポーツを無理やりやらせるのだろうか？

ジェンダーの問題は、「共和党vs民主党」「保守vsリベラル」といった政治的なアジェンダになりがちだが、もっと複雑なものだろう。

最近元オリンピック選手のケイトリン（ブルース）・ジェンナーが「自分はトランスジェンダーだ」とカミングアウトしたことが話題になった。だが、セクシーなドレスとケバケバしい化粧で雑誌のグラビアを飾って話題を集めるようなカミングアウトは、トランスジェンダーを特異な存在として揶揄したい人々の好奇心を掻き立てるだけで、一般へのトランスジェンダーへの理解を深めるものではないと感じた。

メインズ一家の戦いを記録した *Becoming Nicole: The Transformation of an American Family*（ニコルになる――あるアメリカ人一家の転換）は、政治的な主張をするための本でもなく、ケイトリン・ジェンナーのカミングアウトのような扇情的なものでもない。ごく普通の夫婦が、政治的な正しさや宗教観などとは関係なく、「親としての子どもへの愛」だけをコンパスに、迷いながら「わが子にとって最良の」道を選び通した胸を打つ実話だ。

ピューリッツァー賞を受賞したこともある「ワシントン・ポスト」の記者が4年かけて書いただけあって、生物学的な解説や歴史的な考察もあり、大変に読み応えのあるノンフィクションだ。

（2015年12月「ニューズウィーク」）

Becoming Nicole: The Transformation of an American Family
Amy Ellis Nutt, 2015

完璧ではないフェミニストたちの葛藤

The Female Persuasion

2016年の大統領選挙の結果は、直接的にも間接的にもアメリカの出版業界に大きな影響を与えている。

女性蔑視のミソジニストであることを隠そうともしないトランプの勝利により、かえって女性たちが抗議デモや「#MeToo」などで抵抗するようになっている。そして、次章でご紹介している *The Power*（『パワー』186ページ）のようにフェミニズムをテーマにした小説も続けざまに出版され、ベストセラーになっている。

メグ・ウォリッツァー（Meg Wolitzer）の *The Female Persuasion*（女の説得力）もフェミニズムをテーマにしているが、男女の力関係が逆転して女性が残虐な報復をする *The Power* とは内容もトーンも異なる。この小説は、「将来なにかを成し遂げる」夢を抱いて育った少女と、彼女の人生を変えたカリスマ的なフェミニストを描いているけれども、「フェミニスト小説」である前に、「人の生きざまを描いたドラマ」なのだ。

労働者階級の町で生まれたグリーアは才能も野心もある少女だったが、ヒッピーで放任主義の両親は娘にまったく無関心だった。幼なじみの親友でボーイフレンドのコリーと同じ大学に進学する計画を立て、どちらもイェール大学に合格したにもかかわらず、親が学費免除の書類をいい加減に記入したおかげでグリーアはイェール入学に行けなくなってしまう。

学費全額免除で行くことになった二流大学で意欲をなくしかけていたグリーアだが、有名なフェミニストであるフェイスの講演を聞き、再び野心を抱くようになった。70年代にフェミニズム雑誌「ブルーマー」を刊行したフェイスは、かつてはグロリア・スタイネムのようなフェミニズムのアイコンだった。

グリーアにフェイスのことを教えたのはもともと親友のジーだった。レズビアンで社会運動家のジーは、フェイスのような生き方を夢見ていたが、フェイスが関心を見せたのはグリーアのほうだった。

大学卒業後にグリーアはフェイスにコンタクトを取り、「ブルーマー」の面接にこぎつけるが、その日に雑誌は廃刊になる。だが、フェイスは著名なビリオネアの出資でローサイという女性のためのフォーラムを設立し、グリーアはそこで働くことになる。

グリーアがローサイでの仕事に生きがいを見出していたとき、プリンストン大学を卒業してマニラで働いていたコリーの家族に悲劇が訪れる。母が事故で弟を轢き殺すという事件で母の精神状態は不安定になり、父は母を見捨てて故郷のポルトガルに戻ってしまう。生活能力を失った母の面倒をみるために、コリーは仕事を辞めて実家に閉じこもる。

グリーアとコリーが高校生の頃に計画した将来は崩壊し、グリーアは仕事に没頭する。その甲斐あってローサイで頭角を現すが、その直後に完璧だと思っていたローサイとフェイスがそうでなかったことを知る……。

■理想と現実の間で、何を選ぶのか

The Female Persuasion は、読む人の性、年齢、人生経験によって評価が異なる小説であることは間違いない。タイトルの「female persuasion」は、「person of female persuasion（女の種類に属する人）」というユーモアを持って使われた昔の表現から来ていると思うのだが、それにpersuasion（説得力、信念）という意味も含めているのだと思う。このタイトルからも感じるように、読者によって解釈が異なる作品だと思う。

残念ながら読む男性は少ないだろうし、若い女性は「生ぬるいフェミニズム」だと感じるかもしれない。フェミニズムは、それを敵視する人々が想像するような一枚岩ではないのだ。実際に、「読むなら *The Power* のほうを薦める」という意見をいくつか目にした。後で語るが、マイノリティの女性が問題視するところもある。

だが、若い頃からフェミニズムについて関心があった私の年代の女性は、きっと真摯で勇敢な小説だと感じるだろう。なぜなら、フェミニズムの「都合が悪い真実」も隠さずに描いているから。

若いグリーアが誰よりも尊敬し、憧れたフェイス・フランクは、最も有名なフェミニストのグロリア・スタイネムを連想させる存在だ（私はスタイネムと会って話したことがあるが、本当に魅力的だった）。トレードマークのスウェードのブーツを履きこなし、若い頃からの美貌を失わず、声を荒げずして主張を通し、人々を魅了する。真っ向からの戦うのではなく、制度の中に入り込んで内部から変えていくことを信じるタイプだ。

そのほうが多くの人々を変えることができるし、長期的には多くの女性を救うことができるとフェイスは信じる。妥協も必要悪だと納得している。「多数を救うためなら少数は犠牲にする」という割り切りもできる人物だ。

そんなフェイスに失望する理想主義者のグリーアも、親友を裏切ったことがある。

フェイスのかつての親友も、大きな矛盾をかかえる女性だ。違法だったときに中絶し、酷い扱いを受けて死にかけたというのに、その過去を隠したまま有名な政治家になり、「中絶合法化反対」のリーダー的存在になる。しかし、女性のこの矛盾した行動は、実社会では珍しいことではない。

フェイスのローサイに出資した男性は、善と悪、本音と建前を持つリベラルだが、ハリウッドから政治家まで、似たような男性は数え切れない。

理想だけでやっていけるほど、この世の中は甘くない。そこをしっかりと語っているところが、ティーンの少女が世界を救う流行りのSFとは異なる。

さらりと描かれているが重要なのが、フェイスが人生を捧げてきた第2波のフェミニズムへの現代の若いフェミニストからの批判だ。グロリア・スティネムの世代のフェミニストが戦って人工中絶を合法にしたのに、現代の若いフェミニストはそれらの達成を当然の権利として受け取り、その上で「中流階級の白人女性のフェミニズム」と批判する。それに対する苛立ちは、私の世代以上のフェミニストの女性が共有するものだ。

急進派のフェミニストからの批判は、この小説 *The Female Persuasion* にも向けられている。彼女たちは、もっと直接的なフェミニズム小説の *The Power* に共感を覚えるようだ。

しかし、社会を変えようとするときには、これらのどちらか一方ではなく、「どちらも」が活動をするべきではないだろうか。しかし、現実にはなかなかそうはいかず、急進派が「中流階級の白人女性のフェミニズム」を罵倒してパワーを削ってしまうことがある。

２０１６年の大統領選挙の現場で私が見たのは、若い女性の多くがヒラリー批判のリベラル急進派につくか、無関心かのどちらかを選んだという現実だ。ヒラリー支持の若い女性（特に大学生）はピアプレッシャー（仲間からの圧力）で黙り込むしかなかった。こういった傾向を、本書でご紹介しているCall Them by Their True Names（『それを、真の名で呼ぶならば』３６１ページ）の中でレベッカ・ソルニットも指摘している。

その結果がトランプ勝利だった。だが私が知る限り、あれほど声高だったリベラル急進派の誰も反省はしていない。

読んでいるときに思ったのだが、フェイスの欠陥は、ヒラリーの欠陥を連想させる。「重要なことを成し遂げるためには、金や権力への妥協も必要」と受け入れている部分だ。

ローサイの資金援助をしていた企業が女性救済事業での失敗を隠蔽していたことが判明したとき、フェイスは「大きな善を成し遂げるためには、小さな犠牲は必要」という態度を取る。そんなフェイスに対し、グリーアはフェイスへの忠誠心と自分の信念の間で悩む。

このときのグリーアの選択がその後の彼女の人生を変えることになるのだが、読者の私たちならどうしただろうか？

「重要なことを成し遂げる」ためには小さな嘘や犠牲を許すべきなのか、不可能に近くても「純粋である」ことを重視してすべてを犠牲にするべきなのか。そういった葛藤は、なにもフェミニズムに限ったことではない。多くの人が人生のいろいろな場面で直面する葛藤だ。

The Female Persuasion のテーマはフェミニズムだが、多くの登場人物の生き様を通して近代アメリカ社会を描いているという点で、現代アメリカを代表する文芸小説作家とみなされているジョナサン・フランゼンの作品と似ている。ゆえに、女性小説ではなく、アメリカ社会の歴史的な背景を含む人間観察小説ととらえたほうが、より楽しめるだろう。（2018年5月「ニューズウィーク」）

The Female Persuasion
Meg Wolitzer, 2018

男女の力が逆転した世界を描くディストピア小説が読者に問いかけるもの

The Power

アメリカでは2016年の大統領選挙で、初めての女性大統領になることが期待されたヒラリー・クリントンが、ドナルド・トランプに破れた。得票数ではクリントンのほうがトランプよりも280万以上多かったのだが、アメリカ独自の「選挙人制度」というシステムのために、選挙ではトランプが勝利したのだ。

自分に対して厳しい質問をする女性ジャーナリストたちにセクハラ的な嫌がらせをし、ビデオで「スターなら、プッシー（女性器）をつかむとか、なんでもやらせてくれる」と自慢し、妻の妊娠中に「プレイボーイ」のモデルと不倫をし、別のポルノ女優に不倫の口止め料を払い、ツイッターでも露骨な女性蔑視の発言をするトランプが大統領になったことに、多くのアメリカ人女性が衝撃を受けた。

その衝撃は、うつに変わり、クリントンの得票率が多かった地域では、うつと不安障害で受診する患者が激増し、ニュースにもなった。

多くの人は、ショックとうつを、怒りと抗議活動に変換した。代表的なのが、トランプ大統領が誕生した2017年1月21日に全世界で行われた女性による抗議デモ「ウィメンズ・マーチ」だった。全米で推定300万〜500万人が参加し、女性の人権と性と生殖に関する権利、そしてLGBTQ（レズビアン、ゲイ、バイセクシュアル、トランスジェンダー、その他の性的指向）の人権などを求めた。

この年、トランプ政権下での女性への弾圧を恐れる人たちの間で多く読まれるようになったのがマーガレット・アトウッド著の *The Handmaid's Tale*（『侍女の物語』77ページ）だった。キリスト教原理主義勢力に乗っ取られて宗教国家になったアメリカで、生殖能力がある女たちが、子どもを産む道具として支配階級の男たちに仕える「侍女」にならされるディストピア小説だ。テレビドラマとして映像化され、1985年刊行の古い作品にもかかわらず、アマゾンで年間最も多く読まれたベストセラーになった。

これまでセクハラや性暴力に耐えてきた被害者が「私もだ」と手をつないで立ち上がり、権力を持っていた加害者を追及する「#MeToo」ムーブメントが盛り上がったのも2017年の特徴だ。これも、大統領選の結果に対する女たちのショックと失望、怒りと無関係ではないだろう。

これらの現象と時を同じくして、「現代の *The Handmaid's Tale*」と呼ばれる小説が英語圏で注目されるようになった。それは、2016年にイギリスの女性作家ナオミ・オルダーマン（Naomi Alderman）が刊行した作品、*The Power*（『パワー』）だ。男女の力関係が反転し、女性が男性を力で圧倒的に支配する社会を描いたディストピア小説であり、女性作家に与えられる由緒ある「ベイリーズ賞」を2017年に受賞し、「ニューヨーク・タイムズ」をはじめ多くのメディアから「2017年の最優良小説10作」のひとつに選ばれた。また、フェミニズムについての啓蒙活動を行っている女優のエマ・ワトソンが自分のフェミニストブッククラブに選んだこともあり、若い女性に広く読まれるようになった。

ナオミ・オルダーマンは、オックスフォード大学で哲学、政治経済を学んだ後、弁護士事務所などで働いた後に作家に転向した。若い頃から女性の権利に興味を懐き、2012年と2013年には、ロレックス社が主催する芸術メンタリングのプログラムに選ばれてマーガレット・アトウッドから直接指導を受けた。小説 *The Power* の誕生には、そんな背景がある。

■女性が支配する世界の物語

Power は、考古学説のノベライゼーションである「歴史小説」というスタイルを取っている。歴史の専門書だと一般読者が興味を抱いてくれないと考えたニール・アダム・アーモンという男性学者が書いたもので、ナオミ・オルダーマンと思われる著名女性作家のアドバイスを求める手紙から始まる。

ニールとナオミの手紙のやりとりからは、未来と思われる彼らの「現代社会」では女性が支配層であり、男性は力が弱くて知的にも劣っているとみなされていることがわかる。だからこそ、リベラルを自認するナオミは、弱い立場の「男流作家」を応援し、「男性の兵士や警察官や『男ギャング』が出てくる場面があるのですね。やってくれるなあ！」とわざわざ言っているのだ。

ニールの歴史小説によると、かつて世界は男性が支配していた。だが、ある時から女性が突然変異で特殊なパワーを持ち始めた。鎖骨部分にスケインという特殊な臓器が発達し、そこから発電して相手を感電させることができるようになった。社会における男女の力関係が逆転するきっかけがこれだった。

スケインとそれが与えるパワーを持つのは、はじめのうちは数人の特別な少女たちだけだった。しかし、数が増え、パワーを鍛える方法が編み出され、女性の大部分がパワーを持つようになった。この転換期に重要な役割を果たした人物たちが、それぞれの視点で歴史的な大事件を綴る。世界最大のスケインのパワーを持つ少女ロキシーはイギリスのギャングのボスの娘で、目の前で殺された母の復讐をする。アメリカの地方の女性市長マーゴットは、不安定な娘のパワーを案じつつも政界で権力を広げていく。黒人ハーフの少女アリーは、自分に性的虐待を与えてきた里親をパワーで殺した後、イブと名前を変えて宗教的指導者になる。

中心人物のなかで唯一の男性はナイジェリア人のトゥンデだ。男性が支配する社会に反逆を始めた女性たちに寄り添う報道を初期に行ったトゥンデは、ほかの男性が入り込めない場所で女性に守られてルポを行うことができ、一躍有名ジャーナリストになった。

だが、世界中で男性と女性のパワーが入れ替わるにつれ、命の危険を覚える体験をするようになる……。


著者のナオミ・オルダーマンは、「ニューヨーク・タイムズ」の「あなたの小説は復讐ファンタジー的なところがあるが、#MeToo ムーブメントの到来を予期していたのか?」といった内容の質問に対し、次のように答えた。

「それが起こることを予期していたというよりも、私自身がたぶんムーブメントの一端だと思う。（実際に起こったことの）ニュースが、奇妙なかたちでこの小説の内容に追いついてきた感じだ。どちらも、私にとっては、過去10年にわたって可視化されてきたある種のミソジニー（女性嫌悪）に対する怒りの高まりの一部だと感じる。

私がティーンエイジャーだった1990年代、「フェミニズム運動はすでに勝利した」というのが若い女性の間で常識のように思われてた。そうでなかったことは、今となっては恐ろしいほど明らかだ。その気づきの大きな原因はインターネットだと思う。どれほど女を憎んでいて、どれほど女をレイプしたくて、どれほど女を征服したいのかを書き込んでいる男性たちのフォーラム（掲示板）を読むことができる。彼らの不満の数々も読める。

私が反応したのは、#MeTooが反応したのと同じことではないかと思う。（これまで隠されていた）多くのことが現在は見えるようになったが、それに対して私たちは対応する必要がある」

このオルダーマンの意見は、大統領選を予備選のときから現地取材した私の観察と一致する。民主党予備選ではヒラリー・クリントンの対立候補であるバーニー・サンダースを支援する若者が多く、大学のキャンパスではヒラリーを応援しにくい雰囲気ができあがっていた。男子学生からヒラリーや彼女を支援する女性議員に対する女性蔑視の言動があっても、同席する女子学生は反論しない。彼女たちの間では、「男女はすでに平等。いまさら女性の人権を訴えるフェミニストってうざい」という感じだった。どちらかというと、彼女たちは、オルダーマンが見たインターネットの男性フォーラムの雰囲気に洗脳されているように見えた。女性から権利を奪おうとするトランプ大統領の誕生で、ようやく彼女たちは目覚めたのだ。だからこそ、大統領選の前にすでにこの小説を書き上げていたオルダーマンの先見の明に深い尊敬を感じる。

Power は、何百年にもわたって女性がためこんできた男性社会の残酷さや男性の女性嫌悪に対する怒りを直接伝える小説ともいえる。

現実社会では、肉体的に男性が女性を圧倒することができる。だが、この小説では、新しく得たパワーのおかげで女性が男性を肉体的に圧倒することができるようになる。

パワーのおかげで社会の男女の権限も変化する。政情が不安定なある国で残虐な女性が政権を握り、独裁者として男性の虐待を行うようになる。

電気刺激を与えられるパワーにより、女性は男性を虐待することもできるし、殺すこともできる。性交を拒否する男性に電気刺激を与えて勃起させることができるので、レイプもできるし、性奴隷にすることもできる。男の性奴隷の命は安いので、虐待して殺しても、利用する側には罪の意識はない。

男性は女性の保護者なしには外出も買い物も許されなくなる。単独で行動すると、食べることができなくなり、女性集団から襲われ、性的に陵辱されたり、殺されたりする。

「子孫を残すために男は必要だが、数が多い必要はない」と男性を間引きする案も女性から出るようになる。

読んでいると、その残酷さに目を覆いたくなるかもしれない。男性読者は嫌悪感を抱かずにはいられないだろう。だが、これらのことは、女性に対して実際に起こってきたことであり、現在でも起こっていることなのだ。

オルダーマンのPowerは、「女性が権力を得たら、もっと平和な世界になるのに」といった甘い理想論を語る小説ではない。最初の手紙にある『『男性の支配する世界』は……きっといまの世界よりずっと穏やかで、思いやりがあって……」というところにも、よくある理想論を笑い飛ばす皮肉なユーモアを感じる。

この小説は、「レイプされるのは、襲われて抵抗しない女性が悪い」とか「女性が独り歩きをしていたら、襲われても当然」、「嫌だといいながら、本当は楽しんだのだろう」といった男性の言い分に対する、非常に直截的な返答だ。そういう男性に対して、「パワーが逆転したら、あなたはレイプされて殺されてもOKなのでしょうね?」と問い返している。

この小説で、パワーを持って暴走し始めた女性が行う行動は、非人道的で、残虐すぎるように思える。女性読者である私にとっても読むのがしんどい部分が多いが、男女を置き換えれば、これらは男性社会が女性に対して実際に行ってきたことなのだ。まったく誇張はない。

なぜ、男女を変えただけで、これほど残酷に感じるのだろうか? そこを読者は考えるべきなのだろう。

男性ジャーナリストのトゥンデが男性の独り歩きで恐怖を覚えるようになる心理状態や、罪のない若い男がパワーを持った残虐な女らに玩具にされて殺される描写を読んで、現実の世界で女性が体験していることを、少しでも想像してほしい。

本書は、オバマ元大統領が2017年に読んだお薦め本リストのひとつでもある。この本を読んだだけでなく推薦本にしたところは、「さすがオバマ大統領」と思った。それは、2人の娘を持つ父親としての視点があるからだろう。

この本は、SFであり、ディストピア小説であり、フェミニスト小説であり、そして多くの男性にとっては「ホラー小説」でもあるだろう。男性読者にとっては居心地が悪いかもしれないが、「安全に生きることが困難な性にとってのリアルな恐怖」を体験するためにも、ぜひ読んでいただきたい。（邦訳版『パワー』の解説文）

The Power
Naomi Alderman, 2017
『パワー』
安原和見訳、河出書房新社

「ジェンダー問題」について、アメリカの子どもたちが親よりも頼りにする児童書

George / Aristotle and Dante Discover the Secrets of the Universe / Symptoms of Being Human

2015年にニューヨーク市で開催された「ブックエキスポ・アメリカ」でパネルディスカッションに登壇していたアーロン・ハーツラー（Aaron Hartzler）というYA作家が語っていたことに興味を持ち、イベントの後で声をかけてフェイスブックの友だちになったことがある。

彼のデビュー作 *Rapture Practice*（キリスト教の歓喜の練習）は、同性愛を罪悪と決めるけるキリスト教原理主義のアメリカの田舎町で生まれ育った同性愛者のハーツラーの自伝だ。彼があるとき、フェイスブックの友だちに応援を呼びかけた。彼と同じような境遇にいる若者が、学校と家庭の両方から責められ、外部との接触も否定されて自殺しそうになっている。第三者を介して通信しているので、彼に「もう少し待って大人になれば、自分の自由に生きられる世界に飛び出せる」というメッセージを送ってほしい、というものだった。この少年は、ハーツラーの *Rapture Practice* を読んで、コンタクトしてきたというのだ。

政治的な視点もそうだが、ジェンダーの問題でも、親や学校の教師が子どもに公平な情報を与えるとは限らない。むしろ、歪んだ見解を押し付けることのほうが多いのではないだろうか。そ

んなとき、「自分はみなと異なる」と感じている子どもたちは誰にも相談できない。そして、学校や教会や親のすべてが「同性愛は悪だ」という狭い社会では、同性愛の子どもがカムアウトすることは不可能だし、周囲から疑われただけでいじめの対象になる。ひどいときには生命の危険もある。

大人があてにならないとき、孤立した子どもたちを救ってくれるのがハーツラーの自伝のように書物であることがある。また、自分がジェンダーのマイノリティに属していなくても、良い本に出会うことで「親や教師が言っていることはおかしい」と思えるようになる子どももいる。

アメリカには問題も多いが、子どもたちが自分の意見を作るのに役立つノンフィクションもフィクションもたくさんある。

その例をいくつかご紹介しよう。

■トランスジェンダーの気持ちを優しく描いた児童書、George（『ジョージと秘密のメリッサ』）

「トランスジェンダー」を「性転換手術を受けた人」と誤解している人がいるようだが、少なくとも現在アメリカではそうではない。心が身体的なジェンダーとは異なる（たとえば女性として誕生したが、自分では男だと感じている）人のことである。

トランスジェンダーの子どもは、「自分は、本当は女の子（男の子）なのだ」と感じていて、それを伝えたくてもなかなかできない。たとえ思い切って口にしても、自分を守ってくれるはずの親や教師が拒絶反応で対応してしまうことが多い。トランスジェンダーは、外部の敵と戦う前に、まず身近な人と戦うことになりがちだ。アレックス・ジーノ（Alex Gino）の児童小説George（『ジョージと秘密のメリッサ』）の主人公は、10歳の少年ジョージだ。彼の秘密は、母や兄に隠してためこんでいる、ティーンの女の子向けの雑誌コレクションだ。

4人の女の子がビーチに並んでいる写真を眺めながら、自分がその仲間になって会話を交わし、「私はメリッサよ」と言う場面を想像する。

ジョージには大親友のケリーという女の子がいる。小学校4年生になると学校で演劇があるのだが、そのオーディションのために2人は一緒に練習することにする。演劇は、蜘蛛のシャーロットと子豚のウィルバーの友情を描く『シャーロットのおくりもの』だ。シャーロットは女子、ウィルバーは男子の役と決められているが、ジョージはどうしてもシャーロットを演じたい。先生ならきっとわかってくれるだろうと思ってオーディションでシャーロットを演じたところ、先生はジョージがふざけていると思って怒ってしまう。

実は、私の身近にもジョージ／メリッサのような子がいる。

私の姪がトランスジェンダーだということを、私と夫はずっと知っていたが、（両親が離婚してしばらくしてから会っていない）彼女の実の父親も、父の母である祖母も最近まで知らなかった。「どうせ彼らは理解してくれない」と諦めていたからだ。私の娘の結婚式には全員が来るので、彼女と語りあって式の前にカムアウトしたのだが、やはりすんなりとはいかなかった。

悲しいが、それが現実だ。

だからこそ、本書のように自然な形でトランスジェンダーを紹介する児童書は必要なのだし、子どもだけでなく、わが子と一緒に読んだ親が「ああ、そういうことなのか」と理解しやすい本は大切だ。邦訳もされているのでぜひ読んでほしい。

George
Alex Gino, 2015
『ジョージと秘密のメリッサ』
島村浩子訳、偕成社

■同性愛をテーマにした青春小説、*Aristotle and Dante Discover the Secrets of the Universe*
（アリストテレスとダンテは世界の秘密を発見する）

娘が25歳のときに「あの本とってもよかったよ」と薦めてくれたのがこの青春小説*Aristotle and Dante Discover the Secrets of the Universe*（アリストテレスとダンテは世界の秘密を発見する）だ。

携帯電話などがなかったころ（1980年代後半から90年代前半）のメキシコ国境に近いアメリカが舞台で、主人公である高校生のアリストテレス（英語ではアリスタートルと発音。本人はアーリとみなに呼ばせている）は、心に壁を持つ孤独な少年だ。11歳年上の兄がいるが、アーリが4歳のときに犯罪を犯して服役している。両親だけでなく、年が離れた姉たちも兄のことを語らない。家庭ではその話題はタブーになっていた。ベトナム戦争で心の傷を負ったらしき父は、ほとんど口をきかない。自らも口数が少ないアーリが言葉を交わす相手は高校教師の母くらいだ。

15歳になっても泳げないアーリがプールで悶々としていたとき、風変わりな少年が「泳ぎ方を教えてあげるよ」と声をかけてきた。カトリックの男子校に通っているダンテという少年は、あらゆる意味で同年代の少年と異なった。天才的な頭脳を持ち、思っていることをストレートに口にし、自分で自分のルールを作りたがる。そして、靴を履くのが嫌いですぐに裸足になる。アーリもダンテもメキシコ系アメリカ人でカトリックだが、ダンテは自分がメキシコ人（この場合、この地域に住むメキシコ系アメリカ人）からメキシコ人と認められていないと愚痴を言う。

アーリにとって、ダンテは初めての友だちだった。ダンテの大学教授の父と心理学者の母は、アーリがこれまで出会ったことがないような親だった。息子を心から愛していて、それを隠そうともしない。そして、ダンテも「自分の両親がすごく好き」と言う。

自分の気持ちに正直なダンテは、自分がゲイであることやアーリが好きなことを言葉の端々で示し始める。だが、アーリのほうは自分は男とキスしたくないし、ダンテとはただの友だちだと言ってダンテの気持ちを拒む。そして、自分の中に湧き上がる怒りの感情を理解できずもてあます。怒りの対象は、兄について語ることを拒否する両親であり、壁の中に閉じこもっているような父であり、自分のアイデンティティを率直に示すダンテであり、自分自身を理解できない自分だった……。

同性愛結婚が合法化されたアメリカはＬＧＢＴＱの理解が進んでいるように見える。だが、21世紀になった現在でも差別は続いている。このＹＡ小説の舞台になった20世紀後半は、同性愛は

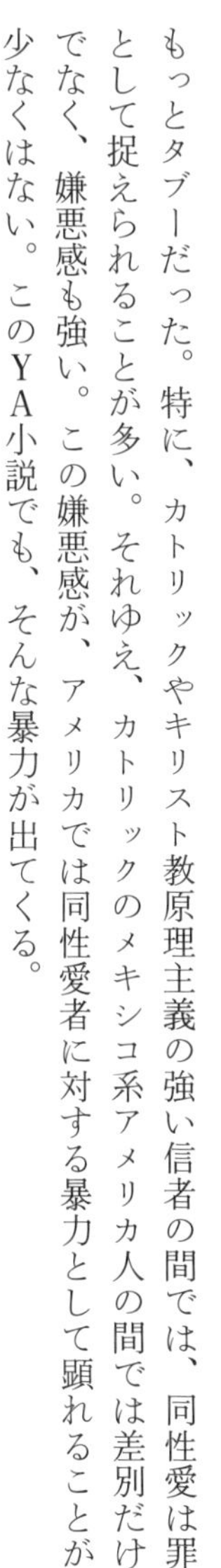

もっとタブーだった。特に、カトリックやキリスト教原理主義の強い信者の間では、同性愛は罪として捉えられることが多い。それゆえ、カトリックのメキシコ系アメリカ人の間では差別だけでなく、嫌悪感も強い。この嫌悪感が、アメリカでは同性愛者に対する暴力として顕れることが少なくはない。このＹＡ小説でも、そんな暴力が出てくる。

だが、この小説の素晴らしさは、社会的な問題定義にあるのではない。思春期に誰もが直面する「成長の痛み」や「愛」としっかり向き合っているところだ。体験がないから自分自身の中で渦巻く強い感情を理解できないアーリと、それを助けようとする大人たちを、作者はしっかり描いている。青春小説には子どもを理解しない悪親のステレオタイプが多いが、この小説に出てくる両親は、子どもたちを心から愛する親だ。彼らが「真の愛」とはどういうものかを、言動で示してくれる。

読み終わった後に、周囲の人すべてを抱きしめ、「愛しているよ」と言いたくなるような小説は少ない。この本は、そんな希少な本のひとつだ。

Aristotle and Dante Discover the Secrets of the Universe
Benjamin Alire Sáenz, 2012

■LGBTQ以外の性マイノリティの心境を描く青春小説、*Symptoms of Being Human*（人間であることの症状）

ジェンダーマイノリティである「LGBT（レズビアン、ゲイ、バイセクシュアル、トランスジェンダー）」という表現は日本でも知られるようになってきた。だが、LGBTQの最後のQを代表するジェンダー・クィアに含まれるThird gender（第三の性、男性でも女性でもない）やGender-fluid（ジェンダー・フリュイド、男性や女性に固定しない流動的な性）といった性マイノリティについてはまだアメリカでもよく知られていない。

Symptoms of Being Human（人間であることの症状）のYA小説の主人公は、カリフォルニア州でもっとも保守的なオレンジ郡に住む高校生のライリーだ。ライリーは、事情があってカトリックの私立高校から公立高校に転校することになった。

理由のひとつは、再選を狙う連邦下院議員の父親のためだ。教育改革を政策に挙げる議員の子どもが私立高校に通っているのは印象が良くない。そこで、地元の公立高校に移ることになったのだ。だが、ライリーにとっては、前の学校での執拗ないじめから逃げるためでもあった。

心理セラピストだけが知っているのは、ライリーが「ジェンダー・フリュイド」だという秘密だ。それは、時によって自分が女性だと感じたり、男性だと感じたりする。つまり、ジェンダーに流動性があるということだ。けれども、ゲイやバイセクシュアル、トランスジェンダーに比べて、知る人も少ないし、理解してもらえることも少ない。

保守派の議員である父親にはもちろん、母親にもそれを打ち明けることができないライリーは、追い詰められるとパニックを起こしてしまう。

ライリーに初めて会った人は必ず心の中で「こいつは男なのか？　女なのか？」という疑問を抱く。そして、高校では、それをおおっぴらに口にしていじめる者がいる。

転校した公立高校で、ライリーは2人の重要な友人を作る。けれども、それと同時に危険な敵も作ってしまう……。

ただでさえ生きるのがつらい思春期なのに、性的マイノリティのティーンは、大切な家族や友人からも理解されず、学校ではいじめや暴力にあい、自殺する者も多い。著者のジェフ・ガーヴィン（Jeff Garvin）が描くライリーは、ティーンの読者を当事者の気持ちに寄り添わせてくれる。そこが魅力だ。

また、この本では、最初から最後までライリーがどちらの性で生まれたのかわからない。そこにも、この小説のメッセージが含まれている。（２０１９年10月書き下ろし）

Symptoms of Being Human
Jeff Garvin,2015

男女双方のストレス軽減を目指す「フェミニズム第3波」

Unfinished Business

２０１６年は、大統領選でアメリカの次期大統領を決める重要な年だ。ヒラリー・クリントンが有力候補になれる社会になるまでには二つの大きなフェミニズムのムーブメントが必要だった。

第１波（1st. wave）のフェミニズムは、19世紀末から20世紀はじめにかけての「女性の参政権運動（Women's suffrage）」だ。投獄を覚悟で戦った女性たちのおかげで、女性の私たちは現在のように選挙権を得ることができたのだ。

第２波（2nd. Wave）のフェミニズムは、中絶の合法化や、社会的な男女平等を憲法のレベルで求める運動で、黒人の公民権運動と反戦運動が高まった１９６０年代におこった。この運動後の知的階級のアメリカ人女性は、フランスの女性哲学者シモーヌ・ド・ボーヴォワールの「女は女に生まれるのではない。女になるのだ」という言葉のとおり「女も努力さえすれば、男と同じことができるはず」と信じて育った。

私の周囲には、第２波のフェミニズムで育ったアメリカ人女性が多い。ヒラリー・クリントンなどの女性が要職につくようになったのは、この世代の女性が努力したからだ。しかし、私の女友だちが自分の人生を通じて知った現実はもっと厳しかった。男女同権が進んでいると思われているアメリカでも女性が男性と同様に働くのは困難だ。同じ仕事をしていても、男性と女性では賃金に格差があり、組織で要職に就く女性はいまだに多くはない。

しかも、男性と同様かそれ以上に努力して要職に就いた女性（とくに母親）は、家庭で主婦や母としての役割をきちんと果たしていないことに後ろめたさを感じている。また、自分の能力を過小評価して遠慮してしまいがちだ。

そういった女性に対して、後に続く女性を助けるためにも「Lean In（遠慮して身を引いたり、傍観したりすることの逆で、身を乗り出し、積極的に関わって行くこと）しろ」と呼びかけたのが、フェイスブックCOO（最高執行責任者）」のシェリル・サンドバーグの*LEAN IN*（『LEAN IN（リーン・イン）――女性、仕事、リーダーへの意欲』村井章子訳、日本経済新聞出版社』）という本だった。日本でも翻訳出版された良書だが、「ここに書かれている内容では、まだ足りない」と思った女性がいた。

それはヒラリー・クリントン国務長官のもとで国務省政策企画本部長を務めた国際政治学者のアン・マリー・スローター（Anne-Marie Slaughter）だ。ハーバード大学やプリンストン大学の教授を務めた後に女性初のプリンストン大学ウッドロウ・ウィルソン公共政策大学院院長にも就任した人物で、結婚し、息子が2人いる。夫もプリンストン大学の教授を務めている国際政治学者で、「すべてを手に入れた女性」の代表的存在だった。

スローター自身も、かつては「努力さえすればなんでも実現できるはず」と信じていた。だから、才能があるのに要職をあきらめて地位が低い仕事を選んだり、職場を去ったりする同僚を見るたび、「できないのは、本当に実現させたいという情熱か努力が足りないからだ」と思った。

そんな彼女が変わったのは、ヒラリー・クリントンから国務省政策企画本部長の職を依頼されて、ワシントンDCに単身赴任してからだ。

プリンストンに残った夫は妻の仕事の最大の理解者であり、素晴らしい父親だった。家族から応援されて就いた仕事だったのだが、8年生（アメリカの中学3年生）になった長男が、学校から停学をくらったり、警察に保護されたりする問題行動を起こし始めた。長男が母を必要としていると感じたスローターは、さらなる出世よりも家族を選んでワシントンDCを後にした。

そのときスローターが書いた「アトランティック」の記事「なぜ女性はまだすべてを手に入れることができないのか」は、多くの女性にショックを与えた。「女性だって頑張ればすべてを手に入れることができる」というお手本だったスローターが、「すべてを手に入れることはできない」と書いたのだから（翌年のTEDトークも同じテーマで、これも話題になった）。

スローターは、自分の体験から「リーン・インするか、辞めるか、という極端な選択肢のほかにも何かあるのではないか？」と考えた。

■男女両方のためのフェミニズム

本書 *Unfinished Business: Women Men Work Family*（『仕事と家庭は両立できない？——「女性が輝く社会」のウソとホント』）は、話題になった「アトランティック」の記事をさらに掘り下げたもので、昨年の「フィナンシャル・タイムズ」と「マッキンゼー」のベストビジネス書の最終候補にもなった。

職場での男女同権がまだ実現していないことや、同等の仕事をしている夫婦でも女性のほうが家事を多くしている事実について語った記事や本はこれまでにも多くある。

しかし、この本は、そこから一歩踏み出している。

私の女友だちに代表される第2波のフェミニストは、むかしのスローターのように「頑張れば女性も高い地位の職に就けるし、家庭だって持つことができる。できないとしたら、それは『どうしても達成したい』という熱意や努力が足りないからだ」と信じ、年下の女性たちに努力を要求してきた。けれども、彼女たちの娘の世代は、その期待を重圧だと感じ、古いタイプのフェミニズムに対して反感を抱くようになっているのだ。

シェリル・サンドバーグが提唱したのもそうだが、本書が提唱するのは、こうした第1、第2波を経てたどりついた、理想と現実のバランスを重視した「フェミニズム第3波」とも言える考え方だ。

現実を見れば、妻のほうが高収入で高い地位についている夫や、専業主夫になった男性は、男性からも女性からも差別される。この差別は、ある意味教授や重役をめざす女性に対するものより厳しく、辛いものだ。だから、家で家事や育児に専念したくても、男性はなかなかそれを選ぶことができない。男性に対してもステレオタイプの重圧があると、本書は指摘している。

また職業差別も、バランスがある生き方を妨げているという。

私たちは、弁護士、教授、医師、投資銀行家、企業の重役といった職に就いた人を何の疑問も抱かずに「成功者」とみなし、尊敬する。そして、保育士、看護師、教師（給与が低いアメリカの場合は、日本よりも低い地位とみなす傾向がある）といった、他人の世話をする大切な職業の人を見下す傾向がある。お金を動かすだけの仕事が、子どもや病人の世話をする仕事よりも重要なわけはないのだが、収入の差が偏見を強めている。だから、つい高い地位に就くためにリーン・インしないことを「熱意や努力が足りない」とみなしてしまうことがある。

でも、スローター自身が体験したように、家族の世話をする（子育てを含む）のは簡単な仕事ではない。ふつうの仕事よりも難しいことが多々ある。そして、とても満足感もある仕事だ。

女性だけでなく、男性だって仕事と家庭の両方を楽しみたいのだ。

働く女性が抱える問題は、「女性の問題」とよく片付けられてしまうが、そうではない。男性にも影響がある。男女を対立させるのではなく、男女がそれぞれ押し付けられてきた重圧を軽減するような「男女平等」を実現させるためにはどうしたらいいのか？　スローターが本書で提言しているのは、男女両方のための新しいタイプのフェミニズムだ。これから結婚するカップルは、本書を読んでじっくり語り合ってみるといいだろう。（２０１６年１月「ニューズウィーク」）

Unfinished Business: Women Men Work Family
Anne - Marie Slaughter, 2015
『仕事と家庭は両立できない？――「女性が輝く社会」のウソとホント』
篠田真貴子解説、関美和訳、ＮＴＴ出版

V 居場所がない国

インターネットで他人を血祭りにあげる人々

So You've Been Publicly Shamed

2013年12月、ある女性が書いたツイートが、世界的に大炎上する事件があった。

IACというネットサービス企業でPRのシニア・ディレクターという要職に就いていたジャスティン・サッコは、当時30歳で、洗練された金髪美人だった。ニューヨークから南アフリカへの長旅の途中、乗り換えのロンドン・ヒースロー空港で次のようなツイートをして、飛行機に乗り込んだ。

「アフリカに向かっているところ。エイズにかからないといいけど。冗談よ〜。私、白人だもん」

ぱっと見ると、人種差別丸出しのひどいツイートだ。けれども、ジャスティン本人は、アメリカのスタンドアップコメディアンがよく使う自嘲のテクニックで「愚かな白人の発想」をあざ笑ったつもりだったのだ。

エイズが黒人やゲイがかかる病気だと思い込んでいる差別的な白人はまだまだ多く、「アフリカは怖いから行かない」と真面目な顔で言う人がいる。それを前提にしたジョークなのだが、ツイッターの場では危険だ。慣れている人なら「これは絶対に誤解を招く」とわかる。ただ、当時の彼女のツイッターのフォロワーはたったの170人だ。通常なら、身近な知り合いに「これはやめたほうがいいよ」と忠告されてツイートを消し、たいしたダメージもなく終わる話だ。

ところが問題は、ロンドンからケープタウンのフライトが11時間という長時間だったことだ。ジャスティンが機上で何も知らずに眠っているうちに、地上のネットの世界ではいろいろな化学反応が起きていた。

まず、知り合いからEメールでこのツイートを知ったジャーナリストがシリコンバレーのゴシップを載せる情報サイトバレー・ワグに記事を書き、それをツイートした。それを読んでリツイート（読んだ人が自分のフォロワーにシェアすること。RT）したのはフォロワーが多いテックジャーナリストたちだった。

そのうち「こんなジャスティン・サッコがどうやってPRの仕事を得られたわけ?! 彼女の人種差別と無知のレベルはフォックスニュース並だわ。エイズは誰だってかかるのに！」といった非難のツイートが生まれ、それに刺激されて怒りのバリエーションも増えていった。

次に登場したのが、その炎上を娯楽として喜ぶ人たちだ。

「飛行機が着陸して電話のメッセージをチェックするときのジャスティン・サッコの顔を見てみたい。クリスマスのプレゼントにほしいのはそれだけさ」

「しめしめ、ジャスティン・サッコというビッチが解雇されるのをリアルタイムで見られるぞ。

「それも、本人が知る前にな」

という悪意に満ちたツイートもあふれた。

私もこの事件を覚えているが、最初は「PR専門家にしてはツイートへの考慮が足りない」と呆れて憤り、「企業はもっとソーシャルメディアの使い方を社員に教育するべきじゃないだろうか？」と思った。だが、すでに何度も謝罪しているジャスティンに対する度を超した悪意を目にするうちに居心地が悪くなったことは事実だ。

ネットで「正義の味方」になるのは簡単だ。叩きやすい人を見つけて、正義の名のもとに制裁を与えればいいのだから。匿名のままでいれば、自分が公で処刑されるリスクを冒さずに攻撃できる。これほど鬱憤晴らしになる娯楽はないだろう。

■楽園から地獄になったSNSの空間

実際には他人を救う力がなくても、他人の人生を破壊するパワーは誰にでも持てる。それを使う「スーパーヒーロー」たちが蔓延しているのが今のインターネットの世界だ。

ただし、この悪意のパワーは誰の中にも潜んでいる。気をつけていないと、自分自身も正義感を振りかざして他人を破壊するスーパーヒーローになってしまう。

ジャーナリストで作家のジョン・ロンソン（Jon Ronson）はそんな危機感を持って *So You've Been Publicly Shamed*（『ルポ ネットリンチで人生を壊された人たち』）という本を書いた。彼は、ジャスティンのようにネットで血祭りにあげられ、人生を破壊された人々を紹介し、私たち一般人の中に潜んでいる悪意とそれを増幅するネットの恐ろしさに警鐘を鳴らしている。

ツイート炎上事件を起こしたジャスティン・サッコは大好きだった仕事を失い、自分や家族が見知らぬ者に攻撃されることに怯え、友だちや同僚を失って孤独に陥り、うつ状態になった。全世界が名前を知っているような状況で次の職を得ることは難しく、ようやく次の職を得たのは1年後のことだ。もちろん以前のようなポジションではない。

ジャスティンはそこまで罰せられるほどの罪を犯したのだろうか？

ロンソンも私もそうは思わない。だがロンソンがそう語ったところ、「1年後に職を見つけているじゃないか」と、かえって攻撃を受けたそうだ。

ロンソンは、「初期の頃のツイッターでは、人々は自分の欠点や秘密に正直でいられた。そんなエデンの園の雰囲気があった。なのに、急速に凋落して地獄（hell）になってしまった」と嘆いた。現在のツイッターは、互いの言葉尻を捕らえて糾弾する場に変わってしまった。

最近聞いた講演でもロンソンは、「(初期の頃)フェイスブックは知り合いに嘘を言う場所、ツイッターは見知らぬ人に本音を打ち明ける場所だった」と語っていたが、長年ツイッターをやっている私もそんな印象を抱いている。もうその頃の「楽園」は戻ってこないのだろうか？

ロンソンは、2011年に私がブログで紹介して、それがきっかけで日本語に翻訳された*Psychopath Test*（『サイコパスを探せ！──「狂気」をめぐる冒険』古川奈々子、朝日出版社）の著者であり、メディアに決して応じない人々から取材するのが異様にうまい。相手の心にじんわり忍び込んでしまう特技があるのだろう。本書の魅力は、扱っているトピックの面白さだけでなく、ロンソンという人そのものでもある。彼が書く本の絶妙な味を知ったらやみつきになることとまちがいなしだ。（2015年9月「ニューズウィーク」）

【追記】2015年にロンソンに会ったときに「あなたの本を日本に紹介したのは私なんですよ」と言ったところ、「えっ。どうやってそうなったの？　教えて」と自分で質問したくせに、私の返事を待たずに「新刊のプロモで世界中を旅行していて妻に5カ月も会っていない。忙しすぎる」と一方的に喋りはじめた。そして、突然「ああ、時間がなくなってしまった」と会話を切り上げることになった。そのあたりが *Psychopath Test* で著者自身が描いた彼のイメージそのものだった。ソーシャルメディアの将来について質問したかったのだが、4年後の今ふり返ると、ソーシャルメディアの世界はロンソンがこの本を書いたときより、さらに殺伐としてきている。人生を壊される人が増えているだけでなく、偽ニュースの温床となり、大統領選挙の結果にまで影響を及ぼすようになってしまった。（2019年10月）

So You've Been Publicly Shamed
Jon Ronson, 2015
『ルポ ネットトリンチで人生を壊された人たち』
夏目大訳、光文社新書

ソーシャルメディアはアメリカの少女たちから何を奪ったか

American Girls

どの時代のどの国にも、子ども同士の「いじめ」はある。

私は、テレビがまだ一般家庭に普及していなかった時代に日本の学校で執拗ないじめを経験したし、インターネットの利用がまだ一般的ではなかった2001年から数年間、アメリカの公立小学校で教師や親と一緒にいじめ対策に関わった。どの国のどの時代でも、教師や親がどんなに努力しても子どもたちのいじめを察知するのは難しい。加害者はもちろん、被害者も報復や孤立を恐れて大人には打ち明けない。だから、被害者は精神的に追いつめられ、自殺という悲劇に発展することもある。

ソーシャルメディアの普及により、いじめの場はネットに移行し、ますます状況は悪化した。「Cyberbullying（ネットいじめ）」のいじめの体質は、インターネットがなかった時代と本質的には変わらない。ある人物をターゲットにし、悪い噂や陰口を流し、孤立させる、というパターンだ。しかし、ネットいじめでは、写真やビデオというビジュアルな情報がまたたく間に学校中、町中、国中に広がるところが以前とはまったく違う。また、噂を無視するためにネットから離れても、教室に自分が足を踏み入れたとたん、同級生たちが背後でスマートフォンを使って噂をやり取りするのを感じる。思春期で身体が毎日のように変わり、ホルモンバランスが崩れ、精神的に不安定になっている子どもたちに、それを無視できるほどの強い精神力は期待できない。

そのうえ、ネットでの子どもたちの「たまり場」は、ますます大人からは見えにくくなっている。

著者は2009年1月にツイッターを始め、2010年に『ゆるく、自由に、そして有意義に——ストレスフリー・ツイッター術』（朝日出版社）というツイッターでの付き合い方に関する本を執筆したが、当時と比べると、ソーシャルメディアの雰囲気はずいぶん攻撃的になったと感じている。

また、若者を中心とした「群れ」を作るアンダーグラウンド的なソーシャルメディアがどんどん生まれ、中高年齢層はもう情報について行けなくなっている。

ツイッターやフェイスブックなら、ある程度ネットの知識を持つ親であれば、子どもの言動や交友関係を察知することができる。だが、40歳以上でインスタグラム、ヴァイン、タンブラーまで使いこなしている人はあまりいないだろうし、スナップチャットやイック・ヤックにいたっては、存在を知る人のほうが少ないだろう。

2011年にスタンフォード大学に在学中の3人の男子学生が開発したスナップチャットは、（多くの人が見られる設定もあるが）特定個人に向けたビデオ、写真、メッセージが閲覧して数秒で消えるところが最大の魅力だ。ツイッターや普通のチャットだと、いったんアップロードしたものを消すのは困難だが、スナップチャットなら「ここだけの話」もしやすくなる。

イック・ヤックは、サウスカロライナ州ファーマン大学の男子学生2人が在学中に考えついたもので、ユーザーが近くにいるユーザーと繋がって「群れ」を作り、写真、ビデオ、メッセージをシェアする。現実に顔見知りの高校生、大学生が「群れ」を作る傾向があり、互いのエントリをup（良い）、down（悪い）で評価する。そこがユーザー同士の競争心を煽り、依存度も高める。

■「いいね」で揺れ動く人間関係

女性ジャーナリスト、ナンシー・ジョー・セールス（Nancy Jo Sales）は、約2年にわたり、13〜19歳の少女200人以上を取材して *American Girls: Social Media and the Secret Lives of Teenagers*（アメリカの少女たち――ソーシャルメディアとティーンエイジャーの隠れた実態）という本を執筆した。

この本を読むと、10代の少女にとって、ソーシャルメディアが「見栄の戦い」の戦場になっていることがわかる。彼女たちの「お手本」は、リアリティ番組のスターであるキム・カーダシアンとその姉妹だ。キムは、iPhoneを使った「selfie（自撮り）」を毎日のようにツイートしており、ヌードを含む過剰に性的な「自撮り」をまとめて写真集も出した。4300万人のツイッターフォロワーと写真集のファンの多くは未成年の少女であり、彼女たちはカーダシアン姉妹を真似した写真をスマートフォンで撮影してフェイスブックやインスタグラムに掲載する。その写真に「いいね」を押してもらうことが人生の最大の目的になり、友だちと会っている間も、お喋りよりスマートフォンのチェックに忙しい。そして、「いいね」を押してくれない友だちに恨みを抱く。

こういう交友関係の歪みやいじめ問題も深刻だが、低年齢のうちにネットで過激な性の情報やポルノに晒されることで、若者たちのジェンダー意識、性行動、人間関係に大きな負の影響が出ている。

セールスは「ポルノが、少年の少女や女性に対する態度、そして、自分のセクシュアリティに対する少女の見解に与える負の影響を心配する心理学者もいる」と述べていて、「カナダの平均14歳のティーンエイジャーの調査では、少年が頻繁にポルノを鑑賞するのと、彼らが少女を押さえつけてセックスを強要してもかまわないと考えることの間には相関関係がある。アメリカの調査では、11～16歳の間に成人指定映画を多く鑑賞する少年少女は、セクハラをより受け入れやすい傾向がある」という、オーストラリアの心理学者マイケル・フラッドの見方を紹介している。

■ふつうではない「ふつう」

セールスが中学生の少女たちから話を聞いている最中、その1人が同じ学校の男子生徒からスマートフォンでメッセージを受け取った。「ヌード写真を送ってくれ」というのだ。仲が良いわけでもなく、好きでもない少年なのに、少女は「どうしよう?」とためらう。取材を続けていくうちに、セールスは、全米のティーンの間ではこういったやり取りが「ふつう」になっていることを知る。

男子生徒は、男同士の間での人気を高めるために、より多くの少女のヌード写真を集めようとする。そして、それをソーシャルメディアでシェアし、評価しあう。リクエストされた少女は、断ると「prude（お高くとまっている）」とけなされ、送ると「slut（あばずれ）」の烙印を押されるとわかっているので悩む。また、ボーイフレンド（だと思っていた相手）に説得され、「どうせ数秒で消えるのだから」とスナップチャットでヌードを送ったところ、スクリーンショットで画像を保存され、学校中の男子生徒にシェアされてしまうというケースも少なくないようだ。

もっとエスカレートすると、少年たちは酒やドラッグで意識を失った少女をレイプし、そのシーンをビデオに収録して回覧する。そういったビデオや写真が満載されているソーシャルメディアを作り出しているのも、男子大学生たちだ。こういった場では被害にあった少女たちは「あばずれ」と嘲笑の的になり、加害者の少年たちは英雄気取りだ。その結果、自殺する少女もいる。

■普通の恋は夢物語

セールスが取材した少女たちは、中学生の頃から、同級生の少年にヌード写真を要求されても怒らず、平気で笑い飛ばすことを学ぶ。そして、「恋」を期待しないことも受け入れる。でないと、男の子たちから物分かりが悪い女だと軽蔑され、仲間外れにされるからだ。ソーシャルメディア時代の少女たちは、「いいね」という承認を沢山獲得しないと、愛されていないと感じる。

何よりショックだったのは、彼らが「ピザを食べて、映画館に行って、手を握る」といったデート体験をする前に、いきなり「ヌード写真を送る」とか「勃起したペニスの写真を送る」といったネットでのやり取りを始め、ポルノ映画のようなセックスをすることだ。もちろん、セールスはセンセーショナルなケースを選んで紹介しているのだろうが、この中には、超有名私立高校に通う優秀な少女たちも含まれており、社会経済的な差はあまりないようだ。

こういった体験や目撃談しか知らない少女たちは、セールスに「男はみんなファック・ボーイ

(性差別的な言葉遣いで、女性を性の対象の消費物としか思っていない男性)」と言う。セールスが、「何％の少年がファック・ボーイだと思うか?」と彼女たちに尋ねたところ、1人は「100%」と即答した。その友人は、「違うわ、90%よ」と反論し、「残りの10%の男の子をどこかで見つけることを祈っている」と言うのだが、「今までに出会ったのは全部ファック・ボーイだったわ」と打ち明けた。彼女たちは、ふつうの恋に憧れているが、それは叶わない夢だとも思っている。

非常に興味深いのは、10代の少女たちが、自分の親より年上かもしれない50歳のセールスに赤裸々なことまで打ち明けていることだ。そして、ふつうの恋やデートの体験があるセールスを羨ましく思っている。

また、少女たちには、自分がソーシャルメディアの依存症だという自覚があり、性の対象として粗末に扱われていることにも薄々気付いている。「ソーシャルメディアに人生を破壊されている」と嘆くのだが、自分1人で離れられるほど強くはない。

子どもたちは、意外と客観的に自分たちが置かれている危険な状況を分析している。でも、自分たちが自主的にこの状況を改善するのは無理だということも自覚していて、心の中で助けを求めている。実は、親の世代に立ち入ってもらいたいのだ。

やはり大人たちは、「今時のティーンエイジャーがやっていることだから」と物分りよくならずに、悪者になる覚悟で踏み込み、彼らを守ることが必要だ。そう認識させてくれる本だ。(2016年4月「ニューズウィーク」)

【追記】ソーシャルメディアの人気はうつろいやすい。このエッセイで言及したイック・ヤック、ヴァインはすでにサービスを中止している。しかし、キム・カーダシアンは今でもソーシャルメディアで大きな影響力を持ち、ネットいじめを含むソーシャルメディアの被害は続いている。

American Girls: Social Media and the Secret Lives of Teenagers
Nancy Jo Sales,2016

戦場を生きのびた兵士は、なぜ祖国で壊れるのか？

Tribe

２００１年の同時多発テロ以来、アメリカは15年もの間「戦時中」の状態にある。アメリカ本土での戦闘がなく、徴兵制度もないために、一般のアメリカ人はふだんそれを忘れがちだ。軍人たちは、戦地で残酷な死を目撃し、友を失い、ときには人を殺さざるを得ない状況に追い込まれる。その過酷な戦場を生き延び、幸運に任期を終えた軍人は、なぜか、平和な母国に戻ってから精神的に壊れる。多くの退役軍人が、ＰＴＳＤの診断を受け、障害者扶助や治療を受けるが、それでもうつによる自殺者は後を絶たない。

Tribe: On Homecoming and Belonging（部族——帰国と属すること）の著者セバスチャン・ユンガー（Sebastian Junger）は、アフガニスタンで北部同盟と行動をともにしたり、陸軍部隊に同行してドキュメンタリー映画を作ったりしてきたノンフィクション作家だ。退役軍人とも親しく交友を続けている。

戦地で恐ろしい体験をした退役軍人が平和な母国に戻ってから苦しむ現象をユンガーは次のよ

うに説明する。

生死をかけて闘わねばならない戦地では、部隊は仲間として強く団結する。「兵士は自分の部隊のなかで互いの人種、宗教、政党などの違いをまったく気にかけない」。ところが、戻ってくると、祖国アメリカは、収入格差、教育格差、人種、宗教で分断されている。そして人々は、平和な国で暮らしているのに、富裕層や政府、移民、そして大統領に対してまで激しい憎しみを公言する。

そんな祖国に戻った退役軍人は、「国のために喜んで命を捧げる覚悟があったのに、国のためにどう生きれば良いのかわからなくなってしまう」のだ。それが彼らの「絶望感」に繋がっているとユンガーは言う。

■アメリカを覆う徹底した利己主義

退役軍人に必要なのは、仲間意識で繋がる「コミュニティ」だとユンガーは考えている。自分よりも弱い者、恵まれていない者を助けることができる誇り、勇敢さ、忠誠心、それらが人の心を根底から支えている。平和な国に戻った軍人が恐ろしい戦地を恋しがるのは、この仲間意識であり、「tribe（部族）」の感覚だ。

コミュニティ意識が必要なのは、退役軍人だけではない。現代アメリカが抱える問題の数々は、コミュニティ意識の喪失に関連しているというのがユンガーの説だ。

サブプライムローンを背景にした2008年の金融危機ではアメリカで900万人が失業し、500万の家族が自宅を失った。失業と自殺率には大きな関連があることで知られ、医学雑誌「ランセット」によると、この影響で増えた自殺数は推定5000人だという。世界恐慌を阻止する策として金融機関への公的資金注入が行われたが、金融危機に直接関係がある金融機関の上層部は、国民にこれほど多くの迷惑をかけながらも、誰も罪に問われていない。ユンガーは、「地面にゴミを平気で捨てる人は、自分がその場を共有する1人だという自覚がない」と例えるが、徹底的な利己主義になれるのは、社会を構成する他のメンバーとの精神的なコネクションがないからだ。これも「コミュニティ意識の喪失」だろう。

また、二大政党におけるゼロサムゲームの対立構造も、コミュニティ意識の喪失に拍車をかけている。保守とリベラルは、対立する党を軽蔑し、自分たちを正当化するが、ユンガーが指摘するように、どちらの党の主張も部分的には正しい。たとえば、共和党は「働く気がないたかり屋の底辺層」のために税金を投入することを懸念するが、それは過去の歴史の中でも実施されてきたことだし、頭から否定すべきではないとユンガーは言う。同時に、老いた者や病める者の面倒を見る慈悲の心も人類初期の社会から見られた特徴だ。保守とリベラルのどちらの観点も人類にとっては必要なものだ。

共和党支持者と民主党支持者のどちらも取材してきた私は、この部分に大いに共感を覚える。特に、右寄りの保守と左寄りのリベラルでよく見られることだが、自分とは政治的に異なる立ち位置の者を敵視するだけでなく、犯罪者扱いする傾向がある。妥協点を見出そうとする穏健派は、右からも左からも攻撃されてしまうのが現在のアメリカの政治環境だ。

その解決案は、マウントサイナイ病院のレイチェル・イェフダ医師がユンガーに語った次の言葉に示されている。

「社会を機能させようと思ったら、互いの異なる部分を浮き彫りにし続けるべきではありません。共有する人間性を際立たせるべきです」「人が差異のほうにあまりにも大きな焦点を当てることに呆れ果てています。お互いがどんなに違うのかばかりに注目していますが、それよりも、何が私達を団結させるのか、重点的に取り組むべきではありませんか?」

だが、「もし戦争が、すべての観点で純粋に完璧に悪であり、そこから生じるものがすべて有害だとしたら、これほど頻繁には起こらないはずだ。破壊と人命の喪失だけでなく、戦争は古代人に勇気、忠誠心、無私無欲といった美徳のインスピレーションを与えた。体験した者にとってはとても陶酔する感覚だ」というユンガーの意見には、危うさも感じる。現在の日本に漂う過去の戦争への美化にも通じるところがあるからだ。

アメリカ先住民族の部族感覚をノスタルジックに語る部分、そして男が狩りや他の部族との戦いの中で連帯感と自尊心をかきたてられ、女や子どもが授乳と添い寝で連帯感と幸福感を得るといったユンガーの説は、女性の読者にとっては男性の懐古趣味に感じて居心地が悪い。

でもそれは、彼が接してきたのが男性主体の「部族」だったからだと私は思うのだ。では、ユンガーがノスタルジックに語る部族感覚がなくなっている(また、それを歓迎するグループもいる)アメリカで、どのようなコミュニティを作ればすべての人に居場所ができるのか?

それは、大国アメリカの抱える大きな課題だ。(2016年8月「ニューズウィーク」)

Tribe: On Homecoming and Belonging
Sebastian Junger, 2016

強烈な「毒親」の呪縛から、大学教育で抜け出した少女

Educated

2018年、アメリカで一番良く売れたノンフィクションはミシェル・オバマ元大統領夫人の*Becoming*(71ページ)だったが、それが発売されるまで最も売れていたのは*Educated*(教育を受けた)だった。32歳の無名の女性タラ・ウエストオーバー（Tara Westover）がモルモン教サバイバリストの両親に育てられた半生を綴るこの回想録は、発売直後から「ニューヨーク・タイムズ」ベストセラーリストに入り、バラク・オバマ元大統領が夏の読書の推薦書のひとつに選んだこともあって幅広い読者に読まれた。

アイダホ州の山脈に囲まれた田舎で7人兄弟の末っ子として生まれたタラ・ウエストオーバーは、日本の戸籍に匹敵する重要な書類である「出生証明書」を9歳になるまで持たなかった。タラの父はモルモン教原理主義の「サバイバリスト」であり、母は強い性格の夫に従う従順な妻だった。「サバイバリスト」とは、核戦争や経済の崩壊といった破滅的な災害で生き残るために準備とトレーニングを日常から行っている人たちだ。モルモン教では古くから大災害に備えて1年分

の食料を保存しておくことが指導されていたが、サバイバリストはその教えを逸脱した狂信的なレベルである。反政府の彼らは、学校や病院を含む公的機関は政府が自分たちをスパイし、洗脳するための危険な組織だと信じている。

タラが長年、出生証明書を持たなかったのは、母のお産を助けたのが正式の免許を持たない自称「助産師」だったこともある。アメリカでは出産の報告義務があるが、サバイバリストにとってアメリカの法律は何の意味も持たないのだ。タラの母も無免許の助産婦から学んだ知識で他人の出産を助け、家族の病気や怪我のすべてを薬草で治療した。息子の1人が交通事故で前頭部にゴルフボールほど大きな穴をあけ、意識も失っているというのに、電話で娘から相談された父は「家に戻ってお母さんに治療させろ」と命じるのだ。父の命令を無視して兄を病院に連れて行ったタラは、裏切り者として冷たく扱われた。

また、タラと6人の兄と姉は、洗脳を防ぐために学校に行かせてもらえなかったので、学びたければ自分で学ぶしかなかった。通常なら自宅で子どもを教育する「ホームスクーリング」は、ホームスクーリング用の教材を使って親が教える。だが、わが子を無償の労働者と捉えていたような父は、危険な仕事を子どもに無理やりさせるくせに、教育には興味がなかった。タラは兄の1人から読み書きを習い、後に教科書を入手して自学で高校卒業レベルの学力を身につける。

タラは「ここにいたらおまえは駄目になってしまう」という兄タイラーの進言でブリガムヤング大学への入学を目指すようになる。ブリガムヤング大学はモルモン教の大学であり、しかもホームスクーリングを受けた子どもも受け入れているのでタラにもチャンスがある。タラは自分で教科書や参考書を買って入学選考に必要な標準テストのACTの勉強をし、ブリガムヤング大学の合格基準より低いが、自学にしては目覚ましい成績を取った。だがそんな16歳の娘に対し、父は理解を示すどころか憤り、大人になったのに家賃を払えないなら家を出ていくよう命じた。

タラの人生が変わったきっかけは、この難関のブリガムヤング大学に入学したことだった。だが、17歳にして初めて体験する「学校」に慣れるのは難しかった。小学校で教わるような常識も知らないのだから。ナチスドイツによるユダヤ人大虐殺の「ホロコースト」を聞いたこともなかったタラは同級生から奇異の目で見られ、誤解されたりする。

親から教え込まれた厳格な宗教観とサバイバリストの思想から抜け出すのも容易なことではなかった。自宅に戻るたびに学校での教育と親の思想の間で葛藤したタラだが、大学を卒業後に、ビルとミランダ・ゲイツ財団が創始した「ゲイツ・ケンブリッジ奨学金制度」でイギリスのケンブリッジ大学の大学院に進学した。そして、ハーバード大学でも学ぶ機会を得て、ついに思想史と政治思想で博士号を取得する。

けれども、タラと家族との関係は彼女が教育を得るにつれ困難になっていった。兄のショーン（仮名）の暴力がエスカレートしたのにもかかわらず、両親は彼をかばい、暴力を訴えるタラのほうを糾弾して精神的に追い詰めた。そして、ついにタラは親や兄弟の一部と縁を切る。

この回想録が出版された後、タラの両親は弁護士を雇って「内容は事実無根だ」と主張している。また、事故や大怪我がたえない家族と、それを母のアロマテラピーで治す部分に「この回想録は信用できない」と感じる読者がいるようだ。しかし、タラの昔のボーイフレンドは「この本に出てくるドリューは私だ。タラと僕は現在では付き合っていないが」と前置きしたうえでアマゾンのレビューでこの本の信憑性を裏付けしている。彼はこの本に登場する主要人物全員に何度か会っているし、ここに書かれていることはタラだけでなく他の人物の言動で目撃したと語っている。

タイトルから想像できるように、この本は偏った信念や宗教によるマインドコントロールから抜け出して、自分自身を信じるための教育の重要性を語っている。教育を否定された子どもが閉ざされた環境で育つ恐ろしさも。だが、アメリカの多くの読者は「家族」の葛藤の部分にも共感したのではないだろうか。

この部分では、同じく今年刊行されたスティーブ・ジョブズの娘の回想録 *Small Fry*（小ざかな）を連想する。どちらも、いわゆる「毒親」に翻弄されながらも、愛される努力をし続けた娘の心理が描かれている。私も父との関係で共通する体験をしているので、2人の葛藤が実に切なかった。

タラもジョブズの娘のリサも、結果的には親に心理的に別れを告げることで人生に折り合いをつけるのだが、日本でもそこに励まされる読者がいるだろう。（2018年12月「ニューズウィーク」）

Educated
Tara Westover, 2018

少女時代に受けた集団レイプが破壊した女性作家の人生

Hunger

著者のロクサーヌ・ゲイ（Roxane Gay）は、典型的な「フェミニスト」には当てはまらない。矛盾したフェミニストである自分について書いたエッセイ集 *Bad Feminist*（『バッド・フェミニスト』野中モモ訳、亜紀書房）がベストセラーになって一躍有名人になった。しかし、ネットでは *Bad Feminist* が売れる前から活躍しており、フォロワーが多い有名人だった。

私は *Bad Feminist* は読んでいなかったが、今年、前大統領夫人ミシェル・オバマの談話を聞きに行ったとき、ゲイが質問役をしていたことから彼女の作品に興味を抱いた。

ゲイの回想録 *Hunger: A Memoir of (My) Body*（『飢える私――ままならない心と体』）で最も衝撃的なのは、12歳のときに受けた集団レイプと、それが彼女の人生に与えた大きなインパクトだ。

ゲイは、当時好きだった同級生の少年から森におびき出され、そこで彼と彼の友だち数人からレイプされた。ハイチ出身の裕福な中流家庭で、「カトリックの良い女の子」として育ったゲイは、加害者の少年よりも自分を責め、自己嫌悪を抱くようになる。

自分の体に対するゲイの拒絶反応は、親元を離れて由緒ある寄宿制私立学校に入学してから、肥満という形で現れた。その心理は、自分自身が「侵入不可能な、要塞だと感じる必要があった（I needed to feel like a fortress, impermeable）」からだ。その潜在的な欲求にかられ、ゲイはアメリカ独自の高カロリー、高脂質のインスタントフードを食べ続けた。突然体重が増えた娘を両親は案じていろいろな対策を取るが、いったん痩せても、すぐにリバウンドした。

最も太っていたときのゲイの体重は577ポンド（約260キロ）だという。身長も6フィート3インチ（約190㎝）なので、アメリカ人男性とくらべても相当大きいほうだ。43歳の現在は、それより軽くなっているようだが、それでもゲイと食べ物、体重との戦いは解決していない。

幼いときや若いときに受けた性暴力は被害者の心を深く傷つける。

「自分を忌み嫌うのは、呼吸するほど自然なことになった。あの少年たちは、私をクズ同然として扱った。だから私もクズ同然になった」

このように自分の体を自分の心から引き離そうとし、自暴自棄になるのは、多くの性暴力の被害者が体験していることだ。

ゲイの場合は肥満だったが、拒食症や自傷行為に傾倒する者もいる。また、精神的な苦痛を和らげるためにドラッグやアルコールに頼り、依存症になる者も……。ゲイにとってカロリーが高い食品を大量に食べ続けるのは、依存症の一部だったのだろう。

若年の性暴力の被害者がこれまでにも語ってきたことだが、残酷な体験のおかげで、健全な性行動や人間関係を持てなくなってしまう人が多いようだ。

ゲイが、20～30代に性的な関係を持ったのは、無視や軽蔑、暴力をふるうような相手ばかりだった。そういう相手ばかりを引き寄せた。

「(それらの虐待)すべてを受け入れたのは、傷ものにされ、その後でも自分の体を破壊し続けてきた自分には、それよりましな扱いを受ける価値がないと知っていたから」

心底悲しく思ったのは、30年経った今でも、ゲイが加害者に自分を傷付けるパワーを与え続けていることだ。

ゲイは、何年も経ってから加害者をネットで探し出し、無言電話をかけた。そして、加害者についてあれこれと考える。

「彼が始めたことを私が何年も止められないでいたのを、知っているのだろうか? セックスしているとき、彼のことを考えなければ、何も感じないということを知っているのだろうか? 彼のことを考えなければ、ただ動いているだけ……」(一部略)

性暴力の被害者は、このように歪(いびつ)になった心の傷からなかなか立ち直れない。ゲイのこの告白は、きっと多くの被害者が感じていることだろう。この複雑な心理がさらなる自己嫌悪につながっていることが想像できる。

イェール大学をはじめ出願したトップ大学のすべてに合格したほどの頭脳明晰な女性の人生が、

30年前に受けた性暴力のせいで、これだけすさんでしまうのだと伝える貴重な回想録である。また、性暴力の影響が決して消えないのだということも、生々しく教えてくれる。

そこに、本書の本当の価値があるのかもしれない。（２０１７年12月「ニューズウィーク」）

Hunger: A Memoir of (My) Body
Roxane Gay, 2017
『飢える私──ままならない心と体』
野中モモ訳、亜紀書房

植物をこよなく愛するリケジョの波乱の半生

Lab Girl

ネットでときおり「リケジョ」という言葉を目にする。「理系女子」のことらしい。数学、化学、物理、生物といった学問を学び、それらを一生の仕事として選択する女性が少ないためか、物珍しさが含まれた表現だ。そもそも人を「文系」や「理系」に分けられるのか？　という疑問や、「女性の脳は通常理系には向いていない」という先入観なども感じられ、ネガティブに捉える人もいるだろう。

ハワイ大学で（地球環境と生物との関係を探る）geobiologyという分野の生物学の教授を務めるホープ・ジャレン（Hope Jahren）の回想録 *Lab Girl*（『ラボ・ガール――植物と研究を愛した女性科学者の物語』）のタイトルは、「ラボの女の子」という意味合いで、「リケジョ」のような軽い響きがある。だが、読み始めたとたん、そんな印象はすっかり吹き飛んでしまう。

みな海が好きだ。いつも、なぜ海洋生物学をやらないのかと私に尋ねる。なにせハワイに住んでいるから。そこで私は答える。なぜなら、海はとても空っぽで孤独なところだから。

陸には海の600倍もの生物がいる。そして、そのほとんどが植物だ。標準的な海の植物は寿命が20日しかない単細胞だ。けれども標準的な陸の植物は100年以上生きる2トンもある樹木だ。

ジャレンは、自分が愛する植物のこと、たとえば私たちがふだん気にもとめない「タネ」について独自の詩的な言葉で語る。

タネは待ち方を知っている。ほとんどのタネは育ち始める前に数年待つ。桜のタネなど100年くらい平気で待つ。いったい何を待っているのかは、そのタネのみが知る。温度、湿度、光、ほかにもいろいろなものが組み合わさった独自の誘発があって、ようやくタネは清水の舞台から飛び下りる決意をする。一度しかない成長のチャンスをつかむために。

そして、この章をこう締めくくる。「それぞれの始まりは、待つことの終焉だ。私たちは、たった一度の生存のチャンスを与えられる。私たちはそれぞれに不可能かつ不可避だ。大木のすべてが、かつては『待っていたタネ』だったのだ」。

ここまで植物に感情移入するジャレンは、「数学ができないと科学者にはなれない」というような誤解やステレオタイプを考え直す機会も与えてくれる。葉っぱの一つを手にとって、「どんな緑色なのだろう?」「表と裏はどう違うのだろう?」「どのくらい乾燥しているのだろう?」などと考えた時点で、すでにその人は科学者なのだという。そして、1人の科学者から、科学者である読者に送る物語がこの回想録だ。

「この世界にスライド定規ほど完璧なものはない。唇に含んだときの磨かれたアルミ金属の冷たさ。光にまっすぐあてると、神が作り上げた完璧な直角が四隅に見える……」という詩的な文章で始まる第1章では、ミネソタ州の田舎町にあるコミュニティ・カレッジで物理と地理を教えた父親のラボを遊び場にして育った少女の姿が描かれている。

アメリカ中西部のミネソタ州には北欧からの移民の子孫が多い。1年のうち9カ月は地面に雪があるという厳しい環境を選んで住み着いた彼らは、愛情や親しみを表現しない無口な人々だ。才能がありながらも子育てのためにキャリアを諦めた母親は、娘に温かい愛情をそそぐかわりにチョーサー(中世イングランドの詩人)やカール・サンドバーグ(現代アメリカの詩人)を教えたが、そういう教養を学校で見せるとのけ者にされてしまう。

ジャレンは、学校では普通の女の子のようにゴシップに加わるふりをしたが、夕方にはその仮の姿を脱ぎ捨てて、父親のラボに逃げ込んだ。そんな「ラボ・ガール」こそが、ジャレンの真の姿だったのだ。

その後、ジャレンは、ミネソタ大学を優秀な成績で卒業し、カリフォルニア大学バークレー校で博士号を取得し、すぐにジョージア工科大学准教授の地位を獲得し、その後ジョンズ・ホプキンズ大学を経て、現在はハワイ大学の教授を務めている。経歴だけを見ると、順風満帆の人生を歩んできた学者のように感じる。だがこの本を読むと、学者というイメージと現実のギャップに驚くに違いない。

研究者がやりたいこと(研究)をやるためには、使えるラボを確保するための教授職と研究費が必要だ。ラボの責任者の葛藤の大部分は、研究そのものではなくこの二つを確保することなのだ。

またジャレンは、仕事にのめり込むと食事もろくに取らず、シャワーも浴びず、1日のほとんどを研究室で過ごすようなワーカホリックだ。それでも女性として科学の分野で働くのは難しく、偏見や身の危険にも晒されやすい。ゆえに、双極性障害もある彼女はときおり普通の生活すらできなくなることがある。

男女平等が進んでいると思われているアメリカでも、「理系女子」であることは容易ではない。ジャレンは公共ラジオネットNPRのインタビューでこう語っている。

「女性の身体を身にまとって世界を渡り歩くのは厳しいものです。科学(の世界)は安全ではありません。これまで何度も公の場で発言しましたが、(女性に対する)ハラスメントから逃れられないのです。科学の世界にはそのような権力の不均衡がないという幻想がありますが、その幻想がいかに強いかすら認識されていないのです。恥ずかしいことですが、私も若い頃には、それは女性が科学者になるために受け入れざるを得ない代償だと思っていました。どうしても科学者になりたくて、1日でも多くラボで過ごしたくて、よそ者として対等に扱われないことも、男の子たちと一緒に遊ぶために我慢しなければならないことなのだと……でも、私は自分の研究室の学生にはその犠牲になってほしくない。私が(この現状を)変えることができなくても、少なくともはっきりと公言する義務があると思うのです」

切実なメッセージだが、それは *Lab Girl* のほんの一部でしかない。

詩のように美しい植物の描写、北極圏でのフィールドワーク、弟のような存在になったエキセントリックなラボ管理者ビルの逸話など、ときおり文芸小説を読んでいるような錯覚を抱くほど波乱万丈で面白い。

「女性科学者による回想録」という説明文から受けるイメージを捨てて読めば、必ず心に響く出会いがある本だ。（2016年7月「ニューズウィーク」）

Lab Girl
Hope Jahren, 2016
『ラボ・ガール――植物と研究を愛した女性科学者の物語』
小坂恵理訳、化学同人

アメリカで黒人の子どもたちがたたき込まれる「警官との接し方」

The Hate U Give

ハリウッドの白人優先主義の影響である「ホワイトウォッシング」については、本書の「ファンが変えていく、ハリウッドの『ホワイトウォッシング』」（135ページ）というエッセイにも書いた。だが、人種差別に遭遇する機会がほとんどない日本人にこの問題を理解してもらうのはなかなか難しい。人種のるつぼであるアメリカでさえ、「ホワイトウォッシング」を擁護する者もいる。たいていは差別される側に立ったことがない白人だ。

だが、「ホワイトウォッシング」より深刻で、さらに誤解を受けやすいのが「Black Lives Matter（黒人の命も重要だ）」のムーブメントであり、プロテストである。

白人の間からは、「命が重要なのは、黒人だけじゃないだろう。白人の命だって重要だ」と「White Lives Matter」などと言い出す者さえいる。

白人の命は、コロンブスがアメリカ大陸を「発見」したときから、先住民よりも優先されてきたし「重要」だった。アメリカの黒人たちは、「同等の権利がほしい」と求めているだけなのだ。

それなのに「逆差別だ！」と怒る白人に同調する日本人すらいる。
「ホワイトウォッシング」を問題視する人への日本人の反論を読むと、「自分が信じてきたことを否定される」ことに不快感を覚えているようだ。その不快感で本質を見ようとしない人が存在するのは日米共通だと思う。

そんな人たちに読んでもらいたいのがアンジー・トーマス（Angie Thomas）の小説 *The Hate U Give*（『ザ・ヘイト・ユー・ギヴ――あなたがくれた憎しみ』）だ。ティーン向けのYA（ヤングアダルト）小説だが、その枠を超えて、多くの年齢層で高い評価を得ている。

主人公は、16歳の黒人の少女スターだ。低所得層が多い黒人街に住んでいるが、裕福な白人が多い私立高校に通っている。バスケットボール選手のスターには、クラブで仲が良い女友だちもいるし、白人のボーイフレンドもいる。けれども、子ども時代の友だちや近所の人と接しているときの自分と学校での自分は、態度も言葉遣いも異なる。高校では、本当の自分を抑え込んで別の自分を演じなければならないという心理的なプレッシャーが常にあった。

スターには、母親が異なる兄がいる。若かりし頃の両親が喧嘩をしたときに、父親がヤケで浮気をした結果だった。その兄には父が異なる妹がいて、その父親は、この黒人街を支配するストリート・ギャングのリーダー「キング」である。この因縁が、二つの家族に常に緊張を与えている。

スターの母親はベテラン看護師で、父親は街で唯一のコンビニを経営している。ボーイフレンドのクリスが住む安全な街に住むことができる収入があるのに、コミュニティのために尽くすことを誓う父は引っ越しを拒否し続けている。

気が進まないまま連れて行かれた地元のパーティで、射撃事件が起こり、スターは幼なじみの少年カリルの車で家まで送ってもらうことにする。カリルとは幼い頃には仲が良かったが、別の高校に通うようになってからは疎遠になっていた。車の中で、カリルは自分が愛する伝説的ラッパーの「2パック」についてスターに語る。

だが、2人の乗る車を警官が止める。後部ライトが消えているという理由だ。そして、武器も持たず、何の抵抗もしていないカリルは、スターの目の前で射殺されてしまう。

スターが思い出したのは、両親から教え込まれたことだ。

私が12歳になったとき、両親は私に二つの「重要な話」をした。ひとつは、よくある鳥とミツバチについて（性の話）。もうひとつは、警官に止められたときにどうするのか、という話だ。

お母さんは嫌がって、まだその話をするには子どもすぎるとお父さんに反対した。けれども、お父さんは、子どもすぎるから逮捕されたり銃で撃たれないというものではないと反論した。スターよ、スター。警官が何を言っても、そのとおりにしなければならないよ。そうお父さんは言った。両手は、常に警官から見えるところに置いておかなければならない。いきなり動いてはいけない。あちらが質問したときに答える以外には話しかけてはいけない。

けれどもカリルはそれを守らなかった。「僕がいったい何をしたんだ？」と警官に反論してしまった。そして、怯えているスターを心配して「大丈夫かい？」と尋ねた。警官がカリルを撃ったのはそのときだった。

ショックを受け、怯えたスターは、最初のうちは自分や家族の平和を守るためにも沈黙を守る。けれども、社会から何の価値もないように扱われるカリルの命と人生に憤りを覚え、声を上げることにする。

この小説のタイトルであるThe Hate U Giveは、1996年にヒップホップ抗争と思われる銃撃で亡くなった2パックの作ったフレーズ「Thug Life（サグ・ライフ）」から来ている。

サグとは、インドの秘密犯罪結社を由来としたもので、その後「強盗、悪者、ギャング」を意味するようになった。現代の音楽では「サグ・ライフ」というフレーズでヒップホップ的な生き様を表現する。これについて、2パックはかつて、「The Hate U Give Little Infants, Fucks Everybody（おまえたちが幼い子どもたちに与える憎しみが、すべての者をめちゃくちゃにする）」の頭文字を取った略語だと説明した。

この小説を読むと、アメリカの黒人たちが生まれたときから毎日のように与えられる「憎しみ」が肌感覚として理解できる。

アメリカでは、カリルのように武器を持っていないにもかかわらず警官に殺される黒人が後を絶たない。だから、大人たちは、スターの両親のように子どもに「警官との接し方」を教えなければならないのだ。

この小説が描いているのは、白人による黒人差別だけではない。黒人街で、黒人が黒人を犠牲にするストリート・ギャング問題も描いている。

とても暗いテーマだが、しかし白人やアメリカ社会への怒りだけを描いた本ではない。何があってもスターの味方をする白人ボーイフレンドのクリスのキャラクターも含め、このYAは最後には希望を感じさせてくれる。（2017年11月「ニューズウィーク」）

【追記】このエッセイを書いた後でも、武器を持っていない黒人が警察官に殺される事件が後を絶たない。2019年10月12日には、テキサス州の自宅で甥と一緒にいた28歳の黒人女性が、家の外から警官に射たれて殺される事件があった。夜中に家のドアが開きっぱなしになっているのを心配した隣人が警察に（緊急ではない）電話をして様子を確認してくれるよう頼んだのだが、警察官は中にいる者が誰なのかを確認する努力もせずにいきなり窓の外から女性を撃ち殺したのだった。警官は辞職し、裁判にかけられることになったが、これまで同様の事件で有罪になった警官はほぼ皆無である。（2019年10月）

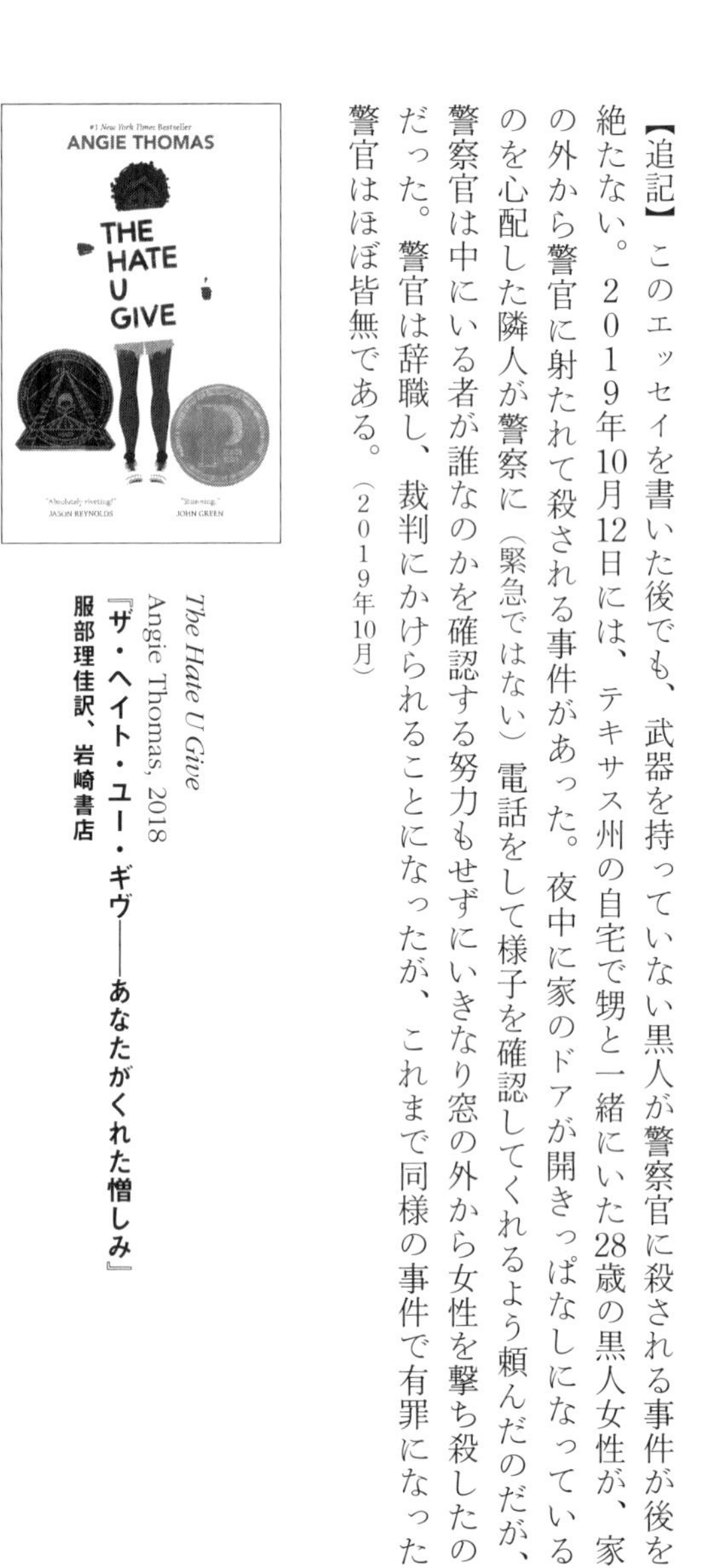

The Hate U Give
Angie Thomas, 2018
『ザ・ヘイト・ユー・ギヴ――あなたがくれた憎しみ』
服部理佳訳、岩崎書店

VI 競争社会の光と影

ウォール街の狂乱に人生を狂わされた家族の回想録

After Perfect

２０１５年前半、アメリカの多くのメディアが取り上げた新刊 *After Perfect: A Daughter's Memoir*（完璧だった人生が終わったあと――ある娘のメモワール）の著者はクリスティーナ・マクドウェル（Christina McDowell）という若い女性である。ウォール街のマネーゲームに翻弄されて人生をメチャクチャにされた女性の回想録だが、とりわけ異色なのは彼女の父親が「詐欺師」側の人間だったことだ。

ふだんベストセラーには冷淡な「ザ・ビレッジ・ボイス」が「２０１５年に読むべき15冊」に選んだのは、この本が「アメリカンドリーム」の裏側を露骨に見せているからだろう。

レオナルド・ディカプリオがマーティン・スコセッシ監督と組んで製作し、２０１３年に公開された映画『ウルフ・オブ・ウォールストリート』は、90年代にペニー株詐欺（株価が1ドル以下の安い株を使った詐欺）、相場操縦、資金洗浄などの違法行為で逮捕されたジョーダン・ベルフォートの回想録 *The Wolf of Wall Street*（『ウルフ・オブ・ウォールストリート』酒井泰介訳、早川書房）が原作だった。

映画には、コツコツ貯めたお金をベルフォートに騙されて失った庶民の投資家が出てくる。しかし犠牲者は彼らだけではない。金融詐欺に関わった者の家族の人生もまた破壊されたのだ。*After Perfect* の著者クリスティーナもその1人だ。彼女は、首都ワシントンDC郊外の巨大な豪邸で育った。父親は金融関係の弁護士、チャリティパーティを主催する母親は女優のように美しく、両親の友人はアリアナ・ハフィントンやアラン・グリーンスパン夫妻など、政界や財界で活躍する大物揃いだ。

娘の高校卒業のプレゼントにBMWの新車を買い与えるほど気前が良い父親は、自分の仕事についてはは多くを語らず、家計もすべて取り仕切っていた。家庭内には「お金について語るのは下品」という雰囲気があり、娘たち3人は金を使うことしか知らなかった。

ところが、クリスティーナが大学1年生のとき、突然父親がペニー株詐欺の容疑で起訴され、豪邸も高級車もすべて差し押さえになる。ベルフォートが自分の刑罰を軽くするために政府と取引し、クリスティーナの父親を密告したのだ。

それまで豊かな財産があると信じていた家族は、残されたのが巨額の借金だけだと知ってショックを受ける。美しく着飾り、社交界で一目を置かれることが「仕事」だったクリスティーナの母親は、現状否定のままでうつ状態になり、子どもたちを守るために立ち上がろうとはしない。アパート代や生活費を工面する方法も知らず途方にくれるクリスティーナに、勾留されていた父親が解決策を持ちかける。クリスティーナの名前なら政府に見つからずに銀行口座が開ける。そこに父の知人が生活費の入金をするという。最愛の父を信じるクリスティーナは指示に従うが、後になって父が自分のクレジットカードを使って多額の借金をしたことを知る。

裏切った父親を訴えず、借金を背負い込んだクリスティーナは、ホームレスへの転落を避けるために、低賃金の怪しくいかがわしい仕事にも手をつけるようになっていく——。

幼い頃から女優を夢見てきただけあって、クリスティーナはゴージャスな美人だ。19歳までは一般人が想像もできないような贅沢な暮らしをしてきた。クリスティーナがもし家や財産を失わなかったら、本当にそのままで幸せだったのだろうか？

After Perfect を読むと、そうは思えない。一般人が思うほど金持ちの生活は羨ましくない。人を騙してまで巨額の富を得ても、お金とはこんなにもあっさりと消えるものなのだ。

さらにクリスティーナは、美貌ゆえに悪い男たちの性的なターゲットになる。本人も、「美貌」という自分の長所を無意識のうちに利用してしまう。多くの人は「美人は得」と思っているが、クリスティーナの回想録を読むと、美人であることも、そう得だとは思えなくなる。

すべては諸行無常、盛者必衰、ただ春の世の夢のごとし……。

味噌汁とご飯で幸せになれる自分がありがたくなる本だ。（2015年8月「ニューズウィーク」）

After Perfect: A Daughter's Memoir
Christina McDowell, 2015

起業家が絶賛する ナイキ創始者の回想記

Shoe Dog

年に2度ある大きなビジネスカンファレンスで、5日間に500人近い人と話をする。そのときに、「良い本を教えてくれ」と言われることがあるのだが、2016年に最も多くのビジネスマンに薦めたのが、NIKE（ナイキ）の創業者で最高経営責任者（CEO）のフィル・ナイト（Phil Knight）が書いた回想録の *Shoe Dog:A Memoir by the Creator of NIKE*（『SHOE DOG――靴にすべてを。』）だった。

私自身も発売直後に何人もの人から「すごく良い本だから読んだほうがいいよ！」と熱心に薦められて読んだのだが、その中でも情熱的だったのが、実際に起業して会社を大きく育てた体験者や、起業家にアドバイスする立場の人だった。

ビル・ゲイツは自分の愛読書を公開することで知られているが、この本もそのひとつだ。彼の説明を読むと、なぜ起業家が *Shoe Dog* を絶賛するのかよくわかる。

星の数ほど出版されている「成功者の回想録」の多くは、鋭い起業家精神を持っている人物が世界を変えるような発想を持ち、明確なビジネス戦略を生み出し、すばらしいパートナーたちとのチームを作って、名誉と富に向かってまっしぐらに突き進む、という筋書きだ。まるで、ハッピーエンドが約束された小説のようであり、成功は「必然的なもの」と感じる。

しかし、ナイキ共同創業者のフィル・ナイトの回想記は、それとはまったく異なる。ゲイツはこう説明する。

フィル・ナイトがナイキを創業した回想記 *Shoe Dog* は、ビジネスでの成功への道のりが実際にはどのようなものかを、清々しいほど正直に思い出させてくれるものだ。それは、乱雑で、危険で、混乱に満ちた、失敗だらけの旅であり、終わりなき苦闘であり、犠牲でもある。実際に、ナイトの回想録を何ページ読み進めても、彼の会社が失敗に終わることだけが必然的なものに感じる。

ゲイツが言うように、この本の大部分は、現在のナイキを知る人がまったく想像もできなかったような「失敗物語」だ。「もうこれでおしまいだ」という状況が次から次に起こる。これがフィクションだったら、編集者から「やりすぎです。説得力ありません」と書き直しを命じられそうなくらいだ。また、世界中の誰もが知るNIKEという名前とロゴマークの「スウッシュ」が誕生した経過も、運命的な出会いではなく、意図的なものでもなく、あきれるほど行き当たりばったりだ。

成功への簡単な道のりやコツを学ぼうと思う人は、きっとがっかりするだろう。だからこそ、読むべき本だと私は思う。

また、起業や成功を考えている人にだけ役立つ本でもない。

人生とは、このようにすごく乱雑で、混乱に満ちていて、失敗だらけの旅だと教えてくれる正直なノンフィクションとして価値がある。

外からは楽そうに生きているように見えても、スムーズに成功し、幸せになっている人なんて、ほとんどいない。毎日が綱渡りで「もう駄目かもしれない」という冷や汗の連続なのだ。私にこの本を教えてくれたCEOも、フィル・ナイトのように仕事以外に使う時間などない人生を送っている。この本は、成功している人のラッキーさを羨んだり、恨んだりして自分を不幸にすることの愚かさも間接的に教えてくれる。

もうひとつ、日本の読者にとって読みごたえがあるのは、ナイトと日本との深い関係だ。

オレゴン大学で陸上選手だったナイトが靴の商売に入り込んだのは、オニツカタイガーとの出会いだった。

会社などない時点でオニツカに乗り込んで、「ブルーリボンスポーツ」という架空の会社を作ってアメリカでの販売代理店になる契約を取るところなど、今の時代では想像できないような商売だ。その後、オニツカとの関係は複雑なものになるが、アメリカの銀行が次々とブルーリボンスポーツを見捨てるなか、日商岩井が救ってくれる。

オニツカ側からはきっとナイトに対する異論があるだろうが、戦いがいがあるライバルとして私は好意的に読んだ。

この本に出てくる日商岩井は、ともかくカッコいい。日商岩井なしにはナイキが存在できなかったことがわかる。

ナイトが日本に立ち寄り、オニツカを訪問したのは、1963年、つまり二国の人々が互いを殺し合った第二次世界大戦から18年しか経っていないときだ。

戦争の記憶がまだ新しかった時代なのに、ナイトのブルーリボンスポーツ（ナイキ）、オニツカ（アシックス）、日商岩井（双日株式会社）は、協働して成長していったのだ。それを思うと感慨深いものがある。

ナイトが、オレゴン大学とスタンフォード大学の教授たちから何度も聞いた次の格言は、貿易保護主義になっている日米両方の国民たちに考えてもらいたい部分だ。

「商品が国境を通過できなくなると、兵士が国境を渡ることになる」（2016年12月「洋書ファンクラブ」を加筆修正）

Shoe Dog:A Memoir by the Creator of NIKE
Phil Knight, 2016
『SHOE DOG――靴にすべてを。』
大田黒奉之訳、東洋経済新報社

アメリカの熾烈な競争が垣間見える、グルメ版『プラダを着た悪魔』

Food Whore

2015年5月にニューヨークで開催されたアメリカ最大のブックフェア、ブックエキスポ・アメリカで新人作家のジェシカ・トム（Jessica Tom）と偶然出会い、10月に発売予定の彼女のデビュー作品 *Food Whore: A Novel of Dining and Deceit*（『美食と嘘と、ニューヨーク――おいしいもののためなら、何でもするわ』）をいただいた。

食べることが大好きで、料理本を出版する夢を持つ若い女性が、ニューヨークの熾烈なグルメ業界で恋とビジネスに格闘するという小説で、出版社の売り込みでは、ヒット映画の原作 *The Devil Wears Prada*（『プラダを着た悪魔』佐竹史子訳、ハヤカワ文庫NV）のグルメ版だという。ジャンルとしては、*Bridget Jones's Diary*（『ブリジット・ジョーンズの日記』亀井よし子訳、角川文庫）や *Confessions of a Shopaholic*（『レベッカのお買いもの日記』飛田野裕子訳、ヴィレッジブックス）などの「chick lit（チックリット、女性小説）」に属する。

私は食べることが趣味なので、旅行で初めての都市を訪問する前には、あらかじめ話題のレストランを調べて予約する。せっかくなので、その都市で最も評判が良いレストランを探索し、ときにはその店とメールでやり取りしたり、レストランでオーナーやシェフに会ったりする。そんな私にはピッタリの小説だった。

本書の主人公ティナは、名門イェール大学を卒業してすぐにニューヨーク大学の大学院に入学する。料理本を出版する夢を持つティナが食品ビジネスで有名なこの大学院を選んだのは、著名料理家ヘレン・ランスキーのインターンになるチャンスがあるからだ。

もちろんインターンの希望者は多く、競争は激しい。けれども、ティナには勝算があった。学生時代に書いたクッキーのレシピを、ヘレンが「ニューヨーク・タイムズ」で絶賛したことがあったからだ。インターン候補にとって最大のチャンスであるニューヨーク大学の特別イベントに来るヘレンのために、ティナはそのクッキーを焼いて持って行く。

ところが、「ニューヨーク・タイムズ」で連載を持つレストラン評論家のマイケル・サルツがイベント会場に現れ、アクシデントを装ってティナのクッキーを台無しにしてしまう。ヘレンとは懇意だから推薦しておくというマイケルの嘘を信じたティナは、期待に反して大学から有名レストランのコート預かり係のインターンに任命されて打ちひしがれる。

有名レストランのコート係は、レストランのすべてを裏舞台で学ぶことができる素晴らしい機会なのだが、ティナはキャリア競争に取り残されたと信じて焦る。そんなとき、敵視していたマイケルがティナの働くレストランに現れる。実はマイケルは病気で味覚を失っていて、レストラン評論家としての生命を失う危機に直面していたのだ。

学生時代から大学の料理出版物で活躍していたティナの味覚とライターとしての能力に注目していたマイケルは、あることを提案する。高級レストランで彼と一緒に食事をし、その感想を伝えてくれというのだ。こうした高級レストランは、ティナや彼女のボーイフレンドの収入ではとても行けない場所ばかりだ。味への貪欲な好奇心と、「ニューヨーク・タイムズ」の評論家から直接学べるという魅力から、ティナはこの「悪魔に魂を売る」仕事を引き受けてしまう。

タイトルの一部にあるwhoreとは売春婦という意味の俗語だ。著者のトムによると「Food Whore」とは「食べ物のためなら何でもする人」を意味する。小説の中でティナはこの「Food Whore」に成り下がってしまうのだが、そのあたりは『プラダを着た悪魔』の主人公アンドレアとよく似ている。ファッション業界も普通の人にとっては異様な世界だが、グルメ業界も突き詰めるとその異様さはひけを取らない。

■ティナは「嫌な女」?

フランスでは「ミシュランの星をひとつ失うのではないか」という噂だけで悩んで自殺したシェフもいるくらいで、プロの評論家からの評価はシェフにとってありがたく、そして恐ろしいものだ。日本でもミシュランのほうが有名だと思うが、お酒のオーダーなしで1人あたりのコストが4、5万円かかるのがあたりまえの高級レストランがひしめくマンハッタンでは、「ニューヨーク・タイムズ」のレストランレビューのほうが恐れられているようだ。星を失えば、名誉を失うだけでなく、一晩に何千ドルも費やしてくれる上客を失い、仕事も失いかねない。だから、高級レストランは覆面で来るレストラン評論家を毎晩恐れている。

料理評論家やレストラン評論家はこのように、食べ物を生み出すシェフの運命を動かす神のような存在だ。その神が人々を操ろうとしたら、どうなるのか?

Food Whore の面白さは、こうしたグルメ業界の裏側を描いているところだ。著者のトムが、主人公のティナと似たような体験をしてきているグルメだからか、私がファッションより食べ物の方が好きなせいだからか、私にとっては『プラダを着た悪魔』より面白かった。

ただし日本の読者には、主人公のティナが野心満々で自己中心的すぎるのが気に入らないかもしれない。また、何度も悪い選択をするのに、さほどのツケを払っているような気がしない。挫折はするのだが、傷が浅いうちに立ち直る希望が見えるエンディングは、ちょっと甘すぎると感じた。

しかし、この小説の神髄は別のところにあるのではないかと私は思っている。

アメリカでは、日本のように有名大学を卒業するだけでは優良企業への就職はできない。アメリカの就活で物を言うのはコネであり、親が金持ちでコネがある学生は成績が悪くても職を見つけることができる。

だから *Food Whore* のティナのように普通の家庭で育った学生は、人一倍努力しなければならない。料理本を出版する夢があるなら、大学のグルメ雑誌で記事を書き、在学中にインターンで実績を積み、奴隷のような仕事までしてコネを作り、卒業時にはすでに熾烈な競争を勝ち抜いたプロになっていなければならない。

ティナのようなグルメ業界だけでなく、どの分野でも大学や大学院卒業の時点で何年ものキャリアを持つプロであることが要求される。そうでないと希望の場所には就職できない。それがアメリカの厳しい現実なのだ。

コロンビア大学を今年卒業した私の娘の友人のなかにも、ティナとそっくりの経歴を持つ女性がいる。著者トムのように、アジア系アメリカ人で、大学のグルメ雑誌で執筆と編集をし、レストラン評論家かグルメ文筆家を目指しているらしい。だが、思ったような仕事にはなかなかありつけない。典型的な成功者の道を歩くよう求める親と縁を切った彼女は、卒業後にはコーヒー店のバリスタをしながら夢を追っている。

　ティナが「嫌な女」に見えるとしたら、それは読者の私たちの偏見なのかもしれない。彼女がやっていることは、成功を目指すアメリカ人の若い男性ならまったく普通の行動だ。女性の場合は普通の男性を超えるくらいでないと、マンハッタンの厳しいビジネスの世界では生き残れない。だから、ティナの計算高さは、むしろ中途半端なくらいだ。それでも私たちは、女性の野心を批判的に見てしまう。なぜだろうか？

　そんなことを考えながら読むと、なかなか社会勉強になる娯楽小説だ。（2015年12月「ニューズウィーク」）

Food Whore: A Novel of Dining and Deceit
Jessica Tom, 2015
『美食と嘘と、ニューヨーク――おいしいもののためなら、何でもするわ』
小西敦子訳、河出書房新社

企業を成長させる最高のマネジメントは「徹底的なホンネ」　Radical Candor

アメリカの、特にＩＴ業界では「企業文化（Corporate Culture）」という言葉が目に付く。メディアで取り上げられるのが、社内フィットネスセンター、無料グルメ・ランチ、無料ヨガ教室といったトピックなので、ただの浅はかな流行のような印象を与えがちだが、それは誤解だ。

常に競合を視野に入れて成長を続けなければならないＩＴ企業にとって、競合よりも優秀な人材を確保するのは死活問題だ。「企業文化」は企業の成長のためにある。

最近になって「企業文化」が重視されるようになったのには、社会的な変化が影響している。アメリカでも、１９６０～80年代くらいまでは、大卒のエリートにとって「大企業就職」と「終身雇用」が常識だった。当時は、大企業で平社員から社長まで上り詰めるのが典型的なアメリカンドリームだったのだが、「ミレニアル世代」のアメリカの若者は違う。

大学卒業後、必ずしも大企業に就職したいとは思わない。そして、企業への忠誠心もほとんどない。一カ所に落ち着くつもりはなく、もっと良い場所があれば、迷わず転職する。

こういった特徴を持つミレニアル世代の人材は、獲得するだけでは足りない。会社にとどまってもらい、才能を最大限に発揮してもらえるよう努力しないと、逃げられてしまう。

だからこそ、「企業文化」が重要なのであり、なかでも部下やチームを管理する「マネジメント」が注視されているのだ。だが、ミレニアル世代の超優秀な人材は、従来の「上司」では管理できない。

その部分にフォーカスを絞ったのが、本書 *Radical Candor*（『GREAT BOSS――シリコンバレー式ずけずけ言う力』）である。「*Be a Kick-Ass Boss Without Losing Your Humanity*（人間性を失わずにカッコいい上司になろう）」と副題にあるように、古いタイプの「上司」ではなく、「思いやり」という人間性を失わずして、みんなから憧れられるようなパワフルで素晴らしい「ボス」になる方法が書いてある。

著者のキム・スコット（Kim Scott）は、プリンストン大学とハーバード大学ビジネススクールで学んだ後、モスクワでダイヤモンド加工工場を開設したり、コソボの小児科医院を管理したりしたユニークな経歴を持つ。その後、アップルやグーグルなどシリコンバレーの代表的な企業で管理職を体験し、起業して失敗も体験し、ドロップボックスやツイッターなどのシリコンバレーのCEOの指導をするようになった。

キムは、そんな体験を活かしてマネジメントのコーチングをする会社 Candor, Inc. を創業した。

著者がこの「Radical Candor（徹底的なホンネ）」というマネジメント・スタイルについて考えるようになったきっかけは、グーグルに勤務した直後にシェリル・サンドバーグから与えられた非常にダイレクトな意見だった。

社内プレゼンテーションでボスたちに良い印象を与えたと自負していたキムに、シェリルは「um（あの〜、え〜っと）とよく言うのに気付いている?」と尋ねた。キムは「知ってる」と答えたが、内容さえ良ければそんな些細なことはどうでもいいのに、と感じた。

「緊張するから？　スピーチのコーチを紹介してあげましょうか？　グーグルが払うから」というシェリルの提案に、キムは「別に緊張なんかしない。ただの口癖だと思うわ」と手で振り払うようなジェスチャーをした。

「あなたの仕草は、私が言っていることを無視しようとしているみたいね」とシェリルは笑い、こう言った。

「どうやら、わかってもらうためには、とても、とても単刀直入になるしかないようね。あなたは、私が知っている中でも最高に優秀な1人だけれど、umを言い過ぎると頭が悪いみたいに聞こえるのよ」。そして、「朗報は、スピーチ・コーチがumの癖を直すのを手伝ってくれるということ。私には偉大になれる人がわかる。あなたは絶対にこの癖を直せるわ」と。

キムはそれまで何十年も人前でスピーチをしてきたのだが、それまで誰1人としてこの口癖を指摘してくれる人はいなかった。キムは以前にイベントの講演に「これまでのキャリアをずっとズボンのジッパーを開けたまま歩きまわっていたようなもの。なぜ誰も言ってくれなかったのか」とジョークを言ったが、相手の心を傷つけてはいけないという周囲の思いやりがかえってアダになるところが似ている。

シェリルとキムはハーバード大学ビジネススクールの同級生だったということもあり、すでに信頼する人間関係があった。そして、キムのことをシェリルは個人的に思いやっていた。そのうえで、「あなたは、ここを直せば向上できる」とチャレンジしたわけだ。

でも、職場でこれをしてくれるボスはほとんどいない（キムは「ボス」という言葉を気に入って使っている)。

■たどり着いた最高のマネジメント

キムには「人を侮辱するほうが、モチベーションが上がる」と信じていたひどい上司がいた。そんな経験があるので、自分がソフトウエアの会社を起業したとき、社員が仕事とお互いを愛せるような環境を作ろうとした。けれども、予期していなかった失敗をした。

「良い人だけれど、仕事ができない」というタイプの部下に率直にそれを伝えることができず、最終的に解雇するしかなくなったのだ。遠慮して「ズボンのジッパーが開いてますよ」と言ってあげなかったケースだ。

長年の体験でキムが辿り着いたのは、最良のマネジメント・スタイルが「Radical Candor(徹底的なホンネ)」だという結論だ。つまり、シェリルのような率直さだ。

わかりやすくするために、キムは二つの軸を使って説明している。

縦軸はCare Personally(心から相手を気にかける)で、横軸はChallenge Directly(言いにくいことをズバリと言う)だ。

部下を侮辱するキムの昔の男性上司は、相手への思いやりがまったくない、ただの攻撃なので「Obnoxious Aggression(イヤミな攻撃)」の範疇に入る。

そんな上司になりたくなくて、仕事ができない部下に問題を伝えて指導することができなかった過去のキムは、相手が必要としている批判や提言ができなかった「Ruinous Empathy(過剰な配慮)」のカテゴリだ。

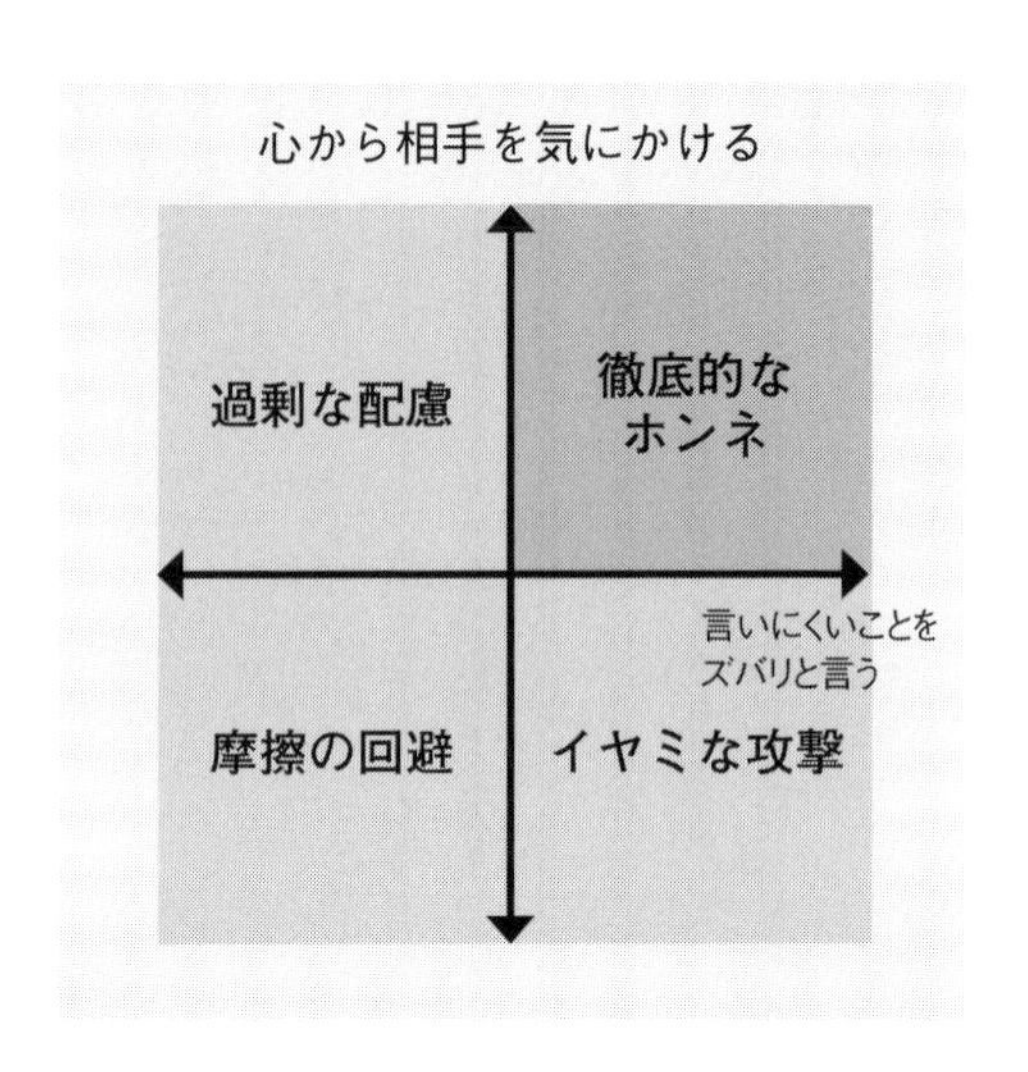

ことに職場を破壊するのが「Manipulative Insincerity（摩擦の回避）」だ。

キムの元同僚のネドは、自分の自信のなさを隠すために、公の場で他人を攻撃的にこき下ろす態度に出た。これは「Obnoxious Aggression（イヤミな攻撃）」だ。

しかし、キムを含めた同僚たちはネドを止めなかった。後で個人的に問題を指摘して改善を求める者もいなかったので、ネドは学ぶ機会がなく、攻撃性は悪化した。

キムがネドに何も言わなかったのは、「ネドはろくでなしだから話しても仕方ない」と最初から見捨てていたからだ。その自分の態度が「Manipulative Insincerity（摩擦の回避）」なのだとキムは反省する。「Radical Candor（徹底的なホンネ）」とは、相手のことを思いやりつつ、必要なことを率直に伝えることだ。

簡単なようだが、「Radical Candor」を実際に行うのはなかなか難しい。

アメリカのトップの地位に就いているトランプ大統領のマネジメント・スタイルが正反対だということからも、まだ非効率的なマネジメントがまかり通っていることがわかる。

1980年代にトランプが経営する「トランプ・プラザ・カジノ」の重役だったジャック・オドネルによると、トランプは社員から別の社員の噂を引き出し、その噂を広め、社員同士を対立し、競争させる環境を作っていた。

問題があるなら、その社員に直接伝えて解決するべきだが、トランプはその努力はせずに公の場で屈辱を与える方法を取ってきた。

本書を読んでいると、大統領になってからのトランプが、「Radical Candor」以外のすべての悪いマネジメントを行っているのが明らかだ。トランプ人事が長続きしないのは周知の事実だが、ここに理由の一つがある。

キムのコーチングが必要なのは、シリコンバレーよりもホワイトハウスかもしれない。（2017年8月「ニューズウィーク」）

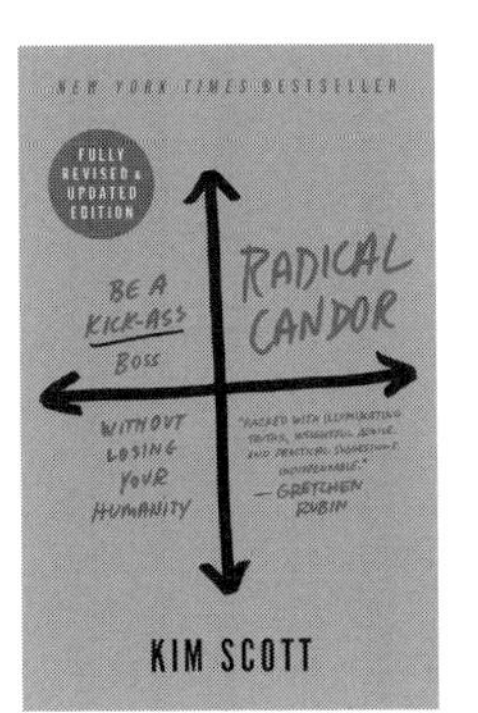

Radical Candor: Be a Kick-Ass Boss Without Losing Your Humanity
Kim Scott, 2017
『GREAT BOSS――シリコンバレー式ずけずけ言う力』
関美和訳、東洋経済新報社

輝かしい未来を末期がんで奪われた若き脳外科医の苦悩

When Breath Becomes Air

アメリカで脳神経外科医になるのは非常に難しいし、時間がかかる。

アメリカには日本のような「医学部」がなく、医師になるためには、4年制の大学を卒業してから通常4年制のメディカルスクール（医学大学院）で学ばなければならない。メディカルスクール卒業後にはレジデンシープログラム（日本で言うなら研修医の制度）があるのだが、この期間と厳しさは専門によって大きく異る。

アメリカでは、心臓外科医や脳神経外科医はスターだ（最も収入が高いのは整形外科医だが）。一人前になったら、病院から優遇され、豪邸を持ち、裕福になれる。けれども、メディカルスクール卒業後に脳神経外科のレジデントとして受け入れてもらえるのは、全米でたったの160人。しかも、一人前の脳神経外科医になるまでに7年のレジデンシープログラム。その間は、寝る暇もないほどの忙しさだ。

脳神経外科医の道を選ぶのは、メディカルスクールでもっとも成績がよく、しかも競争心が人一倍強い人だと言われている。本書 *When Breath Becomes Air*（『いま、希望を語ろう——末期がんの若き医師が家族と見つけた「生きる意味」』）の著者ポール・カラニシ（Paul Kalanithi）もその1人だ。

スタンフォード大学病院でレジデンシープログラムの激務をこなしていた脳神経外科医のカラニシは、最初からこの道を選ぶつもりではなかったようだ。子どもの頃から文学を愛し、作家を夢見ていたけれども、大学卒業後に人生の意義を考え、医学の道へと方向転換したのだ。少し道草をしたので36歳になっていたが、指導医たちから手術の腕と仕事ぶりを高く評価され、研究では名誉ある賞を受賞し、多くの有名病院からリクルートの声がかかっていた。

かといって文学の道もあきらめたわけではなく、医師としての仕事の幅を広げ、将来は著作活動をするつもりでいた。同じくインド系アメリカ人で医師かつノンフィクション作家として有名なアトゥール・ガワンデやシッダールタ・ムカジーに続くことを夢見ていたかもしれない。

けれども、「これから」というときに、骨にまで転移している末期の肺がんにおかされていることがわかった。

医師として日常的に患者の「死」とかかわってきたカラニシは、死が避けられないこととは知りつつも、患者のために戦おうとしてきたし、それが自分の責任だと信じてきた。

それを彼はこう表現している。


患者の命とアイデンティティは（医師である）私たちの手に委ねられている。だが、死は必ず勝つ。自分自身が完璧であっても、現実はそうではない。（致命的な病にかかった患者を治療するときの）コツは、すでに負けが決まった不利なトランプのカードを渡されていることを自覚することだ。判断も決断も間違うことがあることも。それでも、私たちは患者のために勝とうとする。絶対に完璧を手に入れることはできない。そう知りつつも、そこに向かって永久に漸近線で近づきつつあるのだと信じることはできる。

だが、もっと後で来ると思い込んでいた自分の死が目前に迫っていることを知ったカラニシのショックは、その叡智で静かに対応できるものではなかった。

病院のベッドに横たわったままCTスキャンで肺がんが多臓器に転移しているのを確認したカラニシの妻への言葉は、「死にたくない」だった。

アメリカでは、牧師などが心理的なケアを施すパストラルケアという制度がある。致命的な疾患をかかえた「迷える羊」のような患者が人生の大きな転換をするのを導くケアだ。だが、その導き手ではなく、羊として、迷い、混乱している自分にカラニシは気づく。

「将来の可能性」を積み上げていくのがこれまでの自分の人生だったのに、その「可能性」はもうないのだ。これまで、数限りない努力をし、計画をしてきたのに、目標に手が届きそうになったいま、それを失うのだ。

その心境をカラニシはこう書いた。

注意深く計画し、苦労して達成した将来は、もはや存在しない。仕事で馴染み深くなった「死」から、じきじきに訪問を受けたのだ。ついに、面と向かって顔を見合わせたわけだが、見覚えがあることはなにもない。何年にもわたって数えきれないほどの患者を治療してきたのだから、岐路に立ったら彼らのたどった道がはっきり見え、その後を続けばいいはずだ。それなのに、自分に見えるのは、空虚で苛酷で、からっぽで、ギラギラ照り返す真っ白な砂漠だけ。まるで、砂嵐が馴染みのある足跡をすべて拭い去ってしまったかのように。

このとき、彼は、二度と脳外科医として仕事に戻ることはないだろうと思った。
しかし、カラニシの主治医になった腫瘍専門の女医エマは、脳外科医の同業者が想像したような対応はしなかった。

まず、「(治療法による死亡リスクの違いを分析するときに使う)カプランマイヤー曲線について話したい」と求めるカラニシに対して、エマは、「Absolutely not(絶対にしません)」ときっぱり拒否した。カラニシは、「医師同士なのに!」と憤慨したが、エマはその代わりに「治療法については後で話し合います。職場復帰についても」と話を進める。

生存がかかっているというのに職場復帰などということを語る主治医にさらに憤ったカラニシだが、後にエマが正しかったことを彼は悟る。

「死ぬ」選択は、「生きる」選択でもある。

カラニシは、職場復帰しただけでなく、ぎりぎりまで自分の痛みをこらえながら脳外科医として執刀を続ける。そこには、最後の最後まで、「自分の人生の意義とは何か?」を考え、葛藤し続けた1人の人間の凄絶な生き方がある。

彼が執刀する最後の手術の場面を読んだ人は、「末期のがん患者に脳外科医として職場復帰させるアメリカの懐の深さを感じる」と感心するかもしれないし、「私なら、ここまで肉体を酷使せずにできることを探す」と思うかもしれない。

完治不可能ながんに罹患していることがわかってから、自分のもとから去ろうとしていたガールフレンドと結婚し、不妊治療をしてまで子どもをもうけたカラニシの選択を利己的だと思った読者もいるようだ。

だが、それは彼と彼の妻が当事者として悩み、選んだ人生である。

カラニシが患者として初めて悟ったように、当事者の目の前に広がる風景は、傍観者のそれとはまったく違う。

私ならどうするのかは、その立場になってみないとわからない。

だから、私は彼の人生を分析・評価するつもりはまったくない。

私たちにできることは、「自分に与えられた人生を、自分なりに意義があるものにする」だけだろう。

それが手遅れになる前に。（2016年2月「ニューズウィーク」）

When Breath Becomes Air
Paul Kalanithi, 2016
『いま、希望を語ろう——末期がんの若き医師が家族と見つけた「生きる意味」』
田中文訳、早川書房

#1 NEW YORK TIMES BESTSELLER
WHEN BREATH BECOMES air
Finalist for the Pulitzer Prize
PAUL KALANITHI
FOREWORD BY ABRAHAM VERGHESE

遺伝性難病が発覚した家族のそれぞれの選択 Inside The O'Briens

2015年のアカデミー賞では、『アリスのままで』で若年性アルツハイマーの女性を演じたジュリアン・ムーアが主演女優賞に輝いた。この映画の原作 *Still Alice*（『アリスのままで』古屋美登里訳、キノブックス）の著者リサ・ジェノヴァ（Lisa Genova）は、脳科学の研究者から作家に転身したという少し変わった経歴の持ち主だ。

リサは自ら認める完璧主義者で、高校生の頃から将来を綿密に設計していた。大学で生体心理学を専攻して優秀な成績で卒業し、ハーバードの大学院で神経科学の博士号を取得した。研究者として次々に学術論文を発表し、その一方で適齢期のうちに結婚して子どもを産む目標も実現した。まるで絵に描いたような「成功者」だったのに、まったく計算に入れていなかった挫折が訪れた。出産後、育児のために職場を離れたのだが、夫婦の仲に亀裂が入って離婚になってしまったのだ。

シングルマザーでしかも無職になったリサは、途方にくれた。精神的に落ち込んでどん底を経験しているときにふと思った。「私はこれまで他人の視点で『成功』をとらえて生きてきたけれど、挫折した今はもう失うものはない。他人の評価を気にせずに何をやってもいいとしたら、私は何を選ぶだろう?」」。そしてリサは、アマチュア劇団で演技を学び、小説を書き始めた。

リサが最初に手がけたトピックはアルツハイマーだった。かつて祖母がアルツハイマーになったとき、情報収集の過程で、介護者の立場で書かれた本は沢山あるのに、患者自身の視点を伝える本がないことに気づき、残念に思った。患者が自分の状態を説明するのはなかなか難しいことだが、科学者であるリサなら、患者や家族から話を聞いて、創作を通じて患者の視点を正しく伝えられる——。こうしてできたのが *Still Alice* だった。

アメリカには「出版社の新人賞でデビューする」というシステムがなく、作家志望者はまず文芸エージェントを見つけなければならない。これ自体が難関なのだが、文芸エージェントを見つけることができても、出版社が作品を受け入れる保証はない。リサの場合、文芸エージェントは見つかったが、作品は出版社すべてから拒否されてしまった。それでもリサはくじけなかった。

アルツハイマーの患者と家族をサポートするアルツハイマー協会に原稿を送ってお墨付きをもらい、1冊の売り上げにつき1ドルを協会に寄付するという約束を交わしてオンデマンド出版のiUniverseから2007年に自費出版した。

アマゾンなどのオンラインで販売すると同時に、アルツハイマー協会のためにブログも書き、ウェブサイトも作って読者へ直接マーケティングを行った結果、*Still Alice* はアルツハイマー患者の家族の間で大評判となり、自費出版でありながら「ボストン・グローブ」やテレビ・ラジオ番組で取り上げられるようになった。

その結果、大手出版社の Simon & Schuster が版権を獲得し、2009年に改めて出版された。そして瞬く間に「ニューヨーク・タイムズ」のベストセラーになり、2014年に映画化されたのだ。

■知るべきか知らざるべきか、遺伝性の病

その後もリサは、事故による脳の損傷をテーマにした*Left Neglected*（レフト・ネグレクティッド）、自閉症をテーマにした*Love Anthony*（ラブ・アンソニー）と、脳科学者（神経学者）の知識を活かした家族ドラマを書いてきた。そして、2015年発売の最新作*Inside the O'Briens*（オブライエン家の内情）のテーマに選んだのがハンチントン病だ。

ハンチントン病という難病の恐ろしさは、発症を止めるすべも、治療法もなく、しかも50％の確率で子どもたちに遺伝するという点だ。だから、「現在わかっているなかで最も残酷な疾患」と呼ばれている。

主人公はボストンに住む44歳の警察官ジョー・オブライエンで、高校生のときに知り合った妻ロージーとの間にできた4人の子どもたちはすでに成長している。家族を愛し、地元でも尊敬されているジョーだが、30代後半から時折かんしゃくを起こすようになっていた。そして、最近では手足が突然奇妙な動きをする。仕事を失う危機に晒されてようやく病院に行ったジョーが告げられたのは、「ハンチントン病」という耳慣れない病名だった。

病の犠牲者は、ジョーだけではない。夫との穏やかな隠居生活を待ち望んでいた妻はもちろんのこと、子どもたちにとっては自分自身の問題だ。

ジョーの長男は消防士で、長女はボストン・バレエ団のバレリーナ。身体のコントロールを失うハンチントン病が発症したら、彼らは仕事を続けることができない。遺伝しているかどうかを調べる方法はあるが、知ったところで発症を防いだり、遅らせたりする対策はない。それならジョーのように発症するまで知らないでいるほうが幸せではないか？

病はすでに進行しているので、ジョーには子どもたちに黙っているという選択肢はない。そして、病名を知らせたらネットで検索する。悩んだあげく、ジョーとロージーは子どもたちを集めて告白する――。

リサがこの小説を通じて読者に問いかけたのは、医療における「個人の選択」のジレンマだ。予防対策がある疾病とは異なり、ハンチントン病の場合には、遺伝していることが分かっても何の対策もできない。それならば知らないで生きているほうが楽なのだが、親が診断を受けてしまったら、子どももはもう「知らないで気楽に生きる」ことは選べない。だからアメリカでは遺伝子の検査をする前にカウンセリングをするのだ。検査を受けるか受けないか、本書の4人の子どもたちはそれぞれ異なった決断を下すが、そこにも現実感がある。

ハッピーエンドはもちろん期待できないが、それでも読後感は良い。なぜなら、人間は誰しもいつか死ぬ運命なのだし、それまでの時間の過ごし方は、たとえ選択肢が少なくても選ぶことができるのだから。そう気付かせてくれる優れた小説だ。（2015年10月「ニューズウィーク」）

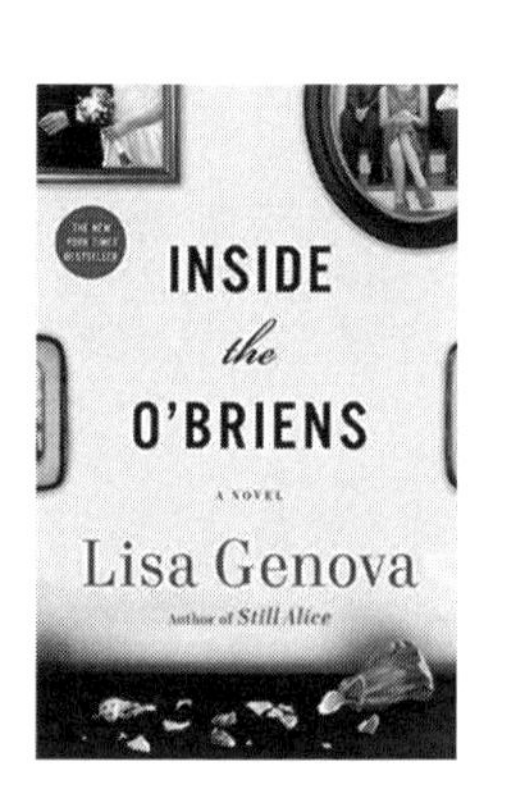

Inside The O'Briens
Lisa Genova, 2015

幻覚剤をポジティブに見直す動き

How To Change Your Mind

マイケル・ポーラン（Michael Pollan）は、２００６年に刊行した *The Omnivore's Dilemma*（『雑食動物のジレンマ』ラッセル秀子訳、東洋経済新報社）が料理界のアカデミー賞と呼ばれる「ジェームス・ビアード賞最優秀賞」を受賞し、複数の大手新聞社で「年間ベストブックス」にも選ばれて一躍有名になったノンフィクション作家だ。

The Omnivore's Dilemma は、「夕ご飯に何を食べよう?」というシンプルな問いかけから始まり、アメリカの食卓にのぼる食品を徹底的に探ったルポ。現代のスーパーではどの季節でも同じ野菜や果物が手に入るし、いわゆる「健康食」もブームだ。しかし、アメリカ人は健康になるより肥満や糖尿病がかえって増えている。

ポーランは、アメリカ人が口にするファストフードやオーガニックフードから工業的農業、有機農業、狩猟採集の食物連鎖をさかのぼり、雑食動物としての人間のジレンマを語る。アメリカ人が口にする食品のほとんどが元をたどればコーン（とうもろこし）だというショッキングな内容や、狩猟やキノコ狩りを自ら体験するところなど、面白くて印象深いノンフィクションだ。

その後も、ポーランは*In Defense of Food*（『ヘルシーな加工食品はかなりヤバい』高井由紀子訳、青志社）、*Food Rules*（『フード・ルール』ラッセル秀子訳、東洋経済新報社）など、文化や楽しみのための食事を大切にしつつ、自然なままの食品を摂ることを薦める本を書き続けていた。

ところが、ポーランの新刊*How to Change Your Mind: The New Science of Psychedelics*（あなたの意識を変える方法──ニューサイエンスとサイケデリック）は「サイケデリック・ドラッグ」がテーマだという。サイケデリック・ドラッグとは、LSD、シロシビン（マジックマッシュルーム）やヒキガエルから抽出されるDMTなどの幻覚剤のことだ。アメリカを含む多くの国で違法薬物とみなされており、厳しく取り締まられている。ポーランの健全なイメージからは想像できないテーマに驚き、かえって興味を抱いた。

ヒッピー時代を体験したアメリカのベビーブーマーの多くは、若い頃になんらかのドラッグを使用していたようだ。だが、自称「遅れてやってきたベビーブーマー」のポーランは、この本について調査をする前はLSDなどのサイケデリック・ドラッグには興味がなく、若い頃に体験したこともなかったという。そんな彼が、ノンフィクションライターとしての好奇心とプロの距離感を保ちながら書いたのがこの本だ。

マジックマッシュルームやヒキガエルは、古代からシャーマンなどにより宗教体験のために利用されてきた。

現在は厳しく規制されている薬物だが、アメリカではタバコやアルコールの依存症の治療薬として有望視され、精神心理の分野でオープンに研究されていた時代がある。

それが一変して現在のようにまともな研究者が話題にすらできなくした犯人がいるようだ。張本人としてよく名前が挙がるのが、当時のハーバード大学教授ティモシー・リアリーだ。

新進の研究者として1959年にハーバード大学に雇用されたリアリーは、翌年初めてシロシビンを使ったとき、「脳は十分に活用されていない生物学的コンピュータだ。通常の意識は、知識の大海のひとしずくでしかない。この意識と知識は系統的に拡張することができる」と思った。そこで、大学を説得して大学院生を対象にした「実験的な意識拡張」というセミナーを作った。

彼が行った「ハーバード・シロシビン計画」の初期の実験は、科学的な研究とは呼び難いものだった。対象は主婦、ミュージシャン、アーティスト、学者、作家、同僚の心理学者、大学院生といった人々で、場所は大学施設ではなく、居間だった。しかも、ムードをかきたてるための音楽とキャンドルライトつきで。そのうえ、実験を客観的に観察すべきリアリーや助教授のリチャード・アルパートたちも一緒にシロシビンを使っていたという。

リアリーとアルパートは引き続き、「幻覚剤が宗教体験を促す」という仮説を証明するためにハーバード神学校の大学院生を対象にした有名な「聖金曜日の実験」を行い、犯罪者の再犯を減らすという仮説を証明するためにコンコード刑務所で囚人を対象にした実験を行った。

だが、方法のずさんさと危険性を懸念する意見が大学の内部からも出ており、それが学生新聞を通じてマスメディアにも広まり、リアリーはハーバード大学での職を失うことになる。

リアリーはその後もヒッピーのグル的な存在としてアレン・ギンズバーグなど多くの著名人とつながり、反戦運動の思想リーダーになり、オノ・ヨーコとジョン・レノンから「ベッドイン」イベントの収録に誘われた。余談だが、ビートルズの「カム・トゥゲザー」は、リアリーがカリフォルニア知事選に出たときの応援ソングとして作られた曲である。

彼だけのせいではないが、リアリーというスター教授の貢献でサイケデリック・ドラッグは悪名が高くなり、まともな研究ができない状態が続いてきた。だが、最近になって、シロシビンやLSDを治療として使う研究が進められているという。

シロシビンやLSDは、現在アメリカで大問題になっているヘロインなどとは異なり依存性がない。潜在的な精神疾患を持っている人は、サイケデリック・ドラッグが発症のトリガーになる可能性があるので禁忌だが、過剰摂取で死亡することもない。かえって、ヘロイン、タバコ、アルコール依存症から抜け出すために非常に有効だという結果が出ているという。

だが、それ以上に関心を集めているのが「精神の拡張」や「宗教的体験」だ。マイケル・ポーランが取材した多くの人たちが、自我が解けて大きな世界と融合するような「悟り」の体験をしている。また、末期がんの患者がサイケデリック・ドラッグでの体験により死を恐れないようになり、「本当に大切なのは愛だ」という悟りを開き、1度の体験だけで心の平和を継続できたというケースもある。

もうひとつの大きな動きは、「サイケデリック・ドラッグが、これまでなかった発想を生み出し、クリエイティビティを増加させる」と信じる人たちが生まれているということだ。スティーブ・ジョブズはLSDの愛好者だったといわれるが、同じような理由で最近シリコンバレーでの愛用者が増えているという。

しかし、新しい技術や製品を生み出すための起動エネルギーになると信じる人が増えたら、乱用される恐れも出てくるだろう。

ノンフィクション作家としてのポーランの優れたところは、愛好者のポジティブな体験談を鵜呑みにせず、実際に自分で試しているところだ。しかも、異なるセッティングで何度も。マジックマッシュルームを1個全部食べるところでは、読んでいるこちらがハラハラしてしまう。

読者にとっては、悟りを開いた人たちの大絶賛よりも、ポーランの率直な体験談のほうが信頼できるし、興味深く感じる。ポーランは人生を変えるようなスピリチュアルな体験はしなかったが、家族への愛やつながりを確信するような幻覚を体験した。そのポジティブな効果はしばらく続いたが、強い肯定者が断言するように永久に続く悟りのようなものではなかったようだ。

一般人が知らないサイケデリック・ドラッグについてのポジティブな情報が多いが、「だからサイケデリック・ドラッグはすばらしい！」というセールストーク本にはなっていない。最初から最後まで、ポーランは健全な客観性を保っている。だからこそ、*How to Change Your Mind* は、読みごたえがあるノンフィクションになっている。（2018年6月「ニューズウィーク」）

How to Change Your Mind: The New Science of Psychedelics
Michael Pollan, 2017

ネットビリオネアが牽引する21世紀の宇宙探検

The Space Barons

アポロ11号が無事月に着陸したのは1969年7月20日のことだった。多くのアメリカ人が家族揃ってテレビの前で待ち構え、人類が初めて月の上に降り立つ画期的な瞬間をわかちあった。

当時9歳だった私は日本在住なので同じ体験こそしなかったが、「アポロ熱」は共有していた。SFが好きで後にアシモフの『銀河帝国の興亡』（ファウンデーションシリーズ、厚木淳訳、創元推理文庫）に熱中した私は、ガジェット好きの叔父が購入した望遠鏡でやや引き伸ばされた月面を観ながら、そこに立っている宇宙飛行士を想像した。そして、「自分が大きくなるころには月だけでなく、ほかの惑星にも簡単に行けるようになるだろう」と宇宙旅行をしている自分を夢見た。

後に世界中で同世代の人と出会って知ったのは、1969年にアポロの月面着陸を体験した世界中の子どもたちが、私と同じような夢を抱いていたということだ。ところが、半世紀経った現在人類は月にすら戻っていない。それも、私の世代の宇宙ファンに共通する嘆きだ。

あの頃にはSFの世界でしか実現できなかったようなインターネットやスマートフォンを一般人が毎日利用しているというのに、有人ミッションはアポロ計画に続くアメリカの宇宙ステーション「スカイラブ」から現在の国際宇宙ステーションまで地球の軌道上にとどまっている。技術は発達しているはずなのに、なぜなのか?

2011年、ケープ・カナベラルで開催された宇宙飛行士奨学金のチャリティイベントで3日間宇宙飛行士らと一緒に過ごした。朝食で私の隣に「ここ、空いてますか?」と座ったベテラン宇宙飛行士と雑談しているとき、この素朴な質問をしてみた。彼は結婚式場にも使われる大ホールの天井を指さしてこう言った。

「天井の電灯が全部ついているでしょう? これがアポロ計画までのNASAの資金だったんです。現在のNASAは、僕たちが座っているテーブルの上だけがついている状態。天井全部の電灯をつけることができたら、火星にもすぐ行けます。全然不可能ではありません」

つまり、お金の問題なのだ。

有人ミッションには膨大な資金がかかる。税金を使うNASAの場合には、国民の支持がなければそれだけの予算を確保することはできない。アポロ11号が月面着陸を果たす3年前、NASAは国家予算の4・4%という巨額を受け取っていた。当時のアメリカにとって、ソビエト連邦より先に「アメリカ人」を月に降り立たせるのは国を挙げてのミッションだった。宇宙飛行士はアメリカ国民にとってスーパーヒーローであり、国民は膨大な税金を宇宙計画につぎ込むことを許したのだ。

NASAによる有人ミッションが消滅の方向に切り替わったのは、皮肉なことにアポロ11号が月面着陸を果たした日だった。

宇宙開発競争のライバルだったソビエト連邦に大勝利したことにアメリカ国民は歓喜し、満足した。だが、それと同時に月や宇宙探索への情熱も失った。月に行けないソビエト連邦などはもはやライバルではない。ライバルを失ったことでアメリカ国民は宇宙計画への興味を失い、NASAの予算は削減され、当初予定されていたアポロ18、19、20号はキャンセルされた。NASAに与えられる資金は急速に減り、1990年代にはすでに国家予算の0・5%以下になっていた。

家族全員が1台の小さな白黒テレビの前に集まってニール・アームストロングが月に降り立つのを見た時代とは異なり、2020年を目前にした現在は情報や娯楽の選択肢に限りがない。この時代に、宇宙への有人ミッションに関して60年代の宇宙開発競争に匹敵する興奮を国民に与えることはできない。これまでもそうだったが、今後も国家予算から大金を得るのが容易になるとは思えない。

■ビリオネアたちの宇宙事業への夢

月面を歩いたアポロ宇宙飛行士たちが高齢化し、アメリカが壮大な夢を忘れそうになっているときに宇宙の夢を引き継ぐ決意をした者がいる。1990年代から2000年代にかけてのインターネットブームで大金を手にしたビリオネアたちだ。

主要な立役者は、昨年10月にビル・ゲイツを抜いて世界一の富豪になったアマゾン創業者のジェフ・ベゾス、テスラCEOのイーロン・マスク、マイクロソフト社の共同創業者ポール・アレン、ヴァージン・グループ創設者のリチャード・ブランソンだ。

彼らビリオネアによる宇宙ビジネスについて詳しく解説するノンフィクションが、２０１８年3月に2冊同時に発売された。

The Space Barons: Elon Musk, Jeff Bezos, and the Quest to Colonize the Cosmos（『宇宙の覇者ベゾスvsマスク』）の著者は「ワシントン・ポスト」で宇宙事業や防衛事業を専門とする記者のクリスチャン・ダベンポート（Christian Davenport）で、*Rocket Billionaires*（ロケット大富豪）の著者は新進のビジネスメディア「クオーツ」の記者であるティム・ファーンホーズだ。

どちらの本もマスクとベゾスの競争に焦点を当てており、読み応えがある。そのうえで、私は*The Space Barons*のほうが人間ドラマを感じて入り込みやすいと感じた。

*Rocket Billionaires*のファーンホーズもマスクに取材するなど徹底しているが、ベゾスから率直な意見を聞き出したダベンポートのほうにより大きな価値を感じる。というのは、オープンなマスクとは違って、ベゾスは自分のプライバシーを徹底的に保護する秘密主義だからだ。ダベンポートはベゾスが所有する「ワシントン・ポスト」の記者だが、その有利な立場でも取材許可を得るのには時間と努力を要したようだ。また、ダベンポートの語り口は、私たちの世代が忘れかけていた夢を思い出させてくれた。

この2冊のノンフィクションからわかるのは、これらのインターネット起業家が、何世代にもわたって親から子に富を受け継いで増やし続けた「オールドマネー」とは考え方も行動も異なるということだ。彼らは、富をわが子に渡すために貯め込もうとはしない。それよりも、資金確保のために国民の支持を得る必要がない私的財産の利点を活かし、リスクが非常に高い宇宙事業を始めたのだ。この志の大きさに心を打たれる。

近い将来に利潤を得る可能性がほとんどない高リスクの宇宙事業に彼らが手を出したのは、マスクやベゾスが「自分の子どもや孫」といった小さな視野ではなく、「地球と人類」という大きな視野で未来を考え、そのために何かをしたいと切望したからだ。

これらのビリオネアらは、みな子どものころからのSFファンだ。

マスクはお気に入りのSFのひとつにアシモフの「ファウンデーションシリーズ」を挙げているが、人類が地球を離れて火星など別の惑星に居住地域を広げていく発想は、ここから来ている。

また、ベゾスが宇宙開発企業「ブルーオリジン」を創業したとき、社員はSF作家のニール・スティーヴンスンだけだった。月が破壊した影響で地球上の生物が絶滅するという2015年刊行の超大作SF *Seveneves*（『七人のイヴ』）には、ベゾスを連想させるビリオネアも登場する。

こうした共通点はあるが、宇宙事業に対するマスクとベゾスの考え方やアプローチは異なる。

マスクは失敗も成功もおおっぴらに公開するし、自分が正しいと思うことを実現するためならば、提携相手のNASAですら訴訟する。まさに「猪突猛進」といった感じだ。

しかし、ベゾスは寓話の「ウサギとカメ」でゆっくり着実に進むカメを目指し、それを会社のモットーにしている。

マスクのスペースXは火星に自給自足可能な居住地を作る計画を立て、2022年に最初の貨物船を送ることを目標にしている。

いっぽうのベゾスは火星移住計画には乗り気ではない。取材したダベンポートに「考えてごらん。（火星には）ウイスキーもないし、ベーコンもないし、水泳プールもないし、海もないし、ハイキングもできないし、都心もない。いつか火星はすばらしい場所になるかもしれない。でもそれは、ずっとずっと未来のことだ」と答えた。

地球が住めなくなる未来に備えて人類を火星に移住させる計画よりも、地球という「貴重なもの」を保存したほうがいい。つまり、「宇宙は地球を温存するために使うもの」というのが、ベゾスの考え方だ。

高校をトップの成績で卒業したベゾスは、卒業式で「地球は国立公園に指定して温存するべきだ」といった内容のスピーチをした。それから40年後、ベゾスは「国立公園」を「居住区と準工業地域（light industrial）」に置き換えて、同じようなスピーチをした。エネルギー資源は隕石や月など宇宙で発掘し、製造業も地球外に移動させ、地球はそのまま手付かずにする。それがブルーオリジンの大きな目標だ。

目指す目標も性格も異なるこれら2人のライバルは、ことあるごとに相手を挑発しあってきた。この2冊の本にも描かれているが、ときにはツイッターで大人げないやりとりもしている。

しかし、それは決して悪いことではないと思う。

アポロ11号が月面着陸を果たしてソビエト連邦に勝った後、アメリカで宇宙開発事業が衰退した状況についてダベンポートは「競争相手の不足は、自己満足をもたらす」と説明していた。

マスクがリスクを取って突き進んでいくためには陰で蠢くベゾスの存在が、カメのベゾスにとってはウサギのマスクが刺激になっている。

ダベンポートはこう書いている。

「実際のところ、彼らは互いを必要としている。ライバル意識は、つまるところ、最高のロケット燃料だったのだ」（２０１８年４月「ニューズウィーク」）

The Space Barons: Elon Musk, Jeff Bezos, and the Quest to Colonize the Cosmos
Christian Davenport, 2018
『宇宙の覇者　ベゾスvsマスク』
黒輪篤嗣訳、新潮社

VII 恋愛と結婚

コメディアンが解く
アメリカの恋愛社会学

Modern Romance

日本ではほぼ無名の存在だが、アジズ・アンサリ（Aziz Ansari、ファンはシンプルにアジズと呼ぶ）はアメリカの若者の間で大人気のコメディアンだ。

両親はインド出身のイスラム教徒で、父親は消化器系の専門医、高校までは理数系の進学校……という「真面目で優秀なインド系アメリカ人」のステレオタイプだったのに、なぜか無宗教のスタンドアップコメディアン（日本の漫才を1人でやるような感じ）になってしまったというユニークな人物だ。今はテレビのコメディドラマで俳優もやっている。

私もアジズのライブを観たことがあるが、多少お下劣なことを口にしているときでも知性が透けて見える。そういうところが大学生にもウケるところだろう。

2015年になって「アジズが本を書いた」という噂を聞いたときには「よくあるユーモア回想録だろう」と思った。人気コメディアンの回想録はたくさんあるし、しかもよく売れる。アジズが書いたものなら、「ニューヨーク・タイムズ」ベストセラーリストのナンバー1は間違いなしだ。

ところが、アジズが書いたのは回想録ではない。ニューヨーク大学の社会学教授エリック・M・

クライネンバーグ（Eric Klinenberg）と共著したという*Modern Romance*（『当世出会い事情——スマホ時代の恋愛社会学』）だ。こういうところが普通のコメディアンとは違う。

社会学の本だからちゃんと調査もしているし、データもある。それを示すグラフもたくさん掲載されているので、ハードカバーで読もうと思ったのだが、読み比べた後でオーディオブックの方を選んだ（データも言葉で説明してくれる）。なんといっても、アジズ自身が読んでいるのがいい。紙媒体で読むより、ずっと彼のユーモアのセンスを感じる。

その内容は、インターネットによって男女の恋愛・結婚観や行動がいかに変わったのかを検証するものだ。

2世代前には人々は自宅の周辺で結婚相手を見つけ、最高にハッピーではなくても、まあまあ満足して添い遂げた。ところが現在はスマートフォンひとつで、ティンダーといったソーシャルメディアを使い、数えきれないほどの「潜在的デート相手」を得ることができる。

選択肢が増えたら、好きな相手を見つけて幸せになれる人も増えそうなものだが、アジズと共著者エリックの調査では、そうではないらしい。昔の人はパートナーに多くのものを求めなかったが、最近の若者は完璧な「ソウルメイト（深い精神的な繋がりを感じる運命的なパートナー）」を求める。昔なら全然モテなかったような人でもスマートフォンのアプリでより好みをするようになり、なかなか相手を決めることができない。ようやくデートを実現しても「ほかにもっと良い人がいたかもしれない。選択を間違ったかも……」と満足できなくなっているというのだ。

とすると、選択肢が少なかった昔の人のほうがずっと幸せになりやすかったことになる。

また最近のアメリカの若者は、付き合っている相手と別れるときも携帯電話のテキストメッセージ1行で済ますらしい。実際に会うどころか電話もかけないのだ。

アジズが書いているのは大げさなことではない。

先日私の友人が、「13歳の息子が忘れていったiPhoneにメッセージが浮かび上がったのでふと読んだら、たった1行のお別れメッセージだったのよ。それまでガールフレンドがいるのも知らなかったわ。最近の子って冷めてるわね」と、呆れていた。

このように、インターネットの普及によってアメリカの恋愛事情はどんどん変わっていて、私の年代の人々は「今の若者でなくてほんとによかった」と、正直な胸のうちを告白する。「こんなに面倒なら恋愛なんてしなくてもいい、と思っていたかもしれない」と。

■アメリカ人には理解できない日本の草食男子

アジズは国際的な恋愛事情を比較するためにいくつかの国を訪問していて、そのひとつに選んだのが日本だ。彼はかつて訪問した日本が気に入ってしまったらしく、「現地調査」という言い訳で遊びに行きたかった感がある。コメディアンらしく「美味しいラーメンがあるから」と理由を書いているが、今月ボストンで開催されたInboundというイベントでの共著者対談では、海外の恋愛事情で「最も興味深かったのは日本だった」と語っている。

その理由は、「セックスレスな若者」と「草食男子」の存在だ。

性欲たっぷりのはずの年齢なのに「触られるのも嫌」という若者がたくさんいるという日本の話に、対談を聞いていた約1万人の聴衆は大爆笑。アメリカ人にとっては、それくらい想像を絶する現象なのだ。

アジズによると東京と正反対なのがアルゼンチンのブエノスアイレスらしい。ここでは、男女ともに軽く性交渉を持つ傾向があり、本命のほかにもセックスのみの友だちが複数いるのも珍しくないという。こちらのカジュアルさも、アメリカ人にとっては理解しがたいものだ。

この本を読んで、「アメリカはまだまだ結婚や恋愛に夢を抱いている国なのだ」と再認識した。そして、「たとえ両親がどの国の出身であっても、アメリカ人として育った人はアメリカ式の恋愛観を持つものなのだ」と感心したのだった。（2015年9月「ニューズウィーク」）

Modern Romance
Aziz Ansari, 2015
『当世出会い事情——スマホ時代の恋愛社会学』
田栗美奈子訳、亜紀書房

現代アメリカの底辺で芽生えた絶望的な愛の物語

Preparation for the Next Life

男性作家と女性作家が描くラブストーリーは微妙に異なる。女性作家のほうが現実的で、男性作家は理想的な純愛を描こうとする傾向があると思っている。ペン／フォークナー賞を受賞したアティカス・リッシュ（Atticus Lish）の *Preparation for the Next Life*（来世のための準備）にもそれを感じた。

この小説は、砂漠から来た異邦人の少女と、砂漠で目撃した地獄から抜け出せないでいる若い元兵士がニューヨークの底辺で出会い、恋に落ち、わずかな希望の光を追う、美しくも、非情なラブストーリーだ。

ズー・レイは、中国の北西部（新疆ウイグル自治区と思われる）でウイグル族の母と、中華人民共和国軍の兵士で漢民族の父の間に生まれ、両親の死後、生き延びるために長い旅を経てアメリカに密入国した不法移民だ。

いっぽうのブラッド・スキナーは、イラク戦争での大怪我とPTSDがあるにもかかわらず、除隊を許されるまでに2度もイラクに戻らされた元兵士である。

ニューヨーク市は、人口が多くても、孤独な者はさらに孤独になる場所だ。ウイグル族ハーフゆえに普通の中国人には見えないズー・レイは、不法移民の中国人たちの間でも仲間はずれにされており、田舎出身のスキナーにとってもニューヨークは異国に近い。2人を引き寄せたのは、互いの中にある深い「孤独」だった。

後遺症をドラッグや酒で誤魔化し、仕事もせずに除隊時に得た軍からの給与をつかい果たすだけのスキナーと、どんな逆境でも生き延びるための対策を練り、軍人の父から学んだように肉体を酷使して堅実に働いて生きようとするズー・レイは、まったく異なる類の人間だ。この2人が相手の中に見出すのは、絶望の中の僅かな光なのである。

ニューヨークを舞台にした「ニューヨーク小説」は毎年数えきれないほど刊行される。現代の愛を描いた小説もそうだ。面白い本も沢山あるが、*Preparation for the Next Life* ほど胸に響き、忘れられない小説はめったにない。読了後、夢の中でもずっと考えていたくらいだ。

何がこのデビュー作を特別にしているのだろう?

まず、この小説に描かれている現代アメリカには、作りものの胡散臭さがない。

イラク戦争の後遺症に苦しむスキナーが溺れる者が藁を掴むようにズー・レイにしがみつく心境や、現実的な視点を持ちつつも希望を探そうとするズー・レイの雑草のような強さは、ふつうの恋愛小説にはないリアリスティックなものだ。同時テロ後にブッシュ政権がテロ対策として作ったPatriots Act(愛国者法)で非人間的に扱われる不法移民、その不法移民を活用しているアメリカ経済、虐げられている者同士の差別、など現代アメリカの底辺の日常が細やかに描かれている。

また、リッシュの文章はゾクゾクするほど詩的で洗練されている。スタッカートのような短い文章の連続で、私たちが知らないニューヨークの街角や、戦争の酷いシーンや、砂漠の風景が、鮮やかに浮かんでくる。

こういった作品が書けるのは、著者のリッシュが中国で英語を教えたり、米軍海兵隊に従軍したり、そのほかにも数々のブルーカラーの仕事をこなした経験があるからだろう。そして、ベテラン作家のような文章は、レイモンド・カーヴァーの編集者だった父のゴードン・リッシュから影響を受けているのかもしれない。直接父から学んでいなくても、文学に囲まれて育ったという意味で。

だが、教えて学べるようなテクニカルな部分を超越しているのが、この本の魅力だと私は思う。どこにも愛すべきところがない人物に感情移入させ、センチメンタルになりそうな設定では覚めた視線を保ち、他の作家が文芸小説としての技巧を優先しそうなところで登場人物の生の感情を晒す。この絶妙のバランスに、気づかないうちに胸を摑まれている。

21世紀初頭のアメリカを代表する小説として後の時代に残すべきラブストーリーだと思った。

ところで、この本を出版したTyrant Books（タイラント・ブックス）というのは風変わりな小規模の出版社で、大手出版社が手を出さない（拒否する）ような作品ばかりを選んで出版することで知られている。
リッシュの *Preparation for the Next Life* もそのひとつで、2014年末に（大手出版社が力を入れる作品のようにハードカバーではなく）ソフトカバーで出版されたときには、沢山売れることなど期待されてもいなかった。ところが、思いがけなくヒットし、多くの文芸賞まで受賞することになったのである。（２０１４年11月「洋書ファンクラブ」掲載レビューを加筆修正）

Preparation for the Next Life
Atticus Lish, 2014

ボストンのキャリアウーマンが大阪の主婦になった実話

The Good Shufu

日本人の国際結婚は、もう珍しくない。直接知っている人がいなくても、知り合いの知り合いや、遠縁まで探せば1組くらいは見つかるだろう。

日本人男性とアジア系の女性との結婚もよくあるが、日本での「国際結婚」のステレオタイプと言えば、日本人女性と白人男性の組み合わせではないだろうか？

ところが、「ボストングローブ」が注目の1冊として取り上げるほどアメリカで話題になっている *The Good Shufu: Finding Love, Self, and Home on the Far Side of the World*（『米国人博士、大阪で主婦になる。』）は、そんな日本の「国際結婚」のイメージをくつがえす本だ。

著者は、ボストン郊外の裕福な家庭で育った白人女性トレイシー・スレイター（Tracy Slater）。ユダヤ系の教育熱心な家庭で育ったトレイシーは、男性に頼らず自立している自分を誇りにしてきた。大学で教鞭を取るかたわら、囚人相手の文章教室でボランティアの講師を務め、ボストン周辺の作家がファンと触れ合う文芸サークル「Four Stories（4つの物語）」を立ち上げ、多くの友人に囲まれて充実した生活を送っていた。

とりたてて外国に興味はなかったし、エキゾチックな恋に憧れたこともない。結婚相手としてのスペックが揃っていて、母親を喜ばせるような高学歴、高収入のユダヤ系白人男性と付き合ったことはあるが、結婚したいほどの情熱を抱けずに30代になってしまった。

それでも焦りなど感じていなかったトレイシーが、あろうことか、英語がそれほど達者ではない日本人男性と恋に落ちてしまった。そして2国間を行き来する長距離恋愛の末に、トレイシー自身が日本語もろくに話せないのに、大阪で「主婦」になってしまったのだ。

これが小説なら、「現実味がない」と却下されそうな筋書きだ。

というのは、ふつうの国際結婚の場合、一方が相手の言語や文化に興味を抱いているか、少なくともある程度の理解をしているものだ。

このトレイシーとおるのケースは違う。トレイシーは小遣い稼ぎのためにビジネススクール留学中のアジア人ビジネスマンに英会話を教える短期の仕事を引き受けただけだし、とおるの場合は会社の命令でボストンに派遣留学したにすぎない。どちらも相手の言語や文化には興味すら抱いていなかった。

2人の運命を変えたのは、突然空から降ってきたような理屈抜きの「恋」である。

それにしても、「こんなに話が通じないのに、大丈夫なのか?」とハラハラさせられる2人だ。ボストンと大阪という距離の問題もある。どちらも住みかを移動させたら職を失う。自分と同じように裕福なユダヤ人男性と結婚してほしいトレイシーの母親は遠まわしに反対を続けるし、難問だらけ。それなのに2人は、障害を次々に乗り越えて何年もかけて深い愛情と絆を築き上げていく。

トレイシーの体験談を読みながら感じたのは、「カップルの言語と文化が同じではない」というのは、もしかすると欠陥ではなく利点ではないかということだ。

母国語ではない言葉で語り合うと、頻繁に誤解が生じる。けれども、流暢な言葉でごまかせないほうが、人間性は露呈しやすいものだ。言葉以外のコミュニケーションに頼るしかないので、勘が働く。それに同国人が相手の場合は、相手が自分の心を読まないときに腹が立つが、外国人が相手だと、わかりあうための努力をし、譲歩する。当然のことだが、努力や譲歩をしたほうが関係は長続きする。

私は東京で知り合ったアメリカ人と結婚して現在はボストンに住んでいる。そして、故郷は大阪の隣の兵庫県だ。だから著者のトレイシーとは微妙に逆の立場なのだが、大切な人とその人の国に対する心境の移り変わりは似ている。そして、相手を理解する努力と感謝の気持ちも、だ。

何よりも *The Good Shufu* の魅力は全体に漂う暖かい雰囲気だ。

トレイシーとおるは、若いカップルではないのに、青春小説の主人公たちよりずっとキュートだ。彼らの体験談は、よくあるロマンス小説よりずっとロマンチックで、ときに目が熱くなり、胸がキュンとする。

妻を亡くして孤独になったとおるの父親とトレイシーの関係もいい。日本人同士でなかったからこそ、互いの努力への「ありがたさ」を感じ、特別な嫁舅の関係ができたのかもしれない。

家族との関わりを改めて考えさせてくれる本だ。（2015年8月「ニューズウィーク」）

The Good Shufu: Finding Love, Self, and Home on the Far Side of the World
Tracy Slater, 2015
『米国人博士、大阪で主婦になる。』
高月園子訳、亜紀書房

滑稽で、切ない、中年ゲイ作家のミッドライフ・クライシス

Less

ゲイの作家アーサー・レスは、50歳という人生の大きな節目を目前にしてパニック状態になっている。

若き頃のデビュー作はそれなりに評価されたものの、それ以降の作品は鳴かず飛ばずで、長年の文芸エージェントから最新の自信作を却下された挙げ句にクライアントとして見捨てられてしまう。そのうえ、別れた年下のボーイフレンドが結婚するという。

元ボーイフレンドの結婚式に招待されたアーサーは、断る言い訳を作るために海外からの仕事の依頼をすべて引き受け、長い旅にでかけた。だが、二流作家のアーサーにやってくる仕事はどこかタガが外れている。

メキシコのイベント主催者は世界的に有名なある詩人を招待したかったのだが、詩人が登壇できないために、かつて彼の恋人だったアーサーが「天才詩人をよく知る人物」として代役に選ばれたのだ。そのパネルディスカッションで、アーサーは司会者から「自分が天才ではなく凡才だと自覚しながら書き続けるというのはどういう感じですか？」と歯に衣を着せない質問を受ける。

イタリアではある文芸賞の最終候補として招かれたが、その場に行ってから受賞者を決めるのが高校生だと知る。そして、自分の作品がイタリアで評価されているのは、原作者の自分ではなく翻訳者に才能があるのだと悟りを開く。

「ドイツ語が流暢」だと自負するアーサーはドイツで短期間の非常勤大学教授の役割を引き受けたのだが、行きずりの肉体関係を持った学生から「子どもみたいなドイツ語を話す」と笑われるまで、自分のドイツ語が「流暢」とは程遠いことを自覚していない。

エージェントから拒否された小説を書き直すために選んだインドの静養施設は1日中騒がしくて精神集中など不可能であり、暗示的な精神体験をした京都では400年の古い歴史を持つ扉に閉じ込められる。

アクシデントだらけの世界の旅の途中、アーサーは、天才詩人や年下の元恋人との過去を振り返り、愛について考える。そして、簡単に愛を捨てた自分の心の奥を直視するようになる。

アンドリュー・ショーン・グリア（Andrew Sean Greer）の *Less*（『レス』）は、最近読んだ小説の中で最もユーモアがあり、笑える作品だった。しかも、笑いを狙った商業的小説を含めてだ。

その理由は、グリアの人間観察と洞察力の深さ、巧みな表現力にある。たとえば、50歳の誕生日を目前に控えたアーサーが、わざわざドイツの出版社に電話して本の誤植を指摘する場面だが、少々外れたドイツ語で「僕が生まれたのは1965年であって、64年ではありません。50歳じゃなくて、49歳です」と主張する。他人にとってはどうでもいいようなことに時間と労力を費やすこの行動には、ただの見栄ではなく、年老いることで自分のアイデンティティを失う恐怖がにじみ出ている。このこだわりをアーサーがあまり自覚していないところに笑いがあるのだ。

著者のグリアはアーサーより5歳年下なのだが、それ以外は非常によく似たプロフィールだ。アーサーの文芸エージェントは最新作を「中年の白人のゲイ作家の自己憐憫的な心境を綴った本など誰も興味を持たない」といった理由で却下するのだが、この作品を暗に自嘲していることがわかる。

その「中年の白人ゲイ作家」のアーサーは、見栄っ張りで、軽薄で、自己憐憫が強く、浮気性で、一見救いようがない。だが、彼に付き添って世界中を旅するうちに、読者はアーサーを愛さずにはいられなくなる。その偉業を成し遂げたグリアは、ピューリッツァー賞を受賞するに値するすばらしい作家だと思った。

ところで、文中の登場人物が「賞を取ったら作家はおしまい」みたいなことをアーサーに言う場面があったが、ピューリッツァー賞を受賞したグリアがそうならないことを祈っている。（2015年9月「ニューズウィーク」）

Less
Andrew Sean Greer, 2017
『レス』
上岡伸雄訳、早川書房

結婚は個人的なものであり、かつ社会的なものである

An American Marriage

結婚1周年を迎えたロイとセレスティアルは、高学歴で中流階級の新世代黒人カップルの代表的存在だ。野心家のロイは若きエグゼクティブとしてさらにリッチな将来を夢見ており、人形アーティストのセレスティアルもブレイクアウトしようとしている。親の世代とは異なり、人種を超えた裕福なアメリカン・ライフをまさに手にしようとしていた。

だが、多くの夫婦がそうであるように、彼らは悩みがない完璧なカップルではなかった。ロイは浮気性のようだし、アーティストとしてのセレスティアルの仕事を趣味のように見下げるところがある。そして、古い男女の役割を信じる労働者階級のロイの両親と、裕福な家庭出身で自立心が強いセレスティアルとの仲はぎくしゃくしている。

セレスティアルにとって苦痛でしかないロイの実家訪問を終えた夜、2人が泊まっていたホテルでロイが逮捕された。レイプの被害者がロイを誤認し、犯人だと訴えたのだ。セレスティアルもロイも彼が無実だと知っているが、弁護士の無能さでロイは有罪判決を受け、12年の懲役刑を言い渡されてしまう。

引き離された2人は手紙で愛と忠誠を誓うが、2人が一緒に過ごした時間よりも、離ればなれの時間のほうが長くなり、心も離れていく。

セレスティアルは、孤独と戦いながらも1人でアーティストとしてのキャリアを築いていくが、それをロイの両親は快く思わない。また、無実の罪で服役しているロイは、自由に羽ばたいているかのように見える妻に嫉妬や怒りをぶつける。

セレスティアルの叔父の尽力で有罪判決が覆され、5年後にロイは出所することになった。しかし、2人の愛は、この5年間に変貌していた……。


黒人女性作家タヤリ・ジョーンズ（Tayari Jones）の *American Marrige*（あるアメリカの結婚）はオプラ・ウィンフリーの「Oprah's Book Club（オプラの読書会）」のおすすめ本に選ばれ、全米でベストセラーになった。黒人だというだけで有罪判決を受け、しかも長期の禁固刑を受けやすいアメリカ独自の人種差別問題を浮き彫りにしている。また、黒人男性ゆえに無実の罪で投獄されたロイへの「黒人としての義務」として、自分の娘の幸福や選択の自由よりも婿の権利を優先するセレスティアルの父親の態度も印象深い。

だが、アメリカの人種差別問題だけを扱っているわけではない。「結婚」というシステムが男女の間だけでなく、家族たちにもたらす普遍的な問題の数々を取り扱っている。だからこそ、アメリカで大ベストセラーになったのだろう。

この作品について、20代の娘と感想を話し合ったのだが、「登場人物（特にセレスティアル）の行動が自分には理解できない」という部分で意見が一致した。それが文化的なものなのか、それとも著者自身の個人的な体験から生まれた考え方なのか、それはよくわからない。

けれども、そういったところが、「book club（ブッククラブ、読書会）」に適しているのかもしれない。アメリカではグループ全員が同じ本を読んで集い、ワインやディナーを楽しみながら語り合う「ブッククラブ」が普及している。そういった読書会で、どのあたりに共感し、どのあたりに反感を覚えたのか、自分ならどうするのかを語り合うときっと面白い作品である。（2018年3月「洋書ファンクラブ」掲載レビューを加筆修正）

An American Marriage
Tayari Jones, 2018

結婚と愛を持続させる難しさを考えさせる大衆小説

The Arrangement / After I Do / I Am Having So Much Fun Here Without You

ディズニー系のおとぎ話やロマンス小説は、結婚がハッピーエンドになっている。

けれども、現実では結婚は愛の終着点ではない。会うたびにドキドキするときめき感（英語でinfatuation）は相手が誰であっても長持ちはしない。同時に自分の良い所だけを見せようとする緊張感はなくなり、伴侶はじきに日常生活の一部になる。そこに、仕事、親兄弟、家事、育児、病、家計といった現実問題が加わり、夫婦の間にはときめきよりも苛立ちのほうが増えてくる。マンネリ化したときに、外部からの誘惑も訪れる。

結婚はロマンス小説ではなく、むしろ、山あり谷あり、危険な落とし穴がたっぷりの冒険ファンタジー小説のようなものだ。登場人物がそのまま無傷に生き残る保証はない。たまには例外があるだろうが、最初から最後まで同じハピネスを持続できるカップルなんかまずいない。何十年も結婚している夫婦が現在ハッピーで仲良く見えるとしたら、たいていは、運命が与えた苦難を乗り越えてサバイバルした結果なのだ。

多くのカップルは、運命が与えたクエストを一緒に終えることができず、脱落する。

アメリカでは日本より離婚が多いが、離婚せずに憎しみ合ったまま一生を終える夫婦もいる。私の身近にも、この二つの例が数えきれないほどある。というか、そっちのほうが多いくらいだ。ハッピーエンドが幻想だからこそ、結婚での愛をテーマにした小説が生まれ、多くの読者を魅了する。特にアメリカにはこのテーマの本が多い。

男性作家の文芸小説を読んでいると、男性にとって相手へのミステリと性欲が愛に直結しているものが多いことに気づく。関係が新鮮なうちにはミステリと性欲に揺り動かされ、すべてを放棄してでもこの「愛」を手に入れようとするが、この二つが消えると愛も跡形もなく消滅するという感じだ。しかし、女性作家のものには、そういう男性のパターンを承知したうえで、娯楽小説のかたちで結婚というクエストを生き残る方法を提案しているものがある。これらを読むと、下手な「結婚カウンセリング」より効果があるのではないかと思えてくる。男性読者も女性心理が理解できるようになるので、きっと楽しめる。ベストセラーのビジネス書を出している私の夫ですら、じつは、こういった女性小説のファンなのだ。そこで、マンネリ化した夫婦の危機を扱った小説をいくつかご紹介しよう。

■オープンな不倫は結婚を救うのか？　The Arrangement

昔からあったようだが最近アメリカのメディアでよく話題になっているのが「Open Marriage（オープンマリッジ）」だ。直訳すれば「開かれた結婚」で「自由結婚」とも訳されている。伴侶に隠れて浮気をする「不倫」ではなく、夫婦間でルールを決め、それに従って別の相手とオープンに関係を持つというものだ。

２０１７年のベストセラー *The Arrangement*（合意）は、結婚当時のときめき感を失ったニューヨークの若い夫婦が、「互いの知り合いはダメ」とか「恋におちてはいけない」というルールを作って６カ月の期限でオープンマリッジを試してみる。

夫は安易な相手を見つけて、新鮮なセックスのスリルを楽しむが、妻よりも人使いが荒くてつきまとうタイプの恋人に疲れ、気楽な妻が恋しくなってくる。妻のほうは、最初は誰とも付き合わない。けれども、夫があまりにもウキウキと浮気していることに腹を立て、友人に相手を紹介してもらう。そして、夫が「早めにオープンマリッジを切り上げたい」といい出したときには、ルールを破って本当に恋におちてしまう。

面白い設定だし、作者のサラ・ダン（Sarah Dunn）はテレビドラマのライターをしていただけあって読み始めたら止まらないページターナーだ。だからベストセラーになったのだろう。しかし、登場人物の考え方があまりにも薄っぺらなので、共感を覚えるより、うんざりしてしまうかもしれない。それは、この夫婦が特に危機に直面していないからだろう。

The Arrangement
Sarah Dunn, 2017

■倦怠期の夫婦が愛を取り戻すことはできるのか？　After I Do

「あばたもえくぼ」であった初恋の感覚を忘れたころに、日常生活のちょっとした部分で相手のちょっとしたことに苛立つのが普通の夫婦ではないだろうか。ゴミを出したとか出さないとか、家事分担の量が不公平だとか、相手のほうがわがままで自分だけが我慢しているという不満の蓄積だ。でも、ちゃんと解消しておかないと、それがだんだん憎しみにエスカレートする。

２０１４年にベストセラーになったテイラー・ジェンキンズ・レイド（Taylor Jenkins Reid）の*After I Do*（結婚の誓いのあと）は、そんな倦怠期の夫婦の物語だ。

ここでの夫婦は大学時代に知り合い、恋愛結婚をしたのに、お互いに伴侶に我慢できないようになっていた。相手の言動のすべてに腹が立つのだ。けれども2人は離婚という最終決断をすることができず、１年の期限で別々の生活をすることにする。夫のほうは「たとえ緊急事態でも、こちらから連絡を取るまで連絡するな」と行き先を告げずに家を出てしまう。学生時代から一緒だった2人にとっては、大人になって初めての独身生活のようなものだ。それぞれに恋人を作り、伴侶のいない生活をそれなりに楽しむが、一方で一緒に築き上げた人生や人間関係が懐かしく、恋しくもなる。でも、１年間で相手は変わってしまっている。このまま元に戻ることは不可能ではないか、と思い始めた頃にあることが起きる。

私が許せなかったのは、2人が仲を取り戻すきっかけである。どちらも伴侶がログイン情報を変えていないのを「許可」と勝手にとらえてメールアカウントにログインし、相手が自分に書いて送らなかったメールの下書きを読んでしまうのだ。この夫婦においては、これが互いを理解するきっかけになる。

しかし、これは夫婦や親子でもやってはいけない「プライバシーの侵害」だ。読者としての私には納得がいかなかったが、長年一緒に暮らした夫婦は、独自の掟や倫理観がある世界を作るものである。

たぶん、この小説が語るのもそういうところなのだろう。

テイラー・ジェンキンズ・レイドは、日本ではまだ無名のようだが、アメリカでは押しも押されもせぬベストセラー作家だ。何よりも驚くのは、作品を出すたびに上達していることだ。その意味では、知っておいて損はない作家である。

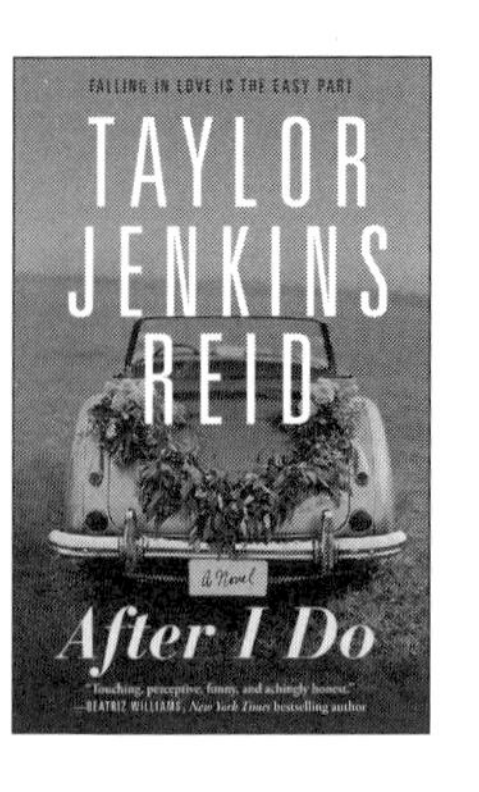

After I Do
Taylor Jenkins Reid, 2014

■失いそうになったときに初めて気づく伴侶の価値、*I Am Having So Much Fun Here Without You*

上記の2作よりも文芸作品として上質であり、しかも人間心理をよく描いているのがコートニー・マーム（Courtney Maum）作の２０１４年のベストセラー*I Am Having So Much Fun Here Without You*（私は、あなたなしで、ここでものすごく楽しんでいる）だ。

イギリス人アーティストのリチャードは、アメリカで大学院の学生だったとき出会ったフランス人のアンと結婚し、パリで暮らしている。弁護士のアンは上品な美人で知的でもある。2人には可愛い4歳の娘もいる。リチャードは学生時代の理想とは異なる油絵を描いているが、商業的には成功をしつつある。特に不満はないが、新鮮さやエキサイトメントがない生活になにか欠けたものを感じていた。そんなとき、リチャードは奔放なアメリカ人の女性ジャーナリストと知り合い、情熱的な情事に溺れる。妻や娘を置き去りにすることすら考えたのだが、恋人は「結婚する相手をみつけたから」とリチャードに別れを告げて、ロンドンに移住してしまった。

リチャードがまだ終わった情事に未練を持っているときに、アンは夫が浮気をしたことを知る。妻を傷つけ、家庭崩壊が現実化して、ようやくリチャードは自分のやったことを反省し、妻を取り戻そうと躍起になる。だが、そう簡単に信頼関係は戻らない。

恋人に振られて落ち込んだ気持ちを「親友」である妻に打ち明けて理解してもらえない辛さを独白するリチャードの自己中心さには、腹立ちを超えて笑いを感じる。心底身勝手なリチャードだが、読んでいるうちに、「頑張れ。アンを取り戻せ」と応援したくなってくるから不思議だ。読者にそう感じさせる作者の文章力に脱帽する。

人生では、失いそうになってようやくわかる価値というものがある。平和で退屈な日常のありがたさもそうかもしれない。この小説は、そういったことを思い出させてくれる。

I Am Having So Much Fun Here Without You
Courtney Maum, 2014

ここでご紹介した本だけでなく、多くの小説が日常生活で見落としていることを教えてくれるし、自分以外の人間の思考回路も説明してくれる。

その意味で、フィクションは「心理カウンセリング」よりずっと廉価で効果があるかもしれない。

（2018年3月「洋書ファンクラブ」掲載レビューを加筆修正）

VIII アメリカと日本の読者

英語圏ではわかりにくい『コンビニ人間』の日本的背景

Convenience Store Woman

日本で65万部以上売れたホットな本として注目されていた村田沙耶香著の『コンビニ人間』（文春文庫）は２０１７年秋に独立系出版社のGrove Atlanticが英語での版権を獲得し、アメリカで今年６月12日に*Convenience Store Woman*というタイトルで刊行された。翻訳は日本在住のベテラン翻訳家、竹森ジニー氏である。

アメリカの出版界で重視されている業界紙「パブリッシャーズ・ウイークリー（Publishers Weekly）」の書評で、特に優れた作品に与えられる「星（starred）」評価を受け、アマゾンはその月のお薦め本である「Best Book of the Month」に選んだ。「ニューヨーク・タイムズ」には著者紹介の記事が掲載され、「NPR」「ニューヨーカー」「バズフィード」「ハーバード大学新聞」の「ハーバード・クリムゾン」といった主要なメディアが好意的な書評を載せ、ファッション雑誌の「エル」や「ヴォーグ」も夏の推薦読書のひとつに選んだ。また、図書館員やアマチュア書評ブロガーなどには、新刊紹介サイトNetGalleyを通じて電子書籍版のＡＲＣ（ガリ版）を提供しているし、多くの公共図書館が紙媒体に加えて電子書籍版とオーディオブックのライセンスを購入している。

こういった前評判やマーケティングの努力からは、『コンビニ人間』の英語版 *Convenience Store Woman* がベストセラーになるのは当然のことに思われた。だが、発売から1カ月たった7月17日現在、*Convenience Store Woman* はアマゾンのハードカバーランキングで4261位、有料キンドル版で7800位とベストセラーには程遠い位置にある。

同じく6月のアマゾンの「Best Book of the Month」に選ばれた同じカテゴリの小説と比較するともっとわかりやすいかもしれない。映画化された『プラダを着た悪魔』の続編である *When Life Gives You Lululemons*（人生がルルレモンを与えてくれたときには）はハードカバー100位で有料キンドル版78位だ。知名度という点で、*Convenience Store Woman* より売れるのは納得できる。しかし、無名の新人であるネイティブ・アメリカン作家トミー・オレンジによるデビュー作 *There There*（121ページ）はハードカバー167位、有料キンドル版354位だ。

アマゾンや書評サイト・グッドリーダーズでのレビューを比較すると、読者の評価が売上に関係していると思える。*There There* は2800人が平均4・27の評価を与えているのに、*Convenience Store Woman* の場合は1800人が平均3・72の評価と低めだ。

なぜ英語版の『コンビニ人間』は日本ほど爆発的に売れないのか？

読者のレビューは決して悪くない。「ひどい作品だ」とけなしているものはないし、アマゾンでもグッドリーダーズでも星1の評価はほぼゼロだ。だが、売れてる作品とは異なり、最も多い評価が星5ではなく、星4（「実際は3・5」と記している人が目立つ）なのだ。つまり、英語圏の読者に「ものすごく好き」あるいは「ものすごく嫌い」という強い感情を与えない作品なのである。英語版の『コンビニ人間』の売れ行きが悪い理由はそこにあるのかもしれない。

読者が抱く「強い感情」のひとつは「共感」である。

主人公の恵子の描写に対し「これは私だ。その気持ちはよく分かる」と感じたとき、読者は5つ星評価を与えて他の人にも「これは読むべき」と薦める。英語圏の読者にはそれが欠けている。恵子に与えられている「社会に適合するプレッシャー」に共感を覚え、惚れ込んでいる人はいるが、多くの読者は異文化、特に日本社会への好奇心で読んでいる。この作品に漂う疎外感や善意の人々のおせっかいの不気味さに気づかず、「キュート」「笑える」「ハッピーエンド」といった感想を抱く人がかなりいるのは、翻訳の問題ではなく、社会的、文化的な背景の違いがあるからだろう。

日本社会の閉塞感を実際に体験している日本人は、恵子が日常的に感じるプレッシャーを作者につぶさに説明してもらう必要はない。だが、日本社会を知らないアメリカ人読者が理解するためには、もっと恵子の心理描写が必要になる。

小説の長さと形式の問題もあるかもしれない。

アメリカの小説は通常ハードカバーで350ページ以上ある。現在最も売れているビル・クリントン元大統領の *The President Is Missing*（『大統領失踪』ジェイムズ・パタースン共著、越前敏弥・久野郁子訳、早川書房）は528ページで、5月に発売されてすでに30万部売れているスティーブン・キングの新作 *The Outsider*（アウトサイダー）は576ページだ。つまり、英語圏の読者にとって、日本で長いと思われている村上春樹の小説は普通の長さなのだ。

それに対し、176ページしかない *Convenience Store Woman* は英語圏では小説というよりも中編小説（ノベラ）に近い。描写が多い英語圏の長編小説に慣れている読者はこの点で物足りなさを感じてしまうのかもしれない。

村田氏のシンプルな文体を「詩的だ」と感じるよりも、「文芸小説で求められる文学的な表現に欠けている」「主人公のキャラだけで読ませる本」「プロットがない」と感じてしまう読者がいるのも、日本語と英語圏の文学における文化の差といえるだろう。

だが、説明の足りなさがかえってブッククラブと呼ばれる読書会に適しているという見方もある。読者により解釈が異なる*Convenience Store Woman*のほうが、ディスカッションが楽しくなるという考え方だ。

そういった読み方が英語圏の読者にもっと浸透すれば、日本の中編小説をひとつのジャンルとして英語圏に売り込む可能性は広がるかもしれない。（2018年7月「ニューズウィーク」）

Convenience Store Woman
Sayaka Murata, transrated by Ginny Tapley Takemari, 2018

こんまりの「片付け本」がアメリカでバカ売れした理由

The Life-Changing Magic of Tidying Up

自宅の大規模な増改築をすることになり、家をいったん空にしなければならなくなった。東京から香港を経てボストン郊外の現在の家に引っ越してきたときにいらないものを捨ててスッキリしたはずだ。それなのに、気づいたら家中にモノがあふれている。20年の間にバクテリアのように増殖した感じだ。

家事の中で掃除が一番苦手な私は、自己啓発書に自分の欠陥を責められるのが嫌で片付けがテーマの本を避け続けていたのだが、目の前に迫った重要なタスクのためにモチベーションが欲しくなった。

そこで、全米で注目を浴びている「こんまり（こちらでもKonMariと呼ばれている）」さんの『人生がときめく片づけの魔法』（サンマーク出版）の英語版 *The Life-Changing Magic of Tidying Up: The Japanese Art of Decluttering and Organizing* を読んでみることにした。アメリカで大ベストセラー（2015年5月14日時点、アマゾンでナンバー1の堂々たる全米トップ）になっている現象に興味があったので、その秘密も知りたかった。

アメリカではこれまで沢山の「片付け術」の本が刊行されている。私が知るアメリカ人の家は平均的な日本人の家よりずっと片付いていていて、夫の家族や友人の家は常にインテリアデザイン雑誌に載せられる状態だ。そんなアメリカで日本人の本がこんなに売れたのは本当に不思議だった。

読んでみて感心したのは、著者が「片付けられない人」と「片付けが得意な人」の心理と傾向を熟知していることだった。モノが溜まった理由や、捨てられない理由など、心当たりがあることだらけ。事例も、「これは私だ！」とか「これは夫。これは姑」と自分や周囲の人がすぐに浮かんでくる。

でも、日本人向けに書かれたものだから、アメリカの住宅事情や文化背景に合わないところがある。それなのにアメリカの読者の評価は高い。

じつは、アメリカの読者にとっては、この文化の違いこそが新鮮なようなのだ。アメリカの片付け本は、おおむね方法論でしかない。「キッチンはこう収納し、デスクはこう片付ける」といった細かいハウツーが載っている。だが、こんまり本は違う。読者の心理を知り尽くしたうえで人生を根こそぎ変えてくれる、哲学と人生学の本なのだ。

たとえば何かを食べないとか何かだけを食べるというダイエットで短期的に体重を減らしても、食生活とエクササイズの面で徹底的に生活様式を変えないかぎりは必ずリバウンドする。そして、人生観そのものが変わらないと生活様式は変わらない。こんまり本は、読者の人生観を変えてくれる。だから「決してリバウンドしない、お片付けのダイエット本」のような魅力がある。

しかも、その方法がすごくシンプルだ。「Does this spark joy?（これは、ときめきをもたらすか）」

と自分に問いかけるだけでいいのだ。アメリカの読者は、まずここに惹かれてしまう。

しかも、モノを捨てることで、過去のしがらみからも解放させてくれる。

こんまりの教えに従って片付けを終えた読者は、これまで得たことがないような清々しい気分になる。そして、空っぽになったクロゼットを見ても、お店にかけつけて服やバッグを買いに行く衝動に駆られない自分に驚く。本当に人生が変わってしまったのだ。まるで禅の修行を終えたみたいではないか！

この本に感銘を受けるのは女性だけではない。大変な読書家であり、著名人にスピーチの指導するのが仕事の友人ニック（男性）が、すっかり虜になってしまったのだ。しかも、もともと片付けが得意な人なのに。「私の片付けの習慣も近藤麻理恵氏と同様だと知って嬉しく思ったが、まだ足りない。目標は、わが家を日本の茶室か数寄屋くらいすっきりさせることだ」と決意を新たにしていた。

こんまり本を読んだのにまだ人生を変えていない私は、ニックの言葉にますますプレッシャーを感じている。（2015年7月「ニューズウィーク」）


【追記】このエッセイを書いた約4年後の2019年1月、ネットフリックスで、近藤麻理恵を主人公にしたリアリティ番組の「Tidying Up with Marie Kondo（日本でのタイトルは「KonMari――人生がときめく片づけの魔法」）」が始まった。2014年から2015年にかけて彼女の本がベストセラーだったことがきっかけになっているのだが、番組がネットフリックスで大人気になり、KonMari（こんまり）の発言が英語圏のソーシャルメディアでトレンド入りするほど話題になった。この本は、2019年の最初の5日間に紙媒体だけで約1万5000冊も売れ、再び全米ベストセラーリストのトップに躍り出た。いまや、Marie Kondo の名前を知らないアメリカ人のほうが少ないほどだ。（2019年10月）

The Life-Changing Magic of Tidying Up: The Japanese Art of Decluttering and Organizing
Marie Kondo, Transrated by Cathy Hirano, 2014

ファンとしての熱意が日本人に伝わったファンタジー

Poison Study

「出会い」というのは不思議なものである。小さなきっかけが、後に大きな結果を生み出すことがある。

アメリカで暮らしている私が *Poison Study*（『毒見師イレーナ』）に出会ったのは、2008年のことだ。読書が大好きな私はアメリカ人の姑や友人たちよりも読む本の数が多く、「どんな本を読めばいい？」と尋ねられることが増えていた。当時高校生だった娘とその友人たちは、いつも私に「テストが終わったら読みたいから、胸がドキドキするようなファンタジーを探しておいて」といった具体的な注文をする。そのひとつとして私が探してきたのがマリア・V・スナイダー（Maria V. Snyder）著の *Poison Study* だった。

この本を手に取ったきっかけは、毒見役の主人公という設定に興味を抱いたからだ。読み始めると予想以上に面白かった。19歳の死刑囚イレーナは、死刑執行日に〝絞首台に行くか、それとも毒見役になるか？〟という選択を迫られる。簡単な選択のようだが、そうではない。毒見役には人権も自由もなく、前任者たちはいずれも無残な死を迎えているのだ。簡単な死か、それとも残りの人生を毎日死と隣り合わせで暮らすのか。この究極の選択を与えたのが冷酷な暗殺者のヴァレク。最初のページから、2人の心理的な駆け引きに魅了された。

舞台になっている北の国イクシアと、敵国であるシティアの政治的な違いも興味深いところだった。モラルに厳しい軍事政権のイクシアでは、男女同権も進んでいるし、平等社会だけれども、音楽や芸術が厭われ、個人の選ぶ権利は限られている。隣接する敵国のシティアは芸術や食べ物を愛する文化があるが、他人の心を自由に操る魔術師が牛耳っている。そういった政治的な背景や、イレーナが隠している過去、薬草や毒の詳細も面白く、アクションもたっぷりだ。最後までまったく飽きることがなく、「ニューヨーク・タイムズ」ベストセラーリストに入ったのも納得した。

娘たちに「これは絶対に面白いよ」と勧めたところ、なんと全員がヴァレクにぞっこん惚れ込んでしまった。ヴァレクは30歳を超えた暗殺者なので、女子高生の母としては少々複雑な心境ではあったが……。

娘とその友人の口コミで、彼女たちが通う高校で*Poison Study*のファンが増えていった。女子生徒だけではなく、ファンタジーファンの少年たちもだった。そして、私のブログ「洋書ファンクラブ」でご紹介したところ、日本の読者からも「面白かった」という感想をたくさんいただいた。けれども、ツイッターで紹介するたびに「読みたいけれど、英語が読めません。邦訳はされていないのですか?」という質問が来る。そのたびに「すみません。邦訳版はないようです」と答えてきた。

■出会いを大切にする

じつはそういった逸話を、私は著者のマリアさんに2009年にメールしていたのだ。それからしばらくは「邦訳されるといいね」という会話をメールでかわしていたのだが、特にアクションを起こすわけでもなくそのままになっていた。けれども2013年に初めて顔を合わせる機会があり、「あの本を日本の読者にも読んでもらいたい」という気持ちがぶり返してきた。ちょうど別件で原作の出版社の日本法人の編集者と知り合い、彼女と「いつか邦訳版を出したい」と語り合っていた。それを忘れたころに、その編集者から「会議を通ったので、翻訳してくれませんか？」とお誘いを受けた。

じつは、ちょうど非常に忙しい最中で、泣く泣く諦めるつもりでいた。だが、当時21歳になっていた娘と電話で話しているときに、「他人が日本語版のヴァレクのイメージを作り上げてもいいの？」と言われ、「嫌だわ。ヴァレクは私のものよ！」と即答した。娘の親友で私とよく本について語り合ったハナも、「ヴァレクを手渡しちゃだめよ」と電話で援護射撃してきた。そのうちに、ほかの翻訳者にこの作品を手渡したくなくなってきた。たとえ寝る暇がなくなっても、自分で訳したいと思った。

この本を翻訳するときに、編集者と一緒に目指したのは、「日本語で書かれたような翻訳文にする」ということだ。2人で何度も話し合っただけでなく、著者のマリアさんと何度もメールや電話をかわしたのも楽しい思い出になった。

そういった特別な努力が功を奏したのか、日本語版が多くの読者に読んでもらえるようになっただけでなく、ＮＨＫのオーディオドラマにまでなった。

最初に書店で出会ったときには、こんなことが起きるとは思っていなかった。だからこそ、どんなに小さなものであっても、本との出会いを大切にしていきたい。（２０１９年10月書き下ろし）

Poison Study
Maria V. Snyder,2005
『毒見師イレーナ』
渡辺由佳里訳、ハーパーコリンズ・ジャパン

カズオ・イシグロの「信頼できない語り手」とは

The Buried Giant

2017年10月5日、長崎生まれのイギリス人作家カズオ・イシグロ（Kazuo Ishiguro）がノーベル文学賞を受賞した。本人にとっても意外だったらしく、英「ガーディアン」によると、最初は今はやりの「偽ニュース」ではないかと疑ったくらいだという。

イシグロは、1982年に27歳で長編作家デビューしてから62歳の現在まで長編小説は7作しか刊行していない。専業の小説家としては寡作なほうだ。

しかし、*A Pale View of Hills*（『遠い山なみの光』小野寺健訳、ハヤカワepi文庫）と *The Buried Giant*（『忘れられた巨人』土屋政雄訳、ハヤカワepi文庫）以外の長編小説はすべて著名な文学賞の最終候補になっており、1989年刊の *The Remains of the Day*（『日の名残り』土屋政雄訳、ハヤカワepi文庫）は世界的に権威があるブッカー賞を受賞した。

イギリス貴族の主人への忠誠心と義務を優先して生きてきた老執事が、アメリカ人富豪の新しい主人を得て、過去に思いを馳せる『日の名残り』は、アンソニー・ホプキンス主演で映画化もされ、イシグロの名前は一躍世界に知られるようになった。

若い世代にアピールしたのは、第6作の *Never Let Me Go*（『わたしを離さないで』土屋政雄訳、ハヤカワepi文庫）だった。これまでの作品とは異なり、SFの要素が強いディストピア的な世界を舞台にしている。映画では悲劇的なラブストーリーが強調されているが、原作では洗練された近代社会におけるヒューマニティの偽善やカフカ的な不条理を感じさせる。

ノーベル文学賞を与えたスウェーデン・アカデミーは、イシグロについて「強い感情的な力を持つ小説を通し、世界と繋がっているという我々の幻想に潜む深淵を暴いた」作家と説明した。

それはどういう意味なのだろうか？

イシグロの作品は「信頼できない語り手（unreliable narrator）」で知られている。つまり、語り手自身が自分の人生や自分を取り囲む世界についてかならずしも真実を語っていないのだ。現実から目を背けている場合もあれば、現実を知らされていない場合もある。

だが、読者が小説を読み解くときには、語り手の視点に頼るしかない。物語が進むにつれ、馴染みある日常世界の下に隠されていた暗い深淵のような真実が顕わになってくる。そこで、読者は、語り手とともに強い感情に揺すぶられる。

An Artist of the Floating World（『浮世の画家』飛田茂雄訳、ハヤカワepi文庫）と *The Remains of the Day* はイシグロ自身が何度か語っているように、設定こそ違うが「無駄にした人生」をテーマにした同様の作品である。前者はアーティストとしての人生、後者は執事としての職業人生と愛や結婚という個人的な人生の両方だ。どちらの語り手も、手遅れになるまで現実から目を背けてきたことに気付かされる。「暗い深淵」をさらに鮮やかに描いたのが *Never Let Me Go* だ。主人公が知る強烈な現実に、読者は足元をすくわれたような目眩いと絶望を感じさせられる。

この「信頼できない語り手」について、イシグロは2015年の「ガーディアン」のウェブチャットで読者からの質問にこう答えている。

私が小説を書き始めたとき、「信頼できない語り手」について特に考えたことはありませんでした。実際に、当時はこの表現は今ほど使われていませんでしたし。私は、自分自身が現実的だと感じるかたち、つまり、たいていの人が、自分の体験について語るとき普通にやっているように語り手を描いているだけです。というのは、人生で重要な時期を振り返って説明を求められたとしたら、誰でも「信頼できなく」なりがちです。それが人間の性というものです。人は、自分自身に対しても「信頼できない」ものです。というか、ことに自分に対してそうではないでしょうか。私は（信頼できない語り手）を文芸的なテクニックだとは思っていません。

読者の私たちも「信頼できない語り手」として毎日を生きている。イシグロ作品は、私たちが自分自身や自分の人生について抱いている幻想や、自分についている嘘についても考えさせてくれる。

ところで、ノーベル賞のたびに日本のメディアは村上春樹を話題にする。「村上春樹が受賞するチャンスは？」という質問もよく受ける。だが、意外性を重んじるアカデミーのことを考えると、日本が騒げば騒ぐほど受賞は遠ざかるような気がしてならない。

よく誤解されていることだが、ノーベル文学賞は、文芸賞として権威があるブッカー賞などとは異なり、「最も優れた小説」に与えられるものではない。「文学の分野において理念をもって創作し、最も傑出した作品を創作した人物」が対象であり、「世界で最も優れた作家」でもない。

これまで重視されてきたのは「理念」の部分だ。そこで、社会的あるいは政治的な要素が反映した選択になりがちだ。最高峰の文学者や文芸小説家が集まって「最も優れた小説家」を選ぶのであれば、異なる選択になるだろう。

また、アカデミーの体質なのか、正統派の文芸作家や人気作家よりも意外性を重んじているように感じる。

過去10年間の受賞者の国籍は、フランス、ドイツ、ペルー、スウェーデン、中国、カナダ、フランス、ベラルーシ、アメリカとほとんど重ならない。

アメリカ人の受賞者にしても、社会性と意外性を感じる。1993年のトニ・モリスンは露骨な性表現や人種差別の内容で一時期著作が禁書扱いになった黒人作家であり、昨年（2016年）はミュージシャンのボブ・ディランだった。

特にディランの選択は論争を引き起こした。ミュージシャンとしてのディランの才能と達成は議論の余地はないが、詩人として選ぶなら、同等の評価を得ているミュージシャンの候補は山ほどいる。

たとえば回想録*Just Kids*（『ジャスト・キッズ』にむらじゅんこ・小林薫訳、河出書房新社）で全米図書賞を受賞したパティ・スミスや映画『いちご白書』の主題歌「The Circle Game（サークルゲーム）」を作詞作曲したジョニ・ミッチェルなど、長年にわたって文学的な才能や社会性を評価されてきた女性ミュージシャンだ。

ノーベル賞の授賞式にもディランは出席せず、これも論争の的になった。それが今年のカズオ・イシグロの選択に影響を与えていないとは断言できない。

イシグロの選択は本人にとっても意外だったが、それは、彼が正統派の作家だからだ。イシグロの作品は、近年の受賞者の作品と比べると読みやすく、読者の感情に直接訴えかける。また、文芸の世界ではジャンル小説が軽く扱われる傾向があるが、イシグロは、ジャンル小説とみなされている犯罪小説、SF、ファンタジーといった異なるジャンルに挑戦してきた。作品は映画化もされており、文芸小説としては大衆小説に近い人気を持つ。特に政治的な作品はなく、一般人がふつうに楽しめる小説を書く作家である。

そんなイシグロが今年ノーベル文学賞を受賞したことには、大きな意味があると言えるだろう。

(2017年10月「ニューズウィーク」)

The Buried Giant
Kazuo Ishiguro, 2015
『忘れられた巨人』
土屋政雄訳、早川書房

IX 民主主義のための戦い

ミレニアル世代の大統領候補
ピート・ブーテジェッジ

Shortest Way Home

次回の大統領選挙の投票日は2020年11月3日だが、予備選挙は2018年にすでにスタートしている。

アメリカ大統領には2期（8年）という任期の制限がある（大統領の死亡などで引き継いだ場合には10年が制限）。現職大統領のトランプはまだ一期なので、彼が属する共和党サイドでは対立候補はほとんど現れていない。元マサチューセッツ州知事のビル・ウェルドが立候補を前提とした準備委員会を設置し、2016年に予備選を戦ったオハイオ州知事のジョン・ケーシックが考慮しているとのことだが、トランプを破る可能性は低いとみなされている。

一方でトランプの再選阻止を狙っている民主党側では、立候補を前提とした準備委員会を設けている候補を含めると2019年4月8日現在でなんと20人が名乗りを挙げている。まだ立候補を表明していないものの世論調査ではトップに位置するジョー・バイデン元副大統領を含めると21人という賑やかさだが、さらに数人が加わる可能性がある。

これらの候補にとっての最初のハードルは6月末と7月初頭に行われる最初の民主党ディベー

トだ。これらのディベートに参加する資格を得るためには、世論調査で1%以上の支持を得るか、あるいは個人からの寄付金を6万5000人以上から集めなければならない。

ディベートにすら出られない候補はこの時点でほぼ脱落する。ディベートに出られても、その場で全米にアピールできなかった候補は、選挙活動に必要な資金が集められない。こういった理由から、予備選の最初の投票までに過半数は脱落するであろう。

予備選の最初の投票は2020年2月3日のアイオワ州のコーカス（党員集会）で、州全体の有権者を対象にした投票としてはニューハンプシャー州の2月11日が皮切りになる。この二つの州のどちらかでトップ3位かそれに近い票が取れなかった候補も、このあたりで続けるかどうかを決意せざるを得なくなる。

乱立している候補の中で「若かりし頃のバラク・オバマを連想させる」として注目されているのが37歳のピート・ブーテジェッジ（Pete Buttigieg、本人による発音の方法はboot-edge-edge）だ。つい数カ月前までは無名の存在だったのに、4月7日に発表されたエマーソンの世論調査では、本命視されているカマラ・ハリス（支持率7%）やロックスター的な扱いをされているベト・オルーク（8%）を抜き、ベテランのエリザベス・ウォーレン（14%）に迫る11%の支持率を得ている。

人口が約10万人のインディアナ州サウスベンド市の市長でしかないブーテジェッジがなぜこれほどの人気を集めているのか知るために2月12日に発売されたブーテジェッジの回想録*Shortest Way Home: One Mayar's Challenge and a Model for America's Future*（故郷への近道）を読んでみた。

■ラストベルト出身のブーテジェッジ

「東部標準時間帯最西端のこの地では夜明けは遅れてやってくる。海岸から遠く離れているために、元旦の日の出は8時を過ぎてようやく訪れる」という故郷のサウスベンド市を紹介する最初の1行を読み始めてすぐに胸踊る興奮を覚えた。風景が目の前に浮かんでくるような素晴らしい文章なのだ。政治家が書いた回想録でこれほどの文章力はめったにない。その前の冒頭の引用文がアポロ11号のマイケル・コリンズのものだというのにも感心した。アポロ11号の宇宙飛行士の言葉を引用するとき、普通の人なら最も有名なニール・アームストロング船長かポップカルチャー的な認知度があるバズ・オルドリンを使う。けれども、アポロ11号に関して最も優れた回想録を書いたのは月には着陸しなかったマイケル・コリンズなのだ。ゴーストライターを使っていないのは明らかだし、その後何度も出てくる引用からもブーテジェッジの知的好奇心の幅広さを感じる。

ブーテジェッジはハーバード大学で歴史と文学を専攻し、ハーバード大学ケネディ行政大学院の機関のひとつであるインスティチュート・オブ・ポリティクスの学生諮問委員会の委員長を務め、summa cum laude（最優秀）の成績で卒業した。そして、ローズ奨学生としてオックスフォード大学に留学して哲学と政治・経済学を学び、試験で1位の成績を取って卒業した。この学歴を知ると、ブーテジェッジの知的な文章が納得できる。まるで「神童」のようだが、卒業後に国際的に有名なコンサルティング会社のマッキンゼー・アンド・カンパニーに就職した時点までは、頭脳明晰な歴代の民主党の大統領や候補らとあまり変わらないとも言える。

ブーテジェッジのユニークさは、眩しいほどの輝く学歴を持ちながら、高収入の仕事を捨てて故郷のインディアナ州に戻り、公のために尽くせる仕事に就こうとしたところだ。

彼の選択がどれほど特殊なことかを知るためには、アメリカにおけるインディアナ州の立ち位置を知る必要がある。J・D・ヴァンス著の*Hillbilly Elegy*（12ページ）で日本でもよく知られるようになったアメリカ中西部の「ラストベルト」の一部であり、かつて工業地帯として栄えたが、その後はアメリカの繁栄に取り残された地域だ。

ブーテジェッジの生まれ故郷で名門ノートルダム大学があるサウスベンド市でも、放置された建物の廃墟が幼いピート少年の原風景になっていた。宗教保守のカトリック教徒が多く、マイク・ペンス副大統領がインディアナ州知事だったときに、個人や企業がＬＧＢＴＱへの差別を許す「宗教の自由回復法」に署名して全米から批判を浴びた保守的な地域でもある。２００８年はオバマ大統領が過半数を獲得したが、それ以外の大統領選では１９６８年以降ずっと共和党の候補が勝ち続けている共和党が強い州なのだ。

ブーテジェッジは、わざわざそんなインディアナ州に戻り、民主党の候補として勝ち目がない州財務官の選挙に27歳の若さで出馬したのである。たとえ当選しても、収入はこれまでの何十分の一になるというのに。この選挙には落選したが、彼は周囲の勧めでサウスベンド市の市長選に挑み、74％の得票率で当選した。このとき彼はまだ29歳だった。

これだけでもブーテジェッジは十分ユニークなのだが、彼は国民としての義務を感じて海軍予備員にもなった。そして、２０１４年に市長の仕事を休職してアフガニスタンに従軍した。戦地で7カ月を過ごし、同僚の死も間近に体験した彼は帰国後にある決意をした。それは、同性愛者であることを公表することだった。

先に書いたように、インディアナ州は保守的な地域だ。サウスベンド市にはＬＧＢＴＱの人権を守る法があるが、州全体にはない。これまで彼を支持していた人々も彼がゲイだと知ったら背を向けるかもしれない。そういう懸念はあったのに、彼は地元の新聞で同性愛を公にし、その5カ月後に80%の得票率で市長に再選されたのである。

東海岸のニューヨーク市や西海岸のサンフランシスコ市のように超リベラルな地域であれば、同性愛者が市長に当選しても不思議はない。だが、サウスベンド市は同性愛者を堂々と差別できる法ができたインディアナ州にある。父親がマルタ共和国出身のブーテジェッジは、移民2世ということにもなる。そして、ラストベルトの人々は東海岸や西海岸の有名大学で教育を受けたエリートを毛嫌いする。これほどマイナスの要素が揃っているのに8割の市民の支持を得て再選されたところを見ると、ブーテジェッジが党派を超えて本当に市民から愛されていることがわかる。

■カミングアウトと同性婚

ブーテジェッジ市長はカミングアウトしてからボーイフレンド探しを始めた。回想録で本人が告白しているが、30歳を過ぎるまでデートの訓練をしてこなかった彼の恋人探しの悩みが、生真面目なブーテジェッジの性格を際立たせている。それまで頼みもしないのに娘や親戚の若い女性などを紹介してきた母親の世代の知人は息子や甥を紹介してはくれない。大学の友人たちが紹介してくれるのはニューヨークなど遠距離の者だけだ。

だが、サウスベンド市は同性愛者が日常生活で付き合う相手を簡単に見つけられるような地域性ではないし、市長として地元で探すのは「倫理的な地雷原」である。そこで、「マッチ・ドットコム」や「オーケー・キューピッド」を使って付き合う相手を見つけたところはさすがミレニアル世代だ。ブーテジェッジはここでシカゴの教師チャスティンと出会い、2017年に公の場で婚約を発表して2018年に結婚した。

インターネットでのブーテジェッジ人気の秘密兵器は夫のチャスティンのツイッターなのだという話もニューハンプシャー州で耳にした。温かい人間性とユーモアのセンスが感じられるチャスティンのツイッターアカウントには約23万人ものフォロワーがいて、カップルがシェルターから引き取った愛犬のトルーマンとバディにも人気のツイッターアカウント（フォロワー4万6000人）がある。これらを通じて、ブーテジェッジらはアメリカの保守的な地域の人々にも同性婚も男女の結婚と変わらないのだというメッセージを暗黙のうちに伝えているのである。

テレビ出演もブーテジェッジ人気に拍車をかけている。通常の報道番組だけでなく、有名なトーク番組の数々、そして、トランプ大統領への強い支持を明らかにしているフォックス・ニュースの番組にも出演している。これまでの政治家は都合の悪い質問をされると、それに答えるふりをして自分の言いたいことだけを語る癖があり、聴衆もそれに慣れていた。ところが、ブーテジェッジはどんな質問をされても即座に真正面から実直に答えるのである。視聴者は「彼は、ちゃんと質問に答えている！」と驚いた。「ブーテジェッジは現時点で2020年の大統領選で最もホットな候補である」という見出しのCNNの記事も、これまで彼の存在を知らなかった有権者に「なるほど、現在最もホットな候補なのか」と名前を教えるきっかけになった。

それらの影響を受けたのだろう。彼の回想録はベストセラーになった。出版社にとっても意外だったのか、3月後半にはアマゾンでハードカバーが売り切れになり、4月9日現在も在庫切れのままだ。全米最大手書店チェーンのバーンズ・アンド・ノーブルのマサチューセッツ州最大の店舗でも4月5日に訪問した時点で残り1冊で入荷の予定が不明だという品薄状態だった。

この人気が実質を伴うものなのかどうかを確かめるために、4月5日にニューハンプシャー州マンチェスター市で行われたピート・ブーテジェッジのイベントに出席した。

風が強い摂氏2度の寒さにもかかわらず、会場の美術館の前には開始の3時間前から有権者が列を作って待っていた。詰めかけた報道陣も、他の候補より格段に多い。消防法で300人しか入れない施設なので、せっかく何時間も待ったのに入れなかった人々が500人ほどいたらしいが、ブーテジェッジは、家に戻らずに待ち続けた200〜300人の有権者に対してまず話をしたようで、会場内の舞台には遅れて登場した。

彼が姿を見せるやいなや、会場全体から「ピート！　ピート！」と歓迎のチャントが湧き上がった。私の横にいた60代と思われる姉妹は、まるでロックのショーかのようにブーテジェッジに声をかけたり、飛び上がって互いにハイタッチをしたりしている。これも別の候補たちとはまったく異なる反応だ。すでに名前が知られているフロントランナーのバーニー・サンダースやジョー・バイデン元副大統領ならともかく、予備選の初期ではこんなに熱狂的な歓迎はまずない。

観衆の熱狂とは対照的に、ブーテジェッジはとても穏やかだった。そして、テレビに現れたときのように、シャープに政策を語りながらも礼儀正しく上品である。さらに際立った特徴は、難しい政策を語るときのわかりやすさだ。

オバマ大統領もそうだったが、リベラルで高学歴の政治家は難しい表現をよく使う傾向がある。また、語り口から「私たちは、あなたのためにこういう政策を作ってあげている。トランプ大統領がやっていることは、あなたの利益になっていないのに、なぜそれが理解できないのか？」という上から目線の態度がにじみ出てしまう。中西部のラストベルトの人々が西海岸や東海岸のリベラルエリートを嫌うのは、この見下した態度なのだ。それをブーテジェッジはよく知っている。だから、ふだんから有権者と同じ目線で語るように心がけているのだ。簡単そうで簡単にはできない技術である。

ブーテジェッジのイベントの後で、参加した有権者たちから話を聞いてみた。予備選で最も重要なバトルグラウンドであるニューハンプシャー州には多くの大統領候補が毎週訪れる。彼らのスムーズな演説や約束に慣れきっているニューハンプシャーの有権者を説得するのは難しいのだが、彼らは口を揃えて「非常に印象的だった」「予想していたより良かった」と感心していた。

ことに、「(トランプの) 下品な攻撃に対して、(リベラルは) 同じような攻撃で対応するべきではない」というブーテジェッジの姿勢や、市民のためになる問題解決のために対立する党や政治家と協働してきた実績に共感を覚えたようだ。37歳という年齢についても「今の大統領よりずっと成熟している大人」「若い世代のほうがいい」とポジティブな回答のみであり、欠陥だととらえていた人は皆無だった。

つい最近まで無名だったブーテジェッジがこれほど多くの有権者を魅了しているのは、「現在の大統領と正反対」という部分なのだろう。懐古主義で、反知性主義で、下品になった現在のアメリカを、ブーテジェッジのように若く、知的で、上品なアメリカに戻したいと願っているアメリカ人は決して少なくないことを感じた。

ブーテジェッジのイベントの後、「アメリカを再び偉大にしよう (Make America Great Again)」

というトランプのスローガンに対する「アメリカを再びまともにしよう（Make America Decent Again）」とつぶやく有権者の声が聞こえた。（２０１９年4月「ニューズウィーク」）

【追記】この後、民主党側からは合計26人の候補が立候補したが、支持率が低い候補は選挙資金を集めることができないので、脱落するしかない。２０１９年10月28日現在では8人が脱落して18人になっている。ブーテジェッジは、最近の世論調査でバイデン、ウォーレン、サンダースに続く4位につけており、最初に予備選投票が行われるアイオワ州で集中的に選挙運動を行う戦略に切り替えている。（２０１９年10月28日）

Shortest Way Home: One Mayor's Challenge and a Model for America's Future
Pete Buttigieg, 2019

「ヒューマン・キャピタリズム」を唱えて注目されたアジア系大統領選候補

The War on Normal People

２０２０年米大統領選の民主党候補の中で最もユニークな有力候補は、ユニバーサル・ベーシック・インカム（ＵＢＩ）を強く推しているアジア系アメリカ人のアンドリュー・ヤング（Andrew Yang、44歳）だ。政治の未経験者だが、それもインターネットで情熱的な支持者を集めることに貢献している。

■起業家ヤングが考えるベーシック・インカム

ヤングが「Freedom Dividend（フリーダム配当金）」と呼ぶＵＢＩは、18歳から64歳（社会保障での通常の引退年齢の設定が65歳だから）のアメリカ市民全員に毎月１０００ドル（約11万円）を支給するというものであり、世界で最も大金持ちのジェフ・ベゾスも無職の人も平等の扱いである。

この部分だけを取り上げると、「最低賃金を時給15ドルに引き上げる」ことを政策の看板にしてきたバーニー・サンダースよりもヤングのほうが左よりの社会主義者のようなイメージを与えるかもしれない。しかし、ヤングは伝統的な「社会主義者」のカテゴリに属する候補ではないし、そもそも「右か左か」という決めつけが間違いだと考えている。

ブラウン大学卒業後にコロンビア大学の法学大学院を卒業したヤングは25歳で最初の会社を起業して以来いくつものテクノロジーと教育関係の会社を設立あるいは経営してきた。そして、2011年に非営利団体「Venture for America」を創設し、経済成長に取り残されたアメリカの中西部を中心に若者の起業を助けてきた。

そんなヤングは根本的には自由主義者であり資本主義者なのだが、ビジネスマンとして、2人の息子（1人は自閉症スペクトラム）を持つ父親としてアメリカの現状を見ているうちに危機感を覚えるようになった。最先端のテクノロジーとビジネスを知る彼が冷静な分析をし、深く考えた末に人のウェルビーイング（福利と幸福）と充足感に対応する新しい形の資本主義である「ヒューマン・キャピタリズム」という政治信念にたどり着いた。

アンドリュー・ヤングが2018年4月に刊行した *The War on Normal People*（普通の人々に対する戦争）を読むと、彼がこの信念に到達した思考回路がよく理解できる。「*The Truth About America's Disappearing Jobs and Why Universal Basic Income Is Our Future*（アメリカで消えつつある職についての真実と、ユニバーサル・ベーシック・インカムこそが我々の将来である理由）」という副題どおり、ヤングは仕事が消える未来の姿を、数字を使ってシビアに描いている。

アメリカの政治家は口癖のように「私は職を沢山作る」と約束する。だが、どんなにあがいても、AIが多くの一般人の仕事を奪う未来を変えることはできない。AIに仕事を奪われても、他の仕事に就けばいいと思うかもしれない。だが、テクノロジーの進化によって新たに作られた仕事には特別な知識やスキルが必要であり、AIに仕事を奪われた人たちが簡単に移行できるようなものではない。*Hillbilly Elegy*（12ページ）で描かれたラストベルトの白人の絶望、ヘロイン依存症や自殺の増加という社会問題がそれを示している。国が何の対策も取らなかった場合には、ラストベルトでのその絶望は全米に広がることになる。

これを肌感覚で知っているのは、政治家ではなくヤングたち起業家だ。起業家らはＡＩがスーパーマーケットでレジの仕事をすでに奪っている現状と、トラック運転手の仕事がなくなる未来を知っているし、それが全米に与える恐ろしい影響も鮮やかに予想している。だから、イーロン・マスクやマーク・ザッカーバーグがＵＢＩの支持者だというのは決して不思議なことではない。

起業家たちが政治家よりよく理解しているのは、働くことで人が得る充足感と尊厳、そして、その重要性だ。ＵＢＩに対しては「金を与えたら働かなくなる」という反論がある。そういう人もいることはいるだろう。ヤングもそれは認めている。だが、実際にはそれほど多くはならないだろう。「ドラッグや酒に使ってしまう」という意見もあるが、研究ではすでにその説は否定されている。月に１０００ドルというのはアメリカでは本当に食べていくのにギリギリの最低限の収入なので、それ以上の生活をしたければ働かざるを得ない。それに、人は働くことで充足感を得て、自分への尊厳を抱けるものなのだ。

その意味を含めて、「フリーダム配当金（ＵＢＩ）」の他にもヤングは興味深い提案をしている。それは、「ソーシャル・クレジット（Social Credits）」というシステムだ。

それは、人が自分のスキルを活用して隣人の家の修理をしたり、子守をしたりしてソーシャル・クレジットを得て貯蓄するというものだ。そして、そのソーシャル・クレジットを使って自分が必要とするサービスを購入する。このコンセプトはすでに「タイム・バンキング（時間貯蓄）」という名前でアメリカの約200のコミュニティで実践されている。犬の散歩、庭仕事、料理、病院への車での送り迎え、といったサービスに費やした時間を貯金し、コミュニティ内で物々交換のように利用し合うというものだ。

私も10年以上前に子守のタイム・バンキングを利用していた友人から参加を勧められたことがある。これは現金収入の代わりになるシステムというだけでなく、「自分のスキルを使って働くことで、他人から感謝される」というヒューマニティに関わる満足感も与えてくれる。

■民主主義のタウンホールに行ってみた

4月7日にニューハンプシャー州で開催された「民主主義タウンホール」というイベントで、ヤングの話を直接聴いてみることにした。同時期に行われた大統領候補のコリー・ブッカー（上院議員）とカーステン・ギリブランド（上院議員）のイベントに集まったのは200～300人程度だったが、主催者の知名度もあってかヤングのタウンホールイベントにはそれらを超える900人弱が集まった。

主催したのは「クリエイティブ・コモンズ」の共同創設者であるローレンス・レッシグが創設した「イコール・シティズンズ（Equal Citizens、平等な市民）」という無党派の非営利団体である。

憲法学とサイバー法学を専門にする法学者のレッシグは、ハーバード大学の教授を務めながら、「真の民主主義」と「自由」のために多くの企画を手がけてきた人物である。レッシグは、現在のアメリカの政治家を選出するシステムが完全に崩壊していることやすべての国民の票が平等ではないこと、国民の意見が無視され、民主主義が崩壊していることを憂い、それを変えていくために「イコール・シティズンズ」を創設した。「民主主義タウンホール」は団体の重要な活動のひとつであり、それに賛同して最初にゲストとして語ることを引き受けたのがヤングだった。

アンドリュー・ヤングは、ネットでは Gif などのインターネット・ミーム（ネット上の面白ネタ）をよく使い、ミレニアル世代やその下のジェネレーションZに人気がある。ゆえに主要メディアから軽視されてきたところがあるが、実際に話を聴くと、非常に知的でシャープなビジネスマンであることがわかる。

高等教育を受けている者でないと理解できない単語が頻出し、しかも早口だ。しかし、相手を見下した態度ではない。相手が自分と同じレベルの友人や同僚だとみなして容赦せずに思うままに語っている感じだ。この点も、ほかの政治家たちとまったく異なる。こういったところが魅力になっているのか、これまでの取材では前回の大統領選挙でバーニー・サンダースを支持したミレニアル世代の一部がヤングに乗り換えている現象を感じた。

ヤングはイベントの最後に敵対する党を悪者扱いして対立を煽る現在のアメリカの政治の雰囲気について「人は対立する側を悪者扱いしたくなるものだ」と人間心理を受け止めたうえで、「だが、我々は、あらゆる人々について歪めて伝え、非人間的に扱っているシステムを修復することに焦点を絞るべきだ」と冷静に批判した。そのうえで、現在のアメリカの状況について「(ここに集まっている人たちは)神聖ともいえる信頼感に基づいて壊れたシステムから残りのアメリカを守ろうとしている」「だが、我々はいったん落ちたらもう元には戻れない断崖に向かっていることを感じている」と強い危機感を語った。

続いて「私は、自分が大統領になれるというファンタジーを抱いて出馬したのではない。立候補したのは、私がアメリカ人であり、子を持つ親だからだ。我々の子どもたちに残す国として（現在の）この国を受け入れることはできない」と語ったとき、ヤングはこのイベントで初めて感情的になって涙ぐんだ。

大統領候補としてのヤングのユニークな魅力は、「大統領になるために大統領選に出馬したのではない」という言葉に信憑性がある真摯さだ。実際にヤングは自分が「本物だ」と感じたライバル候補を公に応援している。

前章で説明したように、最初の民主党ディベートに参加する資格を得るためには、世論調査で1％以上の支持を得るか、あるいは個人からの寄付金を6万5000人以上から集めなければならない。3月12日の時点ではまだブーテジェッジはディベートの資格を得ていなかったのだが、アンドリュー・ヤングはブーテジェッジに自ら寄付しただけでなく、ツイッターで自分のフォロワーたちに「ピート・ブーテジェッジは本物だ。6月のディベートのステージに立ってほしいし、そうなるだろう」と寄付に協力することを呼びかけたのである。

まだ予備選の途中なのに他の候補に寄付するよう呼びかけた候補など、これまで見たことがない。また、そんな候補の呼びかけに応えて「私も寄付した」とリプライするような支持者もこれまではいなかった。２０１６年の大統領選挙のときには他の候補を支持する者のソーシャルメディアをひどい言葉で荒らす者が多かったのだが、ヤングの支持者たちがそういった雰囲気を許さないようネットでも呼びかけあっているのも見かけた。これは自然発生というよりもヤングのリーダーシップの結果だろう。彼は、２０１６年の選挙でトランプやサンダースを支持するかなりの票田になった「２ちゃんねる」の英語版である「4chan」の常連や白人優越主義者の支援を公に拒絶している。

ヤングの本の前半に描かれているアメリカの未来は暗い。だが、大手メディアが伝えないこういった部分や彼が提唱する「ヒューマン・キャピタリズム」には希望を感じる。彼の本によると、次のような信条が「ヒューマン・キャピタリズム」のコアになっている。

①ヒューマニティはお金よりも重要である。
②経済の単位はそれぞれの人であり、ドルではない。
③私たちに共通する目標と価値観のために市場は存在する。

大統領になる可能性がほとんどないヤングだが、「アメリカ全体の雰囲気を変える」というもっと大きな目標の達成に最も貢献する候補になるかもしれない。（２０１９年４月「ニューズウィーク」）

The War on Normal People: The Truth About America's Disappearing Jobs and Why Universal Basic Income Is Our Future
Andrew Yang, 2018

トランプ勝利を予測した教授が説く「大統領弾劾」シナリオ

The Case for Impeachment

２０１６年のアメリカ大統領選では、大手メディアから予測の専門家に至るまで、ほとんどの人がヒラリー・クリントンの勝利を予測していた。そのなかで、９月の時点でトランプ勝利を予測して注目されていた専門家がいた。

それは、ワシントンＤＣにあるアメリカン大学で政治史を教えるアラン・リクトマン（Allan J. Lichtman）教授だ。独自のメソッドを使い、１９８４年から現在に至るまで、すべての大統領選を正確に予測してきた人物だ。

大統領選で勝利したトランプは、リクトマンに「教授、おめでとう。正しい判定だったね」という手紙を送った。リクトマンは苦笑したにちがいない。なぜなら、彼は同時にトランプ大統領が弾劾されることも予測していたのだから。

なぜリクトマン教授はトランプが弾劾されることを予測したのか？　それを説明するのが、トランプが大統領に就任した３カ月後の２０１７年４月に刊行された *The Case for Impeachment*（弾劾の論拠）だ。

大統領の「Impeachment（弾劾）」の仕組みは、一般のアメリカ人にも馴染みが薄い。簡単に説明すると次のようなプロセスになる。

①大統領が、反逆罪、収賄罪、あるいはその他の重罪及び軽罪を犯した疑いがあるとき、司法省あるいは独立検察官が調査して、下院の司法委員会に報告する。
②下院の司法委員会が証拠を吟味し、弾劾に匹敵するかどうか討論する。
③司法委員会が弾劾を薦める決断を下したら、次は下院全体で討論を行い、採決する。
④下院では過半数の賛同で弾劾決議になる。
⑤次に上院で弾劾裁判が行われる。
⑥上院での弾劾裁判では、出席者の3分の2が賛同すれば、大統領は有罪になり、罷免される。

これまでに弾劾された大統領はアンドリュー・ジョンソンとビル・クリントンの2人だけだ。2人とも下院で弾劾される④までは行ったが、上院での弾劾裁判では無罪になり大統領の座を追われることはなかった。ウォーターゲート事件で追い詰められたリチャード・ニクソンは、プロセスの②の段階で自ら辞任した。

アメリカの建国の父たちは、大統領が独裁者として暴走しないように弾劾制度を作ったのだが、このように、それで罷免された大統領はまだいない。政治歴史学の専門家であるリクトマンは、それを承知のうえでトランプ大統領の弾劾と罷免を予測している。それどころか、大統領就任の1月から本書が発売された4月までのトランプの言動から、その確信がさらに強まったという。「歴史から何も学んでいないらしい（トランプ）大統領が国民の信頼を悪用し、裏切り、罷免される可能性がある数え切れないほどの違反行為で、弾劾のお膳立てをしている」からだ。「数え切れない」というのは大げさではない。リクトマンは、「ドナルド・トランプは、私利のために多くの法を破ってきた。彼の違反行為の履歴は、これまでの大統領とはくらべものにもならない」と前置きして、本書でこれまでの例を網羅している。また、トランプは「大統領がやることは違法ではない」と公言していたニクソンと同様の考え方をしているので、これからも重大な過ちを犯す可能性がある。

弾劾の対象になる違反行為があまりにも多すぎて全部を書くのは不可能なので、教授が挙げた重要なものをいくつかリストアップしよう。

・公正住宅法違反

1970年代、トランプが社長を務めていた住宅管理会社は黒人の入居者を断る方針を持っていた。これは公正住宅法違反である。司法省から訴えられたトランプの会社は、違反を解決するどころか、法を取り下げるよう司法省を反対に訴えている。

・慈善団体詐欺

「トランプ基金」という名前の慈善団体を作って金を集め、自分や自分が経営する会社の借金をそこから支払った。非営利の慈善団体への寄付には税金がかからない。その資金を私利に使うのは違法である。「慈善」として450万ドル（約4・5億円）を寄贈したビンス・マクマホンは、プロレス団体WWEの最高経営責任者である。トランプはビンスの妻のリンダを中小企業局の長に任命した。

また、安倍首相がトランプ大統領とゴルフ対談をしたフロリダ州パームビーチの「マララーゴ」は、トランプが所有するリゾートだ。マララーゴは、条例を破って町から12万ドルの違反金を課せられていたが、トランプは、退役軍人の組織に10万ドルを寄付すると約束して町から罰金を免除してもらった。ところが、その10万ドルを町に支払ったのはトランプ個人ではなく、トランプ基金だった。

そのほかにも、ビジネスでの取引先からの支払いをトランプ基金に「寄付」させていることも「ワシントン・ポスト」が報じている。脱税は深刻な犯罪だ。納税申告書の公開をトランプが頑なに拒んでいる理由の一つがこれではないかと疑われている。

ほかにも、トランプ基金にまつわる違法の報告は数え切れない。

・キューバとカジノ

1990年代、トランプはキューバにカジノを作ることを考慮し、約700万円をキューバで使った。だが、キューバとの通商は禁じられており、商業目的で金を使うこともそれに含まれていた。トランプの会社が違法行為を隠す試みをしたことも明らかになっている（しかしこれは時効らしい）。

・「トランプ大学」の詐欺行為

トランプは自分の知名度を利用して、営利目的の「トランプ大学」を作った。儲かる不動産ビジネスの秘訣を教えるという約束で高額の授業料を集めたのに、実際には大学の基準をまったく満たしておらず、内容もなかった。この「偽大学」は結果的に閉校することになったが、連邦と数々の州の法を犯し、大学に登録した利用者数千人から訴えられた。

・不法移民からの搾取

トランプは、「不法移民を強制的に送還する」ことを約束してアメリカ国民から支持を得たが、彼自身が不法移民を雇い、しかも搾取していた。有名なマンハッタンのトランプタワーを建設中の1980年、トランプは、わざとポーランドからの不法移民を選んで働かせた。なぜなら、正規のアメリカ人よりもずっと安く、ひどい扱いをしても、訴えられないこともわかっているからだ。

トランプ・モデル・マネージメントも、カナダ人モデルから訴えられた。ビジネス用のビザを与えずに、違法のままで働かせ、収入の大部分をアパート代や経費として差し引くのだ。6人で同じ部屋に住み、3年働いて受け取った給料は約80万円でしかなかったという。

・大統領の座をビジネスに利用している

これまでの大統領は、職業倫理の一環として、ビジネスの地位を放棄し、所有している株などを売却した。大統領としての行動が、私利目的になってはいけないからだ。ところが、トランプはいまだにビジネスから身を引いておらず、利益も得ている。トランプが経営する会社がある国々の指導者とも会っている。「トランプの個人的な投機と、大統領としての公務が対立している」とリクトマンは指摘する。

・海外政府からの報酬・利益供与

大統領が外国政府から報酬や利益を得るのは、利益相反で憲法違反だ。トランプの場合は、ホテルやカジノ経営で外国政府から利益を得ている。また、トランプが経営する会社は中国で約50の商標を申請していたが、トランプが大統領に就任した後の2月に、ペンディングになっていた

38が仮承認となった。香港の専門家も「これほど多くの商標が素早く承認されるのは見たことがない」とコメントしている。

「アメリカ国民全員にとって危険なのは、トランプが自分の経済的利益とアメリカ合衆国にとっての利益とを区別できていないこと。しかも意識すらしていない」という点は、さらに重要だ。

・非人道的犯罪（Crimes Against Humanity、人類そのものへの犯罪ともいえる）

これはたぶんもっともあり得ないシナリオだと思うが、地球の温暖化（気候変動）対策に真っ向から反対する政策を打ち立てるトランプに対して、国際刑事裁判所（International Criminal Court）が非人道的犯罪で訴える、というものだ。長い目で見れば、本当に重罪なのだが、実現の可能性は低い。核兵器を使用したらあり得るが、それだけはなにがあっても避けたい。

その他にも山ほどあるのだが、そろそろ「本当に弾劾されそうなシナリオ」について語ることにしよう。

現時点で実現の可能性が高いと感じるのが、ロシア問題と女性問題だ。

・ロシア問題

共和党からの抵抗で進行が遅れているが、トランプ（あるいは選挙の側近）とロシアとの関係については実際に調査が行われている。トランプが最初に国家安全保障問題担当の大統領補佐官に任命したマイケル・フリンは、就任前にロシア大使と経済制裁解除について話し合ったことが判明して辞任した（こう書いている間にも、調査は進展しているようだ）。

そして、ジェフ・セッションズ司法長官は、就任前に宣誓したうえで否定したにもかかわらず、ロシアの駐米大使と会談していたことがわかった。

ロシアがアメリカ大統領選挙に介入した証拠はすでにある。問題は、トランプかトランプ陣営が関わっていたかどうかだ。国家への背信行為（treason）は重罪だ。トランプの背信がひとつでも証明されたら、共和党議員であってもトランプの弾劾と罷免に賛成せざるを得なくなる。ゆえに、これが最もありえるシナリオだ。

・女性問題

トランプからセクシャルハラスメントを受けたと訴え出た女性は少なくない。女性に下品な性的コメントをするビデオも流出した。それでも多くの女性がトランプに票を投じたが、だからといって、女性問題が消え去ったわけではない。

トランプの最強の敵は、もしかすると、女性弁護士のグロリア・アルレッドかもしれない。アルレッドは、セクシャルハラスメントやレイプのケースが大きく話題になると、必ずと言っていいほど担当弁護士として登場する。コメディアンのビル・コスビーからレイプされた被害者たちの弁護も担当した凄腕だ。

トランプを有名にしたリアリティ番組「アプレンティス」にコンテスタントとして出演したサマー・ザーボスがセクシャルハラスメントの被害者として名乗り出てきたときに、トランプは彼女が嘘をついていると否定した。それに対し、トランプは政治集会やメディアで、ザーボスを含めたセクハラの被害者たちを個人攻撃し、風貌をおおっぴらに揶揄した。そこで、ザーボスは、トランプを名誉毀損罪で訴えたのだ。

では、なぜこの民事訴訟が弾劾に繋がるのか？

それは、民事訴訟であっても、宣誓の上で嘘をついたら偽証罪になるからだ。トランプは、録画やスクリーンショットで証拠があるにもかかわらず、「私はそんなことは言っていない」などといった嘘を平気でつく。選挙にはそれでも勝てたが、裁判となるとそうはいかない。けれども、嘘だらけでも今までなんとかなってきたので、トランプのエゴはますます膨らんでいる。最初は我慢していても、ベテランのアルレッドに挑発されたら、つい嘘をついてしまう可能性は大いにある。

しかしながら、共和党が上下院の両方を支配している現況では、弾劾への道は険しい。そのためには、2018年の中間選挙で、民主党が大活躍して議席を確保するしかない。けれども、バーニー・サンダースを支持した左派が勢力を拡大している民主党内も分裂していて、いまひとつ頼りない。

リクトマン教授の予測が当たるかどうか、当たったとしたら、どのシナリオなのか、これからも目が離せない。（2017年5月「ニューズウィーク」）

【追記】2019年9月22日、トランプ大統領がウクライナのウォロディミル・ゼレンスキー大統領に対して、政敵であるジョー・バイデン元副大統領（と息子）の捜査を要求していたことが明らかになった。焦点は、アメリカによる軍事支援を引き換えにした「Quid Pro Quo（交換条件）」だったかどうかだ。もしそうであれば、大統領の座を利用した「abuse of power（職権乱用）」になり、弾劾の理由になる。きっかけは、アメリカの情報機関当局者からの内部告発だった。民主党が過半数になった下院議会のナンシー・ペロシ下院議長は、これまでは弾劾手続きが2020

年の選挙にかえって不利になると考えて乗り気ではなかったが、強い証拠と、高まる国民の支持を得て、9月24日に弾劾の正式審議を開始した。そして、12月18日、下院の本会議は、トランプ大統領による権力乱用と議会妨害の二つの弾劾条項を可決し、リクトマン教授の予測は実現した。（2019年12月）

The Case for Impeachment
Allan J. Lichtman, 2017

#MeToo ムーブメントの火付け役が暴露した巨大メディアの陰謀

Catch and Kill

２０１７年10月は、男性が支配する業界で働いてきたアメリカ人女性にとって、歴史に残る大きな転機の月だった。

最初は10月５日に「ニューヨーク・タイムズ」に掲載された告発記事だった。アカデミー賞受賞作や大ヒット作を数多く生み出してきたハリウッドの大物プロデューサーであるハーヴィ・ワインスティーンが、過去30年に女優や従業員に対して「性暴力」や「セクシャルハラスメント」を行ってきたというものだ。

５日後の10月10日、ローナン・ファロー（Ronan Farrow）が「ニューヨーカー」にさらに踏み込んだ記事を載せた。ワインスティーンが13人に性暴力をふるい、３人をレイプしたという内容だ。「ニューヨーク・タイムズ」の５日の記事には「レイプ」という表現はなかったが、ここではっきりと「レイプ」という単語が使われていた。

２日後の10月12日、アマゾン・スタジオのトップであるロイ・プライスがセクシャルハラスメントで出勤停止になり、５日後に辞任した。被害者はアマゾンのドラマ「The Man in the High

Castle（高い城の男）」のプロデューサーであるイサ・ハケットだが、彼女が告発したのは2年前の2015年のことだった。

女優のアリッサ・ミラノは、10月15日に「セクシャルハラスメントや性暴力を受けたことがある人は、『私も（Me Too）』とリプライして」とツイートした。10月16日、そのリプライに自然発生的にハッシュタグ #MeToo が使われるようになってトレンド入りし、またたく間に世界のソーシャルメディアで広まった。

10月18日、オリンピック金メダリストの元女子体操選手マッケイラ・マロニーが、#MeToo のハッシュタグを使って、13歳のときから元チームドクターのラリー・ナサールに性的虐待を受けていたことをソーシャルメディアで公表した。その後、約150人が同様の体験をしていることを名乗り出た。

これをきっかけに、ハリウッドだけでなく多くの業界の大物たちが次々と告発されてゆき、報道業界の重鎮であったマーク・ハルペリン、チャーリー・ローズ、マット・ラウアー、ロックハート・スティールなどが職を追われた。ワインスティーンも最初は自分が創業した社から解雇されただけだったが、これまで黙っていた大物女優の多くが被害者として名乗りを上げるようになった。そして、被害者のリストが80人ほどになったとき、ついにハリウッドを追放された。

この運動がアメリカの女性にもたらした恩恵は、沈黙を守って1人で苦しみ続けてきた女性にパワーを与えたことと、セクシャルハラスメントやレイプを見過ごして加害者のほうを守ってきた業界の支配階級の男性たちを一掃できたことだった（まだ十分残ってはいるが）。

■「ニューヨーカー」から始まる

この大きな流れのきっかけとなる「ニューヨーカー」の記事を書いてピューリッツァー賞を受賞したローナン・ファローが、その経緯を*Catch and Kill: Lies, Spies, and a Conspiracy to Protect Predators*（捕まえて抹殺する——嘘、スパイ、そしてプレデターを守る陰謀）という本にまとめた。

著者のローナン・ファローは、映画監督のウディ・アレンと女優のミア・ファローの実子である（ミア・ファローの元夫だったフランク・シナトラの若い頃によく似ているためにシナトラが父だという説もあるがローナン本人はウディ・アレンが父だと言っている）。15歳で大学を卒業し、21歳のときにイェール大学のロースクールを卒業して弁護士の資格を取り、オックスフォード大学で政治学の博士課程を終え、アフガニスタンとパキスタンで国務省の職員として勤務し、それからジャーナリストになった。まだ31歳でこれだけのキャリアを持っていることに驚愕するが、*Catch and Kill*から読み取れる作者の実像は「セレブの子ども」や「天才」のイメージとは程遠い。仕事や将来に不安を覚えて悩むふつうの青年だ。

*Catch and Kill*で最初に驚くのは、ワインスティーンの暴露は、ファローが最初から正義感にかられて追及したものではないということだ。もともとは、ファローが勤務していたNBCの人気朝番組「Today Show（トゥデイ・ショー）」で割り当てられた調査報道のひとつだったのだ。彼は、どちらかというとこのテーマを避けてきたところがある。それは、姉のディラン（養子）が7歳のときに父親のウディ・アレンから性的虐待を受けたと訴え（告訴はしなかった）、その後にアレンが義理の娘の立場にあるスン・イーと関係を持った挙げ句に結婚したという家庭の事情があるからだ。駆け出しのジャーナリストとしては、「父親への敵討ち」のような、個人的アジェ

ンダが背後にあると思われたくはなかったのだろう。

ファローがワインスティーンのセクシャルハラスメントと性的暴力の深刻さを掘り出し、公式の取材に応じるように被害者を説得することに成功し始めた頃から、周辺で奇妙なことが起こり始めた。取材を割り当てた張本人のNBCの上司たちが、理由を与えずに取材にブレーキをかけ、やんわりと「このまま続けたら、仕事がなくなるよ」といったプレッシャーをかけ始めたのだ。その頃から自分が誰かに監視されていることに気づく。そして、多くの人たちが、「気をつけなさい」とささやくようになる。

■「ニューヨーカー」の徹底したファクトチェック

それらはすべて、アメリカの有力者たちと強い繋がりを持つワインスティーンが仕掛けていたことだった。ファローを監視していたのは、イスラエル諜報機関の元諜報員が作った「Black Cube（ブラック・キューブ）」というスパイ組織で、ワインスティーンが雇ったチームだったのだ。

不気味な存在に監視されているだけでなく、これまで信頼していた人たちからの裏切りにもあう。その1人が、セクシャルハラスメントや性暴力を受けた女性を弁護することで知られる「人権弁護士」のリサ・ブルームだ。親身に相談にのるふりをして被害者の情報を聞き出し、同時にワインスティーンのために働いていたのだ。また、ファローが尊敬し、この調査報道でもアドバイスを求めてきたNBCのマット・ラウアーやトム・ブロコウは、後にセクシャルハラスメントや性暴力で社内の複数の女性から告発された。

ファローにとって最初はただの仕事のひとつでしかなかったのに、大きな勢力が一体になって潰そうとしたために、身の危険を感じても執着するようになったというのは皮肉なものだ。NBCが報道してくれないし、取材の許可も与えないので、ファローはこの調査を「ニューヨーカー」に持ち込んだ。それからの「ニューヨーカー」の姿勢に、私は真のジャーナリズムへの尊敬を新たにした。ともかく、「ファクトチェック（事実の確認）」が徹底している。「ニューヨーク・タイムズ」が同じテーマでスクープ記事を準備していることを知っていながらも、焦ってその前に出そうとはしないのだ。「ニューヨーカー」の記事でファローが「レイプ」という表現を使ったのも、訴えられても勝てる証拠があると「ニューヨーカー」が確信したうえでのことである。

「Catch and Kill（キャッチ・アンド・キル）」とは、タブロイド紙がセクシャルハラスメントなどのスキャンダルでよく使う「捕まえて、抹殺する」手法のことらしい。「ジャーナリスト」を称する者が被害者に接触し、証言を得る。だが記事にはしない。加害者である大物がタブロイド紙を通じて被害者の過去の異性関係やスキャンダルを掘り起こして大げさに報道し、人格攻撃を始める。そのうえで、社会的な制裁を受けて精神的にボロボロになっている被害者に示談金を与え、守秘義務契約（NDA）に署名させるのだ。トランプ大統領もこの手法をよく利用してきたことが書かれている。

驚くことに、社会の腐敗を暴くことを生業とするシリアスなメディアであるはずのNBCもこれをやっていたのだ。セクシャルハラスメントを訴える部門はあるのだが、その部門が被害者の悪評を流して、社の弁護士からプレッシャーをかけてNDAに署名させてスキャンダルを潰すという「キャッチ・アンド・キル」をやっていた。NBCは、被害者の女性よりも、人気司会者であるラウアーを積極的に守っていたのだ。その体質を作ったのが、NBCの政治報道部門であるNBCニュースとMSNBCの会長であるアンドリュー・ラックだったことをファローは示唆している。また、NBCの親会社はNBCUniversalで、そのオーナーは、ケーブルテレビ・情報通信・メディアエンターテイメントを扱う、巨大なコングロマリットだ。トップの地位にいる者は、ワインスティーンと個人的に繋がっている。

ファローの本は、最初から最後まで、まるでスパイ小説を読んでいるような雰囲気だった。スパイ小説さながらの読みやすさなので、これまでこの問題に興味がなかった人たちにも読んでもらえるだろう。そうやって、問題の深刻さが広く知られていくことに価値がある。

また、この本でセクシャルハラスメントや性暴力を組織的にもみ消してきたことが明らかになったNBCは、11月に行われる民主党大統領候補のディベートを「ワシントン・ポスト」と共同主催することになっている。ファローの本が刊行された直後に、質問役をすべて女性にするという発表があった。Nのだが、これまでの質問者はニュース番組の有名な男性司会者が多かったBCには、セクシャルハラスメントに無関係な男性司会者がいなかったのではないかと疑いたくなるような決断だった。

また、NBCがセクシャルハラスメントで加害者のほうを守ることが明らかになったため、NBCのデジタル部門のジャーナリストが自分たちを守るために労働組合を結成したことが10月31日の「ワシントン・ポスト」に報道された。

多くの意味で、*Catch and Kill* は歴史に残る1冊になることだろう。（２０１９年11月1日書下ろし。後に「ニューズウィーク日本語版」掲載）

Catch and Kill: Lies, Spies, and a Conspiracy to Protect Predators
Ronan Farrow, 2019

社会に存在する問題に「真の名」をつけることの力

Call Them by Their True Names

大統領選挙が行われた2016年から本書を執筆中の2019年にかけて、アメリカ合衆国では異常な政治的なシフトが起こっている。

「スターだとなんでもやらせてくれる。なにをやってもいい」、「プッシーを掴んでやる」という発言を含む映像がニュースに流れ、何千人もの聴衆を前に「私が5番街の大通りの真ん中でだれかを撃ったとしても、票を失うことはないだろう」と堂々と放言したトランプがアメリカの大統領になったのだ。しかも、後にロシアが選挙に介入したことが明らかになったのに、あれほどロシアや社会主義を嫌っていたはずの共和党は問題視すらしていない。それればかりか、アメリカの大統領が懇意にし、何度も尊敬の言葉を口にするのが、ロシアのプーチン大統領と北朝鮮の金正恩なのだ。共和党が聖人のように敬(うやま)っている亡きロナルド・レーガン元大統領が知ったら、きっと現在のことを「ディストピア」だと思ったことだろう。

共和党議員の中にもトランプに脅威を覚えている者はいるようだが、反論すると干されて針のむしろになるようだ。また、自分の選挙区に住む保守の有権者が圧倒的にトランプを支持しているために、落選を恐れてなにも言うことができない。

口を開けるたびに嘘や創作を口にするトランプに、多くの人は麻痺してしまっており、もう少々の嘘ではなにも感じなくなってきている。「自分がなにを感じても、どうせ社会は変わらない」という無力感も漂っている。その間に、トランプはどんどん国民の権利を奪っており、本書でご紹介しているマーガレット・アトウッドの *The Handmaid's Tale*（77ページ）や *The Testaments*（78ページ）の舞台であるギレアデ共和国になっていきそうな気配だ。ギレアデは、白人至上主義で、徹底した男尊女卑の社会だ。国民は男女とも厳しい規則で縛られ、常に監視されている。この国では環境汚染などで女性の出産率が激減しており、子どもが産める女性は貴重な道具として扱われるが、あとは文盲でお飾りの妻か、下働きのお手伝いだ。


２０１６年の大統領選挙のとき、現場を取材していて驚いたことがある。それは、アメリカの若い女性たちが「女性の人権」をあまりにも軽く捉えていたことだった。とくに急進派のバーニー・サンダースを支援する若い女性たちによるフェミニストやフェミニズムを見下げるような言動には唖然とした。１００年前の女性たちが、投獄を覚悟で女性の参政権のために闘ったことや、60年前の女性たちが「性と生殖」について女性自身が決める権利のために闘ったことを、知らないか、忘れてしまっているようだった。

そういった若い女性に対し、１９６０年代から70年代にかけて女性の人権のために闘ったグロリア・スタイネムなどのフェミニストたちはトランプ大統領が誕生したら女性の権利が危機にさらされると警鐘を鳴らしたが、彼女たちはそれを無視し、それればかりか、「ヒラリーはトランプより危険」という女優のスーザン・サランドンの発言を鵜呑みにした。そして、スタイネムや「女性を応援しない女性には特別な地獄がある」とヒラリーを応援したマデレーン・オルブライト（女性として初めての国務長官）をインターネットで批判した。そして、サランドンが「私はヴァギナで投票しない」とヒラリー・クリントンの支持を否定したときには、その台詞を繰り返す若い女性たちがソーシャルメディアに現れた。

私は、２０１６年の大統領選挙を長期にわたって現場で取材し、その様子を「ニューズウィーク日本語版」の連載や『トランプがはじめた21世紀の南北戦争』などで報告した。だが、この切迫感が伝わらないもどかしさを感じていた。

■「真の名」を見つける

そんなとき、レベッカ・ソルニット（Rebecca Solnit）の *Call Them by Their True Names: American Crises (and Essays)*（『それを、真の名（まこと）で呼ぶならば――危機の時代と言葉の力』）に出会った。それればかりか、自分で翻訳する機会までいただいた。

この本を読み進めるにつれ、「私が伝えたかったのはまさにこれだ」と何度も、何度も頷いた。

「ミソジニーの標石」で、ソルニットは、「女は自分のジェンダーへの忠誠心がないことで嫌われる。だが、面白いことに、女は自分のジェンダーへ忠誠心を抱いても嫌われるのだ。女は主要な女性候補を支持すると、生殖器で投票していると責められる。だが、アメリカの歴史を通じて、たいていの男性が男性候補を支持しているのに、ペニスで投票していると責められたことはない」と書いているが、これは、選挙中に（生殖器の名前抜きで）私がよく夫や娘にぼやいていたことだった。

これを含め、選挙中に私が感じたことをこれほど明瞭かつ明快に代弁してくれたエッセイはほかにない。

私が現地で体験したことをすばらしい文章で代弁してくれたのはもちろん嬉しいが、ソルニットの素晴らしさは、私たちが知らなかった歴史の数々を教えてくれ、これまで何の関係もなかったかのような歴史上の点を繋げてくれることだ。カリフォルニアがいかにしてアメリカの領土になったのかを語る「国の土台に流された血」というエッセイを読むと、選択的に移民を廃除することに積極的なトランプ政権と、彼の移民政策を支持するアメリカ人の傲慢さをさらに強く感じるようになる。

2016年の選挙では、「Purity test（純潔さの試験）」という言葉も飛び交った。特に左寄りの急進派が、ヒラリー・クリントンが共和党の家庭で育ち、高校生のときに共和党候補の支援活動をしたことなどをあげて批判したことだ。つまり、「100%完璧でない者は、100%否定するべきだ」という態度のことだ。それについても、ソルニットは「膨の下の垢」の中で「あまりにも多くの人が完璧さを信じていて、そのために完璧ではないものすべてを貶めてしてしまう」、そして「無邪気な冷笑家たち」では「無邪気な冷笑家は可能性を撃ち落とす」と語る。

ソルニットは、私より政治的には左寄りの立場だと思う。政策面ではきっと同意できないところもあるだろう。だが、極端なイデオロギーの背後にある怠惰さを指摘し、長期的な視点での社会運動の重要さを何度も語る彼女のエッセイを読んで、これまでと考え方が変わったところもある。私たちの間に違いはあっていいし、完璧である必要はない。それを認めあい、あきらめずに語り合い、活動することが必要なのだ。

この本を翻訳する合間に読んでいた本のひとつに、ブッカー賞のロングリスト候補になったジャネット・ウィンターソンの*Frankissstein*（フランキススタイン）という小説がある。フランケンシュタインを元にした、非常にクリエイティブな作品だ。その中で、主要な登場人物が「アダムの役割は世界に名前をつけることだった。（中略）名前をつけることは、今でも私たちの主要な役割である。（中略）ものごとを正しい名前で呼ぶことは、それらに本人証明用ブレスレットやラベルをつけたり、シリアルナンバーをつけたりする以上の意味がある。われわれは、ビジョンを喚起するのだ。名前をつけることはパワーなのだ」とスピーチする場面がある。

それを読んだとき、セレンディピティだと思った。

私は、子どもの頃から魔法が出てくるファンタジーが好きなのだが、欧米の魔法ファンタジーでは「真の名前」は非常に重要な意味を持つ。「真の名前」は本人の真相を表すものなので、他人に知られるとパワーを明け渡すことになる。だから魔力を持つ者は真の名を隠すのだ。

私たちがパワーを持つためには、現在起こっていることを誤魔化さず、見過ごさず、深く掘り下げることで、ものごとの「真の名」を見つけることから始めなければならない。そして、見つけたら、その真の名を堂々と使うことにも慣れなければならないのだ。

そして、ものごとに真の名をつけるために必要な知識と思考力も、あきらめずに、つけていこうではないか。（2019年9月）

Rebecca
Solnit

Call Them by
Their True Names

American Crises
(and Essays)

Call Them by Their True Names: American Crises (and Essays)
Rebecca Solnit, 2018
『それを、真の名で呼ぶならば――危機の時代と言葉の力』
渡辺由佳里訳、岩波書店

渡辺由佳里　わたなべ・ゆかり

エッセイスト、洋書レビュアー、翻訳家。助産師、日本語学校のコーディネーター、外資系企業のプロダクトマネージャーなどを経て、1995年よりアメリカ在住。ニューズウィーク日本版に「ベストセラーからアメリカを読む」、ほかにcakes、FINDERSなどでアメリカの文化や政治経済に関するエッセイを長期にわたり連載している。また自身でブログ「洋書ファンクラブ」（https://youshofanclub.com）を主幹。年間200冊以上読破する洋書の中からこれはというものを読者に向けて発信し、多くの出版関係者が選書の参考にするほど高い評価を得ている。2001年に小説『ノーティアーズ』（新潮社）で小説新潮長編新人賞受賞。著書に『ジャンル別 洋書ベスト500』（コスモピア）、『どうせなら、楽しく生きよう』（飛鳥新社）、『トランプがはじめた21世紀の南北戦争』（晶文社）などがある。翻訳には、糸井重里氏監修の『グレイトフル・デッドにマーケティングを学ぶ』（日経BP社）、マリア・V・スナイダー『毒見師イレーナ』（ハーパーコリンズ・ジャパン）、レベッカ・ソルニット『それを、真の名で呼ぶならば』（岩波書店）がある。

ベストセラーで読み解く現代アメリカ

2020年3月4日　第1版第1刷発行
2020年4月7日　第1版第2刷発行

著者　渡辺由佳里
装丁　岩瀬聡
発行所　株式会社亜紀書房
〒101-0051　東京都千代田区神田神保町1-32
TEL　03-5280-0261（代表）　03-5280-0269（編集）
http://www.akishobo.com/
振替　00100-9-144037

印刷・製本　株式会社トライ
http://www.try-sky.com/

Printed in Japan
978-4-7505-1626-4　C0095